베오울프
Beowulf

베오울프

초판 1쇄 발행 : 2013년 4월 22일

지은이 : 박경범
펴낸이 : 김운태
펴낸곳 : 도서출판 미래지향

편집인 : 김운태
경영총괄 : 박정윤
마케팅 : 김순태
디자인 : 스탠리
인쇄 : 백산하이테크

출판등록 : 2011년 11월 18일
출판사신고번호 : 제 318-2011-000140호
주소 : 서울시 마포구 서교동 353-1 서교타워 711호
이메일 : kimwt@miraejihyang.com | 홈페이지 : www.miraejihyang.com
전화 : 02-780-4842 | 팩스 : 02-707-2475

ISBN : 978-89-968493-7-7 (03810)
정가 : 책값은 뒤표지에 있습니다.

· 이 도서의 국립중앙도서관 출판시도서목록(CIP)은 서지정보유통지원시스템 홈페이지(http://seoji.nl.go.kr)와 국가자료공동목
록시스템(http://www.nl.go.kr/kolisnet)에서 이용하실 수 있습니다.(CIP제어번호: CIP2013001805)

Beowulf

베오울프

박경범

미래
지향

소설 《베오울프》 重刊에 부쳐

소설 베오울프가 발표된 후 국내에도 할리우드 스타 앤젤리나 졸리 주연의 영화 베오울프가 개봉되었다. 그전에도 베오울프의 영화화가 있기는 하였으나 대규모의 블록버스터의 형태로 제작된 것은 처음이었다. 베오울프가 그 본래 가진 문화적 역사적 의의에 비하여 일반 문화 대중에게 알려진 정도가 상당히 덜한 실정에서 매우 반가운 일이었다.

그런데 막상 영화를 접한 뒤에는 반가움보다는 우려가 더한 면이 있었다. 영화산업이 발전하면서 영화의 문화 전반에서의 위상도 크게 높아진 것은 세계적인 추세이다. 이에 따라 영화가 단지 기존의 창작물을 영상화하는데 만족하지 않고 나름대로의 독창성을 강조하려는 경향이 늘어왔는데 영화 베오울프 또한 예외가 아니었다.

영화 베오울프는 원작의 영웅적 서사시를 따르지 않고, 역시 유혹과 욕망에 자유롭지 않은 하나의 인간으로서 그려냈다고 하여, 원작을 아끼는 세계 문화인들의 비판도 있었지만, 한편으로는 나름대로의 창작물로서의 가치를 인정하려는 팬들도 있었다.

애석한 것은 영화 베오울프가 너무 늦게 제작되었던 것이다. 물론 판타지적 장면을 구현하려면 컴퓨터 그래픽에 의한 영화제작 기술이 있어야 했던 것이 주된 원인의 하나이다. 하지만 벤허, 쿠오바디스를 제작할 당시의 순수했던 할리우드 제작자의 마음으로 영화 베오울프가 제작되었다면 얼마나 좋았을까 하는 아쉬움은 떨치지 못하는 것이다.

더구나 한심스러운 것은 영화를 위하여 변형된 스토리를 따른 베오울프 소설까지 나왔다는 것이다. 영화에서는 이미 오래전부터 상영시간 제약에 따른 피치 못한 사정에 따라 원작을 대폭 축약하는 등으로 원작을 변형하는 관행이 있었기에 근래의 다소 앞서나가는 변형도 자연스럽게 수용되고 있다. 그러나 인간 상상력의 제한 없는 전개가 그 생명인 문학으로서 영화제작 환경에 의존하여 변형된 스토리를 따라 '소설'이 쓰인다는 것은 소설의 기본적 가치도 위협하는 것이다. 또 그렇게 쓰인 이야기를 '현대적 베오울프'나 '인간 베오울프' 등의 어떤 수식어도 붙이지 않고 그저 '베오울프'라고 발표한 것은 독자를 속이는 것이다.

특히 베오울프가 기초 교육과정에 포함된 영어권 등의 독자는 영화 베오울프가 본래의 것이 아닌 영화감독의 치기에 따른 변형인 것을 알기에 독자들은 하나의 유희 정도로 넘어가지만, 우리 등 다른 문화권에서는 영화의 베오울프가 마치 고전 베오울프의 이야기인양 문화대중이 오인하게 하여 그 폐해가 작지 않았다. 우리의 문화적, 역사적 상황에서 베오울프로부터 배울 것은 한낱 근대 단편소설에서 흔히 보이는 인간존재의 모순이나 허무주의 따위가 아닌 것이다.

이러한 실정에서 국내의 고전문화 수용자들에게 베오울프의 올바른 감상의 기회를 제공하기 위하여 〈도서출판 미래지향〉에서 소설 베오울프의 중간(重刊)을 단행하게 된 것을 매우 기쁘고 감사하게 생각한다. 이 책을 읽은 독자는 인류가 지난(至難)했던 고대와 중세의 시기를 거쳐 근대와 현대의 번영을 이루기까지 어떠한 과정을 거쳐야 했던가를 연민 어린 심정으로 인식하게 될 것이다.

2013년 2월 박경범

2007년 판 서문

극서(克西)를 위한 필독서 《베오울프》

얼마 전 월드컵 지역예선을 위해 대한민국 대표팀은 멀리 시리아까지 갔다 오는 수고를 하며 사십억 인구에게 다섯 장이 주어지는 티켓을 받으려 애쓴 바 있다. 반면에 수억 인구의 유럽은 대부분 육로로 오갈 수 있는 가까운 나라끼리 예선을 하며 열네 장의 티켓이 주어진다.

어떤 이들은 아시아와 유럽의 축구 수준이 다르니 당연하지 않느냐고 한다. 오히려 아시아의 본선 진출국보다 우수한 유럽 국가가 본선에 못 나가는 일이 많으니 아시아 지역에 특혜를 준 것이 아니냐고 한다.

물론 축구 수준만을 놓고 보면 그렇다. 그러나 월드컵이 세계인의 축제임을 고려할 때 이와 같은 편향적 배치는 공정하다 하기 어렵다. 축구 수준에 의한 이러한 세계관은, 19세기 유럽이 저들의 편의에 따라 구획한 세계판도를 국제정치의 역학 구도가 달라진 오늘날에도 유지하도록 하는 좋은 구실이 되고 있는 것이다. 그러한 기준에 따라 우리는 그다지 역사적 관계도 깊지 않은 중동 지방까지 마치 가까운 이웃처럼 각종의 불필요한 교류를 해야 하는 것이다.

고래(古來)로 사람이 많고 문명이 발달했던 중심지의 대표적인 곳을 꼽으면 중국, 인도 그리고 유럽이었다. 공자, 석가, 소크라테스의 성인(聖人)으로 대표되는 이 세 지역은 본래 각기 동격(同格)의 비중을 가지고 있었다고 보아야 할 것이다.

그러나 중세를 거치면서 유럽의 세력은 비교할 수 없이 커져 19세기에 이르러서는 중국과 인도 그리고 아랍 등 각각의 구대륙 문명권은 다 합쳐 유럽에 대비되는 지역으로 격하되고 말았다. 게다가 세계의 다른 주(洲)인 북미, 남미, 호주, 아프리카는 모두 유럽인 혹은 유럽 출신인의 절대적인 영향력 아래 있다. 아시아란 지역은 결국 세계의 각 지역에서 유럽이 절대적인 지배권을 행사하지 못하는 지역을 한데 뭉뚱그린 것에 불과한 것이다.

이렇게 된 원인이 어디에 있다고 보아야 할까? 본래 동양의 문명 전반(全般)이 서양보다 못해서인가? 결코 그렇게 볼 수는 없다.

문제는 인간의 투쟁적 본질을 직시하였는가에 있는 것이 아닌가 한다.

동양의 주류 종교와 학문은 인간의 피할 수 없는 본질에 입각하기보다는 이상의 추구에 경도(傾倒)되었던 것이 아닐까?

본래 균형을 이루던 세계 세력판도가 기운 것은, 바로 《베오울프》에서 보는 인류 대승(大乘)적 투쟁사상이 서양에 존재했기 때문이다. 동양에도 손오공이 투전승불(鬪戰勝佛)이 되는 과정을 그린 《서유기》같은 작품이 있긴 하지만 주류 사상은 되지 못했던 것이다.

이제 서세동점(西勢東漸)의 시대는 지나가고 있다. 이는 세계인 모두가 수긍하는 사실이다. 그러나 동양이 서양의 기득권에 따르는 불평등을 극복하고 진정한 세계의 주역으로 자리 잡기 위해서는 《베오울프》의 사상을 온전히 소화하는 것이 필수적이라고 할 것이다.

2007년 11월 박경범

머리말

英文學에 대해 관심을 가진 사람 중에 古典 敍事詩《베오울프》를 모르는 사람은 없을 것이다. 이토록 유명한 이야기임에도 불구하고 아직 '이야기'로서의 베오울프에 대해서는 국내에 충분히 보급되지 않은 상태라 할 수 있다. 분량으로 보아 비교 대상일지는 모르겠으나 중국의 고전《三國志》가 국내 유수 작가들에 의해 십여 회수가 넘음직하게 평역된 것에 비하면 조금은 아쉬운 점이라 할 수 있다.

물론 중국과 유럽(영국)은 우리 문화에 끼치는 영향의 차이가 나는 만큼, 이제까지의 '편식'은 자연스러운 것일 수 있다. 그러나 최근 국내에는 중국 대륙을 무대로 하는 소설인 무협지가 대중에게 사랑받아온 것처럼 유사(類似) 유럽 대륙을 무대로 하는 소설인 판타지가 또한 대중에게 사랑받고 있는 추세다. 그러므로 지금의 시점에서 판타지소설 배경의 뿌리를 이루는 유럽의 고전을 평역하여 펴냄은 조금도 특별한 일이 아니라고 하겠다.

영문학 전공도 아닌 작가가 영문학의 태두(泰斗)인《베오울프》의 평역을 낸다는 것은 혹 당돌해 보일 수도 있다. 그러나 이미 많은 중문학 비전공 문인들이 삼국지의 평역을 하였으며 그에 대해 중문학계에서 아무런 이의를 제기하지 않은 것에 비추어 보면, 다소의 계면쩍음은 무난히 감수할 수 있으리라 보인다.

또한 이 작품은 사실상 서사시 《베오울프》로부터 소재와 캐릭터를 따왔을 뿐이고 평역에서도 몇 걸음 더 나아가, 원래는 줄거리의 정도에 머물러 있던 서사시의 내용을 하나의 '환상' 소설로 재구성한 것이다.

영웅의 이야기는 시공을 초월하여 우리를 감동시킨다. 이 작품이 영문학의 고전 《베오울프》에 대한 일반의 인지와 이해를 도울 수 있다면 보람 있는 일일 것이다.

새千年 봄

朴 京 範

목차

머리말

1부 · 베오울프와 괴물 그렌델

2부 · 베오울프와 화룡

1부

베오울프와 괴물 그렌델

1 위대한 왕들의 시대

사람들아 들어라
옛 군주들은 우리 백성을 보호하고
우리 땅을 지키려 얼마나 용감히 싸워 왔는가
그 기나긴 투쟁의 역사
이단자들로부터 우리를 지키기 위해 흘린 피
그 위에 우리의 삶이 있음을

연중 음산한 비바람이 끊일 날이 드물고 때때로 거대한 얼음판이 떠다니며 항해하는 배들을 위협하는 차가운 북해의 연안에 파도는 쉴 새 없이 철썩이며 육지의 안면을 치근대지만 그 소요함은 한 고개를 넘으면 잠잠해지는 거기엔 인간의 아늑한 생활 터전이 있었다. 비바람은 바닷가의 높이 솟은 검은 바위봉에 걸려 누그러지고 빽빽한 소나무 숲을 지나며 생명의 기운이 섞이고 순화되어 이곳에 다다라서는 생명을 보듬는 친근한 우호의 바람이 되어 있었다.

덴마크의 수도로부터 멀리 떨어진 변방의 이 고장은 오래전 폭군 헤레모드의 학정을 피해 집단 이주한 자들이 세웠다. 이들은 간신배의 모함으로 쫓겨나거나 자객의 암살을 피해 도망 나온 자들이었다.

자기 재산은 물론 가족친지도 잃는 아픔을 안고서 작은 배를 타고 떠난 귀인(貴人)들은 멀리 떠날 엄두는 내지 못하고 인근의 작은 반도와 섬을 두루 돌아다니며 새로이 살 곳을 찾았다. 그리하여 비바람과 파도를 헤치고 이곳 해안에 도달해 보금자리를 건축하고 척박한 땅을 일구어 살아왔다.

"우리는 이제 귀인의 특권은 없소. 흙과 자연을 더불어 사는 백성의 마음으로 살아야 하오."

그들은 과거에 묻히지 않았던 흙을 손에 묻히고 때로는 험준한 산맥을 타고 다니며 살기 위한 물자를 얻어냈다.

그들이 성실히 일하여 삶의 터전을 훌륭히 일구자 근처에 살았던 농민과 어민 등 여러 백성들이 스스로 나아와 다스림 받기를 청하니 마을은 어느덧 한 장원(莊園)의 형태를 갖추었고 더 자라나 작은 나라와 같은 자치 고장을 이루었다.

이들은 땀 흘려 다진 옥토 위에 자연의 혜택을 감사하며 생산의 기쁨을 누리며 살아갔지만 근심거리가 있었다. 주변에는 아직도 짐승과 다름없이 원시생활을 하며 저네들의 먹을 것을 위해서라면 살인과 약탈을 일삼는 야만의 무리가 있었다.

야만인들은 밤의 어둠을 틈타 애써 생산한 식량과 물자를 번번이 빼앗아 갔다. 그들은 덴마크의 피난민들이 수년간 피땀 흘려 건축한 모임과 친교의 장소인 중앙회관마저 차지하고, 그들의 무질서한 방탕과 퇴폐한 향락을 위한 자리로 삼았다. 그들은 수시로 이곳에 들어와 식사와 술을 대접받고 마음껏 놀다 가는 것을 당연히 여기고 있었다.

실의에 빠져 있던 이곳 바닷가의 백성들은 우리도 주위의 적들과 싸울 용기를 길러야 한다고 서로들 말하기는 했지만 마땅한 대책을 세울 수 없었다. 오래전에 이곳을 개척한 귀인들은 모두 늙거나 세상을 떠났고 새로 태어난 자들은 아직 어렸으며 근방에서 새로 복속한 자들은 모두가 온순하기만 하여 적과 싸우는 일에는 무지했다.

어느 날 저녁.

태양이 오늘의 일을 마치고 이제 집으로 돌아가, 내일 밝은 아침을 대지에 베풀 원기를 모으려 막 잠자리에 들어가려 할 때였다.

해변에는 짧은 가을 낮이 끝나고 어둠이 깔리기 시작했다.

아직 저편 언덕 위 빽빽한 침엽수들은 무성한 청록의 바늘잎을 어슴푸레한 허공에 찔러대고 서 있고 바닷가 언덕 기슭 곳곳에 흩어져 있는 짙은 회색의 바윗돌은 오목조목 저네들의 윤곽을 드러내고 있었다.

하늘엔 엷은 녹색의 극광(極光)이 구석구석 붉은 기운을 띠며 가득히 드리워 넘실거리고 있었다.

"저기, 배가 오고 있네!"

해변서 어망(漁網)을 거두던 마을 사람들은 멀리 배 한 척을 보았다.

대여섯이 탄 작은 배였으나 돛으로 바람을 최대한 받고 노를 바삐 저으며 빠른 속력으로 다가오고 있었다. 타고 있는 자들은 모두 건장한 체격에 장검을 차고 있었다.

사람들은 비록 작은 배지만 당돌한 침입에 겁이 났다. 그물과 잡은 고기들을 놔두고 급히 물러나 뒤편 숲이 있는 언덕 위로 피했다. 그리고 멀리서 뜻밖의 침입자들이 어찌 행동하는지 지켜보았다.

배는 해변에 정박하지 않고 얕은 곳으로 접근만 하고는 머물렀다.

그 배에서는 두 사람만 내렸다. 두 사람 모두 어느 나라 사람인지 알 수 없게 온몸에 검은 천을 두르고 얼굴도 눈만 내놓고 천으로 가려 있었다.

그들은 크고 네모진 상자 하나를 바닷물이 닿지 않는 안전한 곳까지 운반하여 내려놓고는 곧바로 작은 배로 돌아갔다. 그리고 그 배는 들어온 방향 그대로 돌아서 사라졌다.

배가 완전히 사라지자 사람들은 어리둥절하여 서로 얼굴을 쳐다보았다.

"저들은 어느 나라에서 온 사람들이오?"

"나도 통 알 수 없소. 배도 자그마한 목선이고 옷차림도 어느 나라인지 알 수 없으니……"

"우리에게 뭘 갖다 주는 건지 모르겠네."

"어쨌든 내려가 봅시다."

그들이 내려가 보니 갈색의 네모진 큰 나무 상자 안에서는 아이의 신음 소리가 났다.

상자에는 뚜껑이 있고 손잡이가 있었다. 손잡이를 조심스럽게 들어 열어 보았다.

모두들 놀랄 수밖에 없었다.

상자 안에는 예닐곱 살 정도의 소년이 손발이 묶이고 입이 막힌 채 있었다. 그리고 붉은 바탕에 노란 물결무늬 칼집과 청록 바탕에 노란 띠무늬 자루를 한 보검이 함께 있었다. 그리고 금팔찌, 금목걸이, 보석 장신구 등 갖가지 귀중한 보물이 대중없이 쌓여 있었고 그 위에 한 서찰이 있었다.

글을 아는 자가 나서서 서찰을 읽어보았다.

"우리는 당신들에게 밝힐 수 없는 저 멀리의 동쪽 나라 사람들이오. 우리의 주인이신 왕비께서는 오래도록 아이를 얻지 못하였소. 그리하여 왕께서는 후비(後妃)를 들이셔서 이윽고 왕자를 얻었소.

그런데 그 왕자가 세자로 책봉된 지 몇 년 지나 우리의 주인께서도 왕자를 낳으신 것이오. 왕비께서는 자식의 세자 책봉에 욕심이 없음을 누차 밝히셔서 그간 궁중에는 별 탈이 없었소만, 근래 왕비의 생자(生子)이신 왕의 적자(適者)께서 자라나심과 함께 그 총명과 위엄이 더해 가니 후비와 그 측근들의 질투가 날로 심해지고 급기야는 살해 음모가 있음을 알게 되었소.

이미 왕께서는 병중이라 사리를 모질게 결단하실 기력이 없소. 후비의 측근 세력은 이미 우리로서는 대항할 수 없을 만큼 커져 있소. 지금도 위험하지만 형왕(兄王)이 등극한다면 우리의 왕자께서는 죽음을 면치 못할 것이오.

이미 우리는 기회를 보아 왕자를 멀리 탈출시키기로 하였던바, 근래 여행에서 돌아온 자로부터 당신네 족속이 성실 근면하고 어질다는 말을 들었기에, 우리는 밤에 조용히 왕자를 납치하여 당신들에게로 보내는 바이오. 당신네들의 선량한 품성에 이 왕자의 영명함이 더해진다면 필시 당신들의 나라는 융성할 수 있을 것이오.

이제 엄청난 일을 저지른 우리는 돌아가면 죽음을 면치 못하니 본국으로 가지 못하오. 우리는 앞으로 이곳 주변에서 떠돌이 생활을 하며 왕자의 자라남을 지켜보다 죽을 것이오."

사람들은 얼른 아이의 결박을 풀어주고 입을 막았던 재갈도 풀었다.

아이의 풍모는 과연 왕자답게 준수하였다. 비록 어린아이지만 출신 국가를 감추기 위해 입힌 누더기 옷 속으로 균형 잡힌 골격과 굳센 팔다리가 두드러져 보였다. 콧날과 입술은 선이 굵고 다부졌으며 이곳 사람들보다 색이 짙은 눈동자는 은여울 같은 흰자위 가운데 총총히 반짝이고 있었다.

"우리에게 왕을 세워주기 위한 하늘의 뜻인가 보오."

한 노인의 말에 따라 모두들 일어나, 앉아 있는 아이 앞에 엎드려 절을 하였다. 그리고 비록 아이의 상자에 있는 보물에 비하면 보잘것없는 것이지만 자기들이 지니고 있던 여러 보물들도 아이의 앞에 갖다 바쳐 섬김의 뜻을 나타냈다.

아이는 본래 궁중에서도 사람들의 섬김을 받는 데 익숙해 있어 어색하지 않게 그들의 절을 받고는 곧 그들의 부축을 받으며 일어서서 그들이 인도하는 대로 마을로 들어갔다.

총명한 왕자는 시일이 지나자 마음을 진정하고 자신의 운명을 알아차릴 수 있었다. 왕자는 그들의 백성 모두와 상견례를 하고 그들의 왕으로 옹립되었다.

"비록 어린아이지만 장건한 풍채의 용사 중의 용사로 성장할 분이오. 장차 우리나라를 크게 일으켜주실 분입니다."

외적의 침략으로부터 저들을 안전하게 보호해줄 방패와 같은 자라 하여 그들은 이 새로운 왕의 이름을 실드세핑이라 하였다.

소년 왕은 날로 총명을 더해가고 근력이 강해져서, 불과 서너 해가 지나고 나서는 더 이상 상징의 존재가 아닌 실제 지도자로서 그들을 이끌게 되었다.

그가 열한 살 나던 해 주변 야만인은 대대적인 식량 약탈 사건을 일으켰다. 그전까지 야만인들이 가져가는 것은 그다지 많지 않았기에 그저 구제해주는 셈 치고 살아왔으나 이번에는 겨울을 날 그 해의 수확물을 거의 모두 강탈해 간 것이었다.

"이제 올겨울을 어떻게 살아가야 할지……"

모든 사람들이 걱정하고 있을 때 소년 왕이 말했다. "여러분은 저들을 이길 수 있습니다. 저들은 우리보다 삶의 지혜가 현명한 자들도 아니고 그렇다고 수효가 우리보다 많지도 않습니다. 저들이 싸움에 능하다지만 우리도 생업을 하며 단련된 몸으로 저들을 이길 수 있습니다. 우리는 자신을 가져야 합니다."

갑작스런 왕의 발설에 모두들 놀라 주목하였다.

"하지만 우리는 이제까지 번번이 빼앗겨 왔사옵니다." 사람들은 다시 하소연하듯 말했다.

"저들이 우리와 다른 것은 이것입니다. 우리는 자기가 먹을 것은 자기가 땀 흘려 얻는 것임을 당연히 생각하고 있습니다. 하지만 저들은 눈앞의 가질 것을 좇아 행동할 뿐입니다. 우리는 다른 사람들의 마음이 자신의 마음과 같은 것으로 생각하며 서로를 믿고 살아가고 있습니다. 하지만 저들은 눈앞의 가질 것을 추구할 뿐 저들 말고 다른 사람들의 마음은 헤아릴 줄 모르기에 저들은 우리보다 빠르게 행동하며 우리를 이기는 것입니다."

왕은 보검 자루를 왼손으로 들고 일어섰다. 이제 그는 보검을 다룰 수 있을 만큼 자랐다.

오른손으로 칼자루를 잡아 검(劍)을 칼집으로부터 빼냈다. 검의 양날은 한쪽이 푸른빛 다른 쪽이 흰빛으로 눈부신 광택을 발산했다. 검이 움직이는 대로 양날의 흰빛과 푸른빛이 번갈아 번쩍였다.

왕이 백성들 앞에서 검을 빼 보인 것은 이번이 처음이었다. 모두가 그 섬뜩한 광채에 긴장했다. 하지만 이것은 그간 자신들의 유약한 생활 태도를 고치고 이제부터는 불의에 맞서 강한 의지로 살아가겠다는 마음가짐의 계기가 되었다.

"그렇다면 설마…… 전하, 우리가 저들과 같은 인간이 되어야 한다는 말씀은 아니겠지요?"

왕을 가장 가까이 보살피는 본래 이곳의 우두머리가 물었다.

"물론입니다. 다만 우리가 그들보다 우월한 삶의 지혜를 그들을 물리치는 데 이용하여야 한다는 것이지요. 그리고 그들의 자기만을 생각하는 품성을 이용하여 그들의 내부 분란을 유도해야지요."

다음날부터 왕은 백성들에게 그들과 대처할 때 어떻게 싸워야 하는지를 가르쳤다. 그들과 싸우게 되면 각자 떨어져 허둥대지 말고 삼삼오오 모여 대적하도록 했다. 그리고 투항해 오는 자는 후하게 대접하여 우리 편으로 끌어들이라고 했다.

며칠간의 훈련이 끝난 후 실드 왕이 인솔하는 의용군은 야만인 부락이 방심하는 틈을 타 습격을 가했다. 조직적으로 싸우는 왕의 군대에 그들은 쉽게 무릎을 꿇었다. 붙잡힌 자들은 오히려 잘 대접하고 먹여준다는 소문이 나자 그들은 이내 하나하나 투항해 왔다.

마침내 그들은 모두 실드 왕에게 복종하기로 했다.

"너희들은 본래 싸움을 좋아하고 농사일을 좋아하지 않는 자들이니 차라리 우리나라 안에서 용병으로 살도록 하여라."

이렇게 실드 왕은 야만인을 굴복시키고, 빼앗겼던 건축물도 되찾아 다시 즐거운 축제와 친교의 장소가 되게 하였다.

실드 왕은 자라면서 더욱 용맹스러운 면모를 나타냈다. 해변의 소국은 실드 왕의 영도하에 주변의 여러 부락과 소국을 하나하나 병합해갔다. 결국 폭군 헤레모드 왕이 다스리는 수도의 영지도 헤레모드 왕이 죽자 큰 어려움 없이 함락되었다.

먼저의 왕조 때는 곳곳에 세력을 늘리며 준동했던 허다한 지파의 제후들도, 실드 왕이 중앙 수도에 등극하자 그의 이름을 두려워하여 몸을 사렸다. 그리하여 수많은 영주와 제후들이 저마다 세력을 다투던 덴마크 왕국은 하나로 통합되었다.

어릴 적 홀로 이 땅에 보내져 마땅한 친척도 없이 고독히 자랐던 실드 왕이 이윽고 천하의 으뜸 군주가 되니 변경을 맞닿고 있는 주변 여러 군주들마저 그에게 복종하고 저마다 그네들의 공물을 바치며 섬겼다.

진실로 훌륭한 왕인 그에게서 또 왕자가 태어났다.

이는 왕이 치세하기 이전 오랫동안 영도자 없이 고달픈 삶을 살아왔던 이 나라 백성의 마음을 헤아려 그들의 왕통을 굳혀 주고자 하나님께서 보내심이라. 나라 안의 온 백성은 기뻐하고 축복해 마지않았다.

왕은 생명을 주시며 만국을 다스리시는 신의 영화를 받은 그대로 아들 베오울프(주인공 베오울프와 동명이인)에게 베풀었다.

왕자 베오울프는 자라서도 그치지 않고 일어나는 온갖 전투에 참가하여, 또다시 고개 드는 주변 여러 나라를 평정하고 소란을 잠재우니 그의 명성 또한 덴마크 도처에 널리 퍼져 나갔다.

왕자 베오울프는 부친이 전리품으로서 자기에게 하사한 귀중한 보물을 휘하 병사들에게 아낌없이 나눠주었다.

뜻하지 않은 보물에 못내 황송해하는 병사들에게 그는 말했다.

"그대들은 훗날 내가 늙어도 변함없이 전쟁터에서 나를 따르시오. 오늘 이 보물들을 그대들에게 놓아 보내고 훗날 더욱 귀중한 것을 그대들로부터 받고자 하오."

이토록 용기와 덕망을 계승하여 대대로 만민의 칭송을 받는 왕가의 앞날이 번영함은 당연한 것이었다.

세월은 흘러 용맹스러운 실드 왕에게도 때가 이르러, 이제 그를 보낸 하나님의 품으로 돌아가게 되었다.

생전에 온 덴마크 백성의 좋은 친구였던 왕의 자애로움을 가까이서 입었던 신하들은 그가 군주로서 살아 있을 때 친히 명하셨던 대로 왕을 바다 물결에 실어 떠내려가게 하였다.

항구에는 뱃머리에 금고리가 줄줄이 달린 어선(御船)이 왕께서 오래간 승선하지 않으시어 정박된 채로 있다가, 이제 그리던 주인과 함께 저 망망한 대해로 떠나가고자 준비되어 있었다.

묶여 있던 동안 배 위에 쌓인 빗물과 습기는 추위에 얼어붙어 배의 겉면은 온통 살얼음이 덮였고 그 위에 매운 눈보라의 알갱이가 희끗희끗 거칠게 달라붙었다. 얼어붙은 이 배의 차가운 갑판에 누워 왕은 그의 사랑하는 백성들에게서 멀리 떠나가고자 하는 것이다.

항구에 모인 온 나라 백성 중에는 흐르는 눈물이 눈앞에 엉겨 미처 왕의 마지막 모습도 제대로 보지 못하고 두 손바닥으로 얼굴을 가리고 바닥에 주저앉는 이들이 허다하였다.

우리의 경애하던 왕이시여. 승전의 보답으로 우리 용사들에게 금고리와 옥향목(玉香木)을 베풀어 나눠주시던 영광스러운 자여. 이승의 풍진(風塵)을 뒤로 보내며 표표(飄飄)히 떠나가야 할 장선(葬船) 위에는 기어이 불어대는 한풍(寒風)에 못 이겨 흑포(黑布)의 돛이 푸득푸득 거친 소리를 내며 불안스레 나부끼고 있는데, 그 높다란 돛대의 밑둥에 고이 모셔진, 인간이었던 자의 가는 길이 외롭지 않도록 신의 가호가 있으라!

배에는 왕이 나라를 다스릴 동안 먼 나라에서 보내온 고귀한 보물이 그대로 실렸다. 그리고 그와 평생을 같이한 황금 투구, 남빛의 그물무늬 전투복, 오랫동안 그의 굳센 악력에 눌린 청록빛 손잡이가 번들번들 윤이 나면서 칼집을 열면 아직도 양날의 광택이 햇살 아래 눈부신 검, 그리고 사십 년간 긁히고 박히며 마찰되어 미처 녹슬 겨를도 없었던 검은 철제의 흉부 갑옷이 모두 굵은 쇠사슬로 한데 묶여 철커덕철커덕 배 위로 끌어올려 졌다. 왕의 애장품들은 그의 주위를 둘러 갑판에 못을 박고 쇠사슬로 매어 고정하였다. 왕의 가슴 위에는 역시 함께 바닷물결에 수장(水葬)될, 장(杖), 대(帶), 환형(環形)의 찬란한 오색금석 세공물이 놓였다.

백성들이 눈물을 모아 왕의 영전에 바친 보물은 그 옛날 그들의 군주 될 자가 고아(孤兒)로서 이곳에 왔을 때 그를 보냈던 자들이 바쳤던 보물에 못지않았다.

왕의 머리맡에 높게 황금 깃발을 달고 그들이 마침내 왕을 실은 배를 대양에 밀어 보내니, 밀려왔다 밀려가는 파도가 왕과 배를 삼켜 저 멀리 사라졌다.

저들의 사랑하는 군주를 마지막으로 떠나보내는 그들 모두의 무너지는 가슴은 터져 나오는 슬픔으로 미어졌다.

그들 모두가 아무 말도 없이 차디찬 흙바닥을 짚으며 추위에 떨고 바람에 떨고 슬픔에 떨기를 얼마간 하였을까.

신하와 백성들은 하염없는 애통 속에서도, 이제 새 왕을 모시어 다시 굳게 일어설 저들의 앞날을 깨닫고 서로서로 위로하고 격려하며 몸을 일으켰다.

훗날 이 뱃짐을 누군가 마주쳐 찾은 일이 있는지는, 설령 궁전의 가장 현명한 고문관(顧問官)이라 할지라도 천하 아무도 아는 이가 없었다.

부친의 뒤를 이어 아들 베오울프가 나라를 다스릴 때에도 천하에 그 위세는 당당하였다.

다시 그에게서 헤알프데인이 태어나 나라를 다스리며 늙기까지 전투에 몸소 나아가 용맹을 떨쳤다.

영광스러운 군대의 영도자 헤알프데인에게서 네 명의 자식이 태어났는데 세 아들 헤오로갈, 흐로스갈, 할가 그리고 딸 시게네오였다.

장자인 헤오로갈은 더 영명한 동생 흐로스갈에게 왕위를 양보하고자 홀연 왕궁을 떠나 방랑 시인이 되었다. 선하기만 한 할가는 왕가의 안정과 번영을 위해 왕궁을 관리하고 군량을 거두어 보관하는 등 온갖 뒷바라지를 하였다.

아름다운 딸 시게네오는 스웨덴 왕 오넬라의 왕후가 되었다.

영명한 흐로스갈 왕은 즉위 후에도 몸소 출전한 전투에서 번번이 승리하여 영토와 명예를 더욱 얻으니 그의 영광을 믿어 따르던 뭇 신하는 더욱 몸바쳐 순종하였으며 그의 자랑스러운 젊은 용사들은 어느 누구도 넘볼 수 없는 큰 군대로 성장하였다.

2 웅대한 주연회관

위대한 덴마크의 영광을 이루려 밤낮없이 마음 쓰는 흐로스갈 왕
은 용상에 앉아 생각에 잠겼다.

이제 선조들의 덕으로 나라의 기틀이 잡혔다. 사 대 째 내려온 그의
대에 이르러서는 정말로 어엿한 부강한 나라를 이루지 않으면 안 된다.

그것은 선조들에게는 물론, 장자로서 왕위를 포기하고 그에게 왕위
를 넘겨준 형 헤오로갈, 그리고 그 조치를 따른 모든 신하와 국민들에
대한 도리이기도 했다.

왕은 평화의 시대가 온 이 나라에 무엇이 필요한지 생각하였다.

전쟁이 있을 때는 신하와 백성들은 외적과 싸우면서 자연 나라에
충성심을 가지게 되었고 그것이 나라를 지키는 힘이 되어 왔다.

이제 평화의 시대가 오자 식량과 물자가 풍부해지고 삶이 안락해졌
다. 그러나 인간의 습성은 변하지 않는다. 사람들은 편안한 생활에 오
히려 권태를 느낄 수 있다. 그러다 마음이 해이해져 충성심이 약해질
수 있다.

그래서 전쟁 아니고도 국민 모두의 마음을 모을 구심점이 필요하다.

그것을 위해 건축공사를 일으키자! 공사를 위해 백성을 동원하고

모두가 힘을 합쳐 일하면 그것이 바로 우리 백성의 마음을 단합하는 효과가 있을 것이다. 또 건물이 완공되면 우리 신하와 백성 모두 기회 있을 때마다 그곳에 모여 친교를 나눌 것이니 모두가 나라의 혜택을 느끼며 충성심을 다지는 중심지가 될 것이다.

지금은 우리나라가 어느 정도 부강해졌다. 이제까지는 생존을 위한 전투가 주된 국사였지만 지금부터는 태평성대에 걸맞게 나라의 구색을 갖춰야 한다.

왕은 생각을 끝내고 자리에서 일어서 신하들을 불렀다.

"이제 우리 백성들이 모여 다 함께 즐길 수 있는 회관을 새로이 짓고자 하노라."

왕은 명성 높은 이 나라의 권세에 걸맞게 이 세상 사람들이 여태껏 들어 본 적 없는 웅대한 주연회관(酒宴會館)을 만들고 싶었다.

"지당하신 분부이옵니다. 그간 저희들도 우리끼리의 친교의 장소를 갖고 싶은 마음이 있었습니다." 왕의 측근 대신 애시헤레가 답했다.

"우리 인간이 사는 목적이 결국 서로 마음을 열고 친교 하여 화합 하자는 것 아니겠소? 그것이 전 우주의 조화에 부응하는 것으로서 신의 뜻과도 일치하는 것이고……."

왕은 다시 모두에게 약속의 말을 했다.

"이 회관은 하늘이 내게 주신 모든 것을 모든 이에게 베푸는 장소로 하고자 한다. 하늘이 내려주신 것 중에 왕의 뜻으로도 그 소유가 바뀔 수 없는 공공의 토지와 사람의 생명은 제외하고서 내 백성이라면 노소를 막론하고 모든 사람들에게 골고루 나눠주고 싶은 것이 나의 마음이니라."

그리하여 지상 방방곡곡의 빼어난 장인들을 두루 끌어모아 기둥을 세우고 지붕을 얹고 이 회관을 온갖 세공된 조각으로 장식하였다.

세월은 흘러 그동안 건립에 참여한 모든 백성이 충심으로 노력하며 자나 깨나 그리던 회관이 완공되었다. 이는 이 세상에 여태껏 있었던 회관 중에 가장 큰 것이었다.

왕은 이 회관을 해록(海鹿)이라고 이름 했다. 이는 머리에 왕관과 같은 뿔을 달고 무리를 이끌며 눈보라 치는 벌판을 가로지르는 우람한 몸집의 수사슴을 뜻했다.

회관의 건립 후 이 좋은 건물에서 기쁘게 주연을 즐기는 자들에게 왕은 약속을 잊지 않았다. 왕은 잔치의 자리에서 황금 고리의 보물들을 원하는 모두에게 나눠주었다.

이 회관은 지붕이 우뚝 솟았으며 지붕 양쪽에 가파르게 경사진 박공(搏栱)은 꽤 넓었다. 높다란 창문은 청(靑), 녹(綠), 자(紫), 황(黃)······ 각색의 색 유리로 울긋불긋 칠해져 있었다.

회관의 천장은 높았다. 회관 벽에 연달아 높이 늘어서 있는 색색의 창 말고도 회관의 경사진 천장에도 연달아 창이 나 있었다. 이는 주연을 즐기는 중에도 항시 하늘을 잊지 않으며 살아가려는 그들의 마음을 나타냈다.

회관 안에서 나는 소리는 아무리 작더라도 온 실내에서 크게 울렸다. 모두가 숨을 죽인 가운데 한 가수가 노래하면 그 소리는 회관 전체를 울려 멀리까지 퍼졌다.

회관에서 매일같이 흘러나오는 환락의 노래와 즐거운 웃음소리는 곧 이 나라 치세의 행복이며 백성의 즐거움이었다. 거기서는 영롱한 비파의 소리도 청명한 수금의 소리도 울려 왔다.

이때는 이 훌륭한 회관이 훗날 타오르는 불길의 저주를 받으리라고는 아무도 생각 못했다. 또 사위와 장인 간 증오의 무서운 교전도 먼 훗날의 일이었다. 회관은 축복받은 인간의 영광이 드러나는 중심이었다.

궁중 시인이 등장했다. 그는 인간의 역사를 태고의 창조시대부터 모두 이야기할 수 있다고 했다. 그는 회관 중앙의 무대에 올라 수금을 들고 노래 준비를 했다.

시인은 노래를 시작했다. 그의 열 손가락은 일곱 현 위를 문질러 쓰다듬듯 움직였다. 가느다란 현들은 퉁겨질 때마다 그의 손가락 마디 하나하나에 묻어나오는 듯했다. 그 영롱한 울림은 그가 잠시 숨을 돌이킬 때마다 목소리 사이사이의 공백을 어김없이 메우면서 넓은 실내 공간을 흘러다녔다.

높다란 창밖의 밤하늘은 푸른빛을 띠어 실내의 불꽃 조명에 비친 그의 붉은 얼굴과 대조되었다. 간간이 떠 있는 희고 노란 별들은 그가 몸을 흔들 때마다 붉은 무대복에 붙어 있던 알보석들이 떨어져 나와 흩뿌려진 것 같았다.

전능하신 하나님은 이 세상을 만드사 바다 위에 이 땅을 지으시고 이 땅의 아름다움을 비추어 드러내시려 낮에는 파란 하늘에 붉은 해가 뜨고 밤에는 검은 하늘에 노란 달이 뜨도록 하셨으며, 우리 인간이 혹 허전하고 외로울까 염려하시어 세상의 구석구석을 꽃과 잎으로 풍요히 단장하셨고 온갖 움직이는 생물도 우리의 친구로 만들어 주셨느니라.

노래의 한 소절이 끝나고서도 그는 잠시 관성에 의한 가벼운 몸짓을 더했다. 청중은 그의 노래에 심취하며 저네들의 마음을 온통 내맡기고 있었다.

높이 솟은 회관의 불 켜진 창이 멀리 보이는 저 수풀 속까지 노랫소리가 들려 왔다. 숲의 뭇 짐승도 그 소리를 들으며 지상의 번영을 함께 느꼈다.

깊은 골짜기 조그만 샘 옆에는 커다란 바위가 있었다. 더 올라가면 큰 갈참나무가 휘휘 가지를 드리우고 있으며 그 바로 아래에는 관목이 우거진 중에 한 아름 되는 공터가 있었다.

그곳에는 열 마리 남짓 작은 새가 날개를 접고 빙 둘러앉았다. 그리고 중앙에는 네모난 조약돌 위에 널찍한 갈참나무 잎을 깔고 숲의 요정이 앉아 있었다.

빨간 옷에 잠자리 날개를 단 요정은 솔잎을 손에 쥐고 높이 들며,

"자, 꾀꼬리와 종달새는 고음 두견새는 중음 그리고 뻐꾸기는 저음부를 맡아서 연습한 대로…… 시작!"

하고 솔잎을 상하 좌우로 저었다.

"삐, 삐, 끼룩끼룩, 뻐꾹……"

새들의 화음이 울렸다.

"잠깐."

요정은 한참 젓던 솔잎 지휘봉을 갑자기 휙 아래로 내려 노래를 중지시켰다.

"저쪽에서 소리가 난다."

요정은 한쪽 손을 귀에 대고 솔잎을 들어 소리가 나는 쪽을 가리켰다.

새들은 가만히 앉아 서로 쳐다보며 눈을 대록대록 굴리기만 했다.

그쪽에서는 인간의 노랫소리가 들렸다. 요정과 새들이 부르는 노래보다 차분하고 음색이 풍부했으며 다양한 음정과 박자가 어우러져 한결 마음을 빠져들게 하는 힘이 있었다.

"엘프, 뭐하는 거야? 우리에게 오늘 밤까지 노래를 가르쳐 주기로 했잖아?"

뻐꾸기 하나가 참다못해 물었다.

"가만…… 그러고 보니 오늘 너희들하고 수업은 할 만큼 했어. 너희들 오늘 종일 화음 연습을 했잖아? 내 지휘봉에 맞춰서 동시에 소리를 내는 거 말야. 그런데 노래가 더 좋으려면 강약을 조절하면서 박자를 맞춰야 해. 너희들 할 수 있겠니?"

"해 보지……"

두견새 한 마리가 답했다.

"자, 그럼 내 지휘봉의 휘젓는 폭에 따라서……"

새들은 노래를 다시 시작했다.

"삐-, 삐-, 끼룩- 끼룩-, 뻐꾹-……"

"에이."

요정은 지휘봉을 내던졌다.

"강약이 통 조절이 안 돼. 다시."

새들은 어리둥절해 있었다.

"잘해 볼 수 있겠니?"

요정의 물음에,

"숨이 차."

"우린 맘대로 숨쉬기를 조절하기가 어려워."

"인간들은 가슴이 평평해서 앞뒤로 몸을 부풀리기만 하면 되니까

숨을 맘대로 쉴 수 있지만 우린 몸이 원통형이라서 맘대로 하기가 힘들어. 그냥 되는 대로만 숨 쉴 뿐……"

새들은 대답했다.

"그럼 박자 맞추기는 포기할 수밖에 없고……"

요정은 중얼거린 후 다시

"음정은 맞출 수 있겠니?" 하고 물었다.

"음정이 뭔데?"

새들은 반문했다.

"소리의 높낮이가 변하는 걸 말하는 거야…… 조절이 힘들면…… 가만있자…… 소리를 교대로 낼까? 하지만 여기의 새들은 소리의 높이가 세 단계밖에 없으니 그래도 도미솔밖에는 안 되겠네……"

"왜 자꾸 우리에게 어려운 걸 요구해?"

새들은 항의했다.

"모여서 화음 맞추는 것만 해도 얼마나 힘든 건데."

"아참…… 자꾸 저쪽에서 인간의 노랫소리가 들려와서…… 내가 욕심이 지나쳤나 봐." 요정은 얼굴을 붉히며 미안해했다.

"그럼 우린 오늘 이만 할까?" 요정은 말했다.

"그래, 안녕."

"안녕."

새들은 각기 자기들의 보금자리로 떠나갔다.

"휴, 좀 쉬자."

요정은 등에 편 채로 있던 날개도 거두고 잎자리에 엎드려 멀리서 들리는 인간의 노랫소리에 귀를 기울였다.

3 신의 이단자

이토록 뭇 짐승과 숲의 요정도 선망하는, 인간이 이룬 가장 즐겁고 아름다운 곳인 해록회관. 이곳에 태초부터 억눌린 원한에서 비롯된 세찬 복수의 향연이 기다리고 있을 줄이야.

숲을 더 깊이 들어가 저 안쪽 한가운데 땅이 경사지더니 우묵하게 파여 있는 늪이 있었다. 그 주위에는 숲의 다른 초목과는 달리 거무튀튀하고 까칠까칠한 관목이 빽빽이 우거져 있었다. 숲의 곳곳을 뛰노는 사슴과 토끼, 노래 부르며 날아다니는 산새와 요정도 이 주위에서는 보기 힘들었다. 이곳은 생명의 활기라는 것이 애당초 존재하지 않았다.

늪의 한구석에서 거친 숨소리가 들렸다.

거기엔 녹청색으로 번뜩이는 눈빛이 있었다. 그 눈은 사람의 것보다 훨씬 크고 곰이나 들소의 그것보다도 작지 않았다.

상현달빛을 받아 늪 가에서 몸을 반쯤 물 위로 내밀고 있는 그 눈의 주인공이 보였다. 얼핏 보면 사람의 형상 같기도 한데 십이 척가량 되어 보이는 커다란 온몸에는 검은 털이 수북이 나 있었다. 얼굴에도 듬성듬성 털이 나 있어 그것은 사람이 아니었다.

그 괴물의 거친 숨소리는 오늘따라 더욱 그러한 것 같았다.

괴물은 인간들이 즐거워하는 소리가 들려와 고통스러워했다. 노랫소리가 더 크게 들려올 때마다 괴물은 더욱 가쁜 숨을 내쉬며 몸을 움츠리고 털투성이의 양팔로 이마를 싸쥐었다.

때로 회관 전체가 웃음소리로 떠나갈듯하면 괴물은 더욱 머리를 싸안고 괴로워하더니 이윽고 "우우." 하며 주위의 수목이 떨릴 만큼 울어대며 늪 전체가 출렁이도록 발악했다.

반인반수(半人半獸)의 이 괴물이 이리도 괴로워하는 까닭은 무엇일까.

본디 신에게로부터 다른 본분을 부여받은 뭇 짐승은 인간의 영화를 조금도 시샘 않고 앙망하거늘 이 괴물은 인간의 자리가 못내 아쉬운 것일까.

인간도 아니고 짐승도 아닌 이 괴물의 정체는 무엇일까.

이 악마와 같은 생물의 이름은 그렌델이라고 했다. 깊은 숲 속의 호젓한 늪에 숨어 살고 있는 이 족속은 조물주의 축복받은 창조물의 예외로써 분리된 저주받은 중생이었다.

태초에 인간이 만들어진 후에 인간에게서 나온 최초의 인간 카인은 질투심으로 그의 동생 아벨을 죽였다. 하나님은 살인죄로 카인을 정죄하여 그는 인류로부터 멀리 추방되었다.

신의 보복을 받은 그의 후손은 갈수록 신과 멀어지는 악종이 되어갔다. 신과 오래 다투었던 거인족은 카인의 후예이자 그렌델 족속의 선조였다.

카인의 일족으로 이어온 이 불행한 중생은 하늘을 두려워하여 일부는 물속에 집을 짓고 들어가 살았다. 이후 그들은 노아의 홍수에도 살아남아 지금까지 이어오고 있었다.

밤은 깊어 숲을 가로질러 울려 퍼지던 노랫소리와 왁자지껄했던 환락의 소리도 잠잠해졌다. 물가 질퍽한 곳에 보일 듯 말 듯 엎드려 있던 그렌델은 부스스 몸을 일으켰다.

쿵……! 쿵……! 저벅. 저벅.

한 걸음 한 걸음 내디딜 때마다 땅이 울리는 발소리를 내며 그렌델은 저녁 내내 자기를 그렇게도 괴롭혔던 소리가 나는 곳으로 향했다.

숲의 새와 짐승은 그렌델이 저 깊숙한 늪에 살고 있음은 알았으나 그가 이렇게 멀리 움직여 나오는 것은 일찍이 보지 못했다. 달빛도 가린 빽빽한 나무 그늘 속에 아직 잠들지 못한 황색과 녹색의 눈빛들은 얼른 도망가지도 그 자리에 머물지도 못하고 안절부절 오가며 두려워 떨고 있었다.

그렌델은 숲을 나와 숲과 강이 만나는 곳에 높이 건축된 인간의 거처를 보았다.

신의 축복을 받은 자식으로서 이 땅을 지배하는 인간, 그중에서도 신의 선택을 받아 인간의 삶을 지켜나갈 직분을 가진, 왕과 그의 용사들이 있는 곳이었다.

괴물은 녹청색 안광을 달빛과 부딪치면서 높은 성벽을 올려보았다. 달빛을 등지고 검은 그림자로만 나타난 성벽의 꼭대기에는 가지가지로 조각된 하나님의 피조물이 불침번 하는 호위무사처럼 늘어서 있었다. 성벽의 각 모서리에는 둥글게 튀어나온 기둥을 따라 하늘 높이 원추형의 첨탑이 솟아 있었다.

연약한 인간의 힘으로 어떻게 이처럼 견고한 보금자리를 지을 수 있단 말인가. 도무지 이해될 수 없었다. 그것은 신이 손수 그네들을 도운 것이랄 밖에는 생각되지 않았다.

신은 어찌하여 이네들에게만 이토록 영화로운 부귀를 누리는 축복을 내렸단 말인가. 자신을 비켜간 신의 편애에 대한 참을 수 없는 분노가 일었다.

홍수 이후 살아남은 인간들은 겉보기엔 왜소하고 약해진 것 같았으나 하나님의 보살핌은 더해지는 것이었다. 인간 중의 부정한 자들을 홍수로써 멸한 후 하나님은 이들이 다시는 신의 뜻을 거역할 만큼 교활해지지 않도록 삶의 길이를 대폭 줄여 그 위험이 생겨나기 전에 하나님께로 돌아가도록 하였다.

그렌델은 그의 백오십 년에 걸친 생애 동안 - 하지만 그 괴물은 젊었다 - 이곳에서 이런 흥겨운 소리가 들려오는 것은 처음이었다. 그전에도 인간들이 살아가는 광경을 가끔 멀리서 보기는 했지만 대개는 살아가기 위한 온갖 투쟁과 고행의 단편을 보았을 뿐이었다. 인간이 모여 즐기는 모습과 그 소리는 이제까지 좀처럼 보고들은 적이 없었다. 더군다나 지금처럼 웅대한 주연회관이 건립되어 그 불빛과 즐기는 소리가 널리 퍼지는 일은 처음이었다. 이전까지는 인간들에 대한 시기심이 이 정도까지는 이르지 않았었다.

그렌델은 성벽에 몸을 갖다 댔다.

괴물의 족속은 인간처럼 신의 축복과 지혜를 받지는 못했으나 조상들이 한때 신과 대적했던 만큼 신에게서 참탈(僭奪)한 힘을 가지고 있었다.

그의 털투성이 손가락에서는 사자의 숨어 있던 발톱이 나오듯 검고 날카로운 손톱이 삐져나왔다.

괴물은 두 팔을 번쩍 들어 성벽을 짚었다. 인간의 손가락만 한 굵은 손톱은 성벽에 그대로 박혔다.

괴물은 박혔던 손을 빼고 다시 위로 세게 짚어 손톱을 박으면서 성벽을 기어올랐다. 높은 성벽도 그렌델의 키로서는 그다지 높지 않았다. 괴물은 꼭대기에 다다라 훌쩍 성벽을 넘었다.

그 안에서 그렌델은 최근에 건축된 호화 무쌍한 주연회관을 보았다.

밤이 되어도 건물 안 창가마다 켜져 있는 촛불은 꺼지지 않고 타오르고 있었다. 그 빛은 회관 창문의 오색 빛깔을 밤하늘 허공에 내비추고 있었다.

밖에서 본 성벽의 장대한 위용과 그 안에 자리 잡은 주연회관의 빼어난 아름다움은 이 무정하고 잔인한 괴물마저 보고 느끼는 것이었다. 그러면 그럴수록 이 징그럽고 물심의 모든 것에 굶주린 악한 짐승에게는 참을 수 없는 격정이 끓어올랐다. 그것은 그 괴물의 사나운 본성이 드러나도록 재촉하는 것이었다.

괴물은 자기 키 높이에 있는 창문 하나를 그 조금 열린 틈새로 손을 집어넣어 조금씩 당겨서 뜯어냈다.

비록 그 삶의 지혜는 인간에 비해 크게 뒤떨어지고 성격은 지극히 우악스럽지만 남을 해하고 파괴하는 데는 생각이 결코 가볍지 않은 것이 저주받은 괴물 족속의 특성이었다. 괴물은 그의 모습과 습성에 걸맞지 않은 조심스런 손짓으로 소리가 나지 않게 창문을 뜯어냈다. 창문을 넘어들어오면서도 내민 발끝부터 살짝 바닥을 디뎌 고양이 같은 부드러운 몸놀림으로 회관의 마룻바닥에 안착했다.

괴물은 몸을 일으켜 넓은 대청을 돌아보았다. 그리고 이제 심신의 즐거움을 위한 저녁 동안의 모든 움직임을 마치고 벽면 곳곳의 침대에 누워 자는 왕의 신하와 용사들을 보았다. 그들의 잠든 얼굴의 평화로움과 행복함은 괴물의 가슴을 더욱 뒤틀리게 하였다.

괴물은 그들에게 접근했다. 발끝을 들고 살금살금 걷는 행태는 그의 험상궂은 모습과 거대한 덩치에 전혀 어울리지 않았다. 평소에는 아둔하면서도 악한 일을 위해서는 놀랄 만큼 간교해지는 괴물 족속의 변화무쌍함은 몸서리칠 만한 것이었다.

괴물 그렌델은 그중 한 사람을 덥석 잡았다. 비명을 지를 틈도 없이 목을 움켜쥐었다. 그리고 우적, 우적, 컥.

주저할 것 없이 커다란 입을 벌리고 머리로부터 집어삼켰다.

순식간에 왕의 용사는 비명 하나 없이 한 조각 초라한 육편(肉片)이 되어 내던져졌다.

"으악! 괴물이다. 피하라!"

회관의 사람들은 생각도 않던 재난에 깨어나서 허둥댔다. 그렌델은 더욱 성난 기세로 달려들었다. 괴물은 또 다른 용사를 집어삼키고 피투성이의 시체 조각을 대청 바닥에 버리며 광란의 살인극을 계속했다. 실내에서 잠을 자던 사람들은 미처 도망갈 곳을 찾지 못하고 허둥대다가 그렌델의 손아귀에 잡혀 죽었다.

그렌델은 자신이 먹은 사람의 오른쪽 팔을 전리품으로 떼어냈다.

살인으로 말미암은 종족의 후예답게 괴물은 별다른 힘도 들이지 않고 삼십 명의 왕의 용사를 처치하여, 일부는 자기 뱃속에 넣고 일부는 전리품으로 절취하고 또 일부는 그 현장에 처참한 잔해로 남겨 두었다.

다음 날 아침 일찍 일어난 왕은 회관 옆 뜰에 나와 산책을 했다. 왕은 풀잎에 맺힌 아침 이슬의 방울방울에 눈길을 주어 살피며 간간이 걸음을 멈추곤 했다.

"아침 이슬이야말로 하나의 작은 우주다. 태초의 혼돈 속에서 먼지들이 모여 지구를 이루었고 우주의 질서를 이루었듯…… 밤사이 대기의 온갖 작은 먼지들이 서로 엉겨 화합하며 한 작은 조화를 이루어내고 있다."

작은 데에서 큰 의미를 생각하는 왕의 마음은 나라의 백성 하나하나의 삶을 모두 소중히 여기는 어진 군주로서의 덕목이었다.

왕은 회관 문 앞 나무 밑에서 자는 신하의 발목을 보았다.

밤새 즐거이 노닐다 밖에 나온 중에 잠든 것이라고 여겨졌다. 찬 공기를 더 맞기 전에 어서 들어가라 하려고 왕은 다가갔다.

왕은 손을 우거진 덤불 속으로 뻗어 그 신하의 가슴을 쥐고 당겨 깨우려 했다.

그러자,

"휙―."

너무나도 가볍게 상체가 들리는 것이었다.

순간,

"억!"

용감한 왕도 그 갑작스런 섬뜩함에는 소스라칠 수밖에 없었다. 가슴의 윗부분…… 어깨와 목 그리고 머리가 없는 시체였다. 그렌델은 사람을 잡아먹고는 피까지 빨아먹기에 피는 거의 남아 있지 않았다.

"전하! 무슨 일이시옵니까?"

갑작스런 왕의 고함에 주위에 있었던 궁궐 사람들이 모두 달려왔다.

"이…… 이것을 보게……"

"아앗. 이…… 이럴 수가."

그들은 회관 주위에 즐비한, 괴물의 행패의 잔해를 하나하나 확인했다. 그 끔찍함에 그들은 전율할 수밖에 없었다.

"사자나 곰에게 당한 것인가?"

"그렇지는 않은 것 같소. 이빨 자국도 나 있지 않고…… 여기…… 이건…… 어떤 몹시 강한 힘에 의해 몸이 찢겨나간 모양이오. 짐승이라면 그렇게 할 수가 없을 것인데……"

"그렇다면 외적의 소행일까?"

"사람도 사람을 이렇게 죽이기는 힘들 것이오."

"창검의 자국도 없는데……"

사람들이 중구난방으로 두려움에 떨며 참혹한 시체들을 조사하고 있을 때 한쪽에서,

"여기 발자국이 있소!"

하는 외침이 들렸다. 모두들 그곳으로 가 보았다.

거기에는 인간의 그것과 닮고 곰의 그것보다 더 큰 피묻은 발자국이 있었다.

"이것은…… 인간은 도저히 아니고…… 아무리 거인이라도 이렇게 클 수는 없소."

"곰이라 하기에도 크고…… 모양도 곰의 것보다는 인간의 것에 가깝고……"

그러다 한 사람이 놀라움과 공포를 참지 못하는 듯 부르르 떨며 소리 질렀다.

"바로…… 이것은…… 그…… 그…… 그렌델이다!"

뒤따라 다른 사람들도 이구동성으로 동의했다.

"맞다. 바로 그…… 말로만 듣던 그렌델이다!"

그동안 소문과 억측으로만 떠돌던 반인반수(半人半獸), 반인반마(半

人半魔)의 괴물은 이제 그들 앞에 현실이 되었다.

사람들은 회관에 들어가 대청에 흩어진 더 많은 참혹한 시체들을 보았다. 어제까지도 평온하던 나라에 어찌 이런 일이 있을 수 있을까 …… 혼자 침입하여 삼십 명의 용사를 참혹하게 죽인 그렌델의 가공할 힘은 사람들을 공포에 떨게 했다.

날이 더 밝아지면서 성 밖에서도 가족을 잃은 사람들의 울부짖음이 들렸다.

어전에 돌아온 왕은 모든 기쁨을 거부하고 고심에 잠겼다.

"아아. 이 무슨 난데없는 저주받은 괴물의 행패란 말인가."

회관 마루에 어지러이 찍힌 징그러운 짐승의 발자국과 끔찍하게 살해당한 신하들을 생각했다. 어찌 대항해 볼 묘책도 나지 않았다. 단지 지상에 나타난… 사탄의 하수자에 대한 한없는 두려움에 사로잡힐 뿐이었다. 그 고통은 너무나 심했으며 오래 계속되었다.

그렌델은 오래 기다리지도 않았다. 그날 밤…… 단지 하루만 지나 또다시 저주의 학살을 범했다. 이번에는 주연회관 대청에 사람이 없자 그 옆의 마구간을 쳐서 무너뜨리고 말은 놔두고 지키던 병사 넷만 잡아먹었다.

괴물은 살육을 저지르면서 조금도 양심의 가책을 갖지 않았다. 태생으로 그 나쁜 일 – 파괴와 살생 – 에 골몰하게 되어 있음이었다.

회관에 그렌델이 출몰한 사실과 그 행위가 알려지고서 왕의 신하 중에는 잠자리를 회관에서 멀리 떨어진 곳에 마련하는 자들이 늘었다.

그렌델은 그 자체가 두려움이었으며 정의와 대적하는 자였다. 그는 밤에 나타나 가는 길에 마주치는 모든 사람을 빠짐없이 공격해 그들에게 불행하고 원통한 죽음을 가져다주었다.

마침내 인간이 문명을 만든 이래 가장 훌륭했던 그 회관은 모든 사람들이 떠나가고 텅 비었다.

그로부터 십이 년이 흘렀다.

오랜 세월 동안 덴마크 백성과 군주의 나날은 고통과 괴로움과 슬픔의 연속이었다.

괴물 그렌델은 긴 세월을 흐로스갈 왕과 싸웠다. 그가 악행과 박해로 인간과 쌓은 숙원(宿怨)은 널리 알려져 사람들의 입에 비가(悲歌)로 오르내렸다.

그렌델은 누구하고도 평화를 원치 않았다. 재물을 받고 악행을 중지할 마음도 없었고, 궁전의 고문관 누구도 그에게서 살인의 값을 보상받을 엄두도 내지 못했다.

그렌델은 어둠 속 죽음의 그림자였다. 회관 주변의 모든 사람을 노렸으며 매복하다 급습하곤 했다.

사람들은 괴물이 어둡고 안개 낀 축축한 곳에 살고 있다는 것은 알고 있었으나 저녁마다 불시에 잠입하여 목격자를 모조리 죽이고 사라지니 모두들 이 악마의 발걸음이 매일 어디로 옮겨가는지 알지 못했다.

이리하여 인류의 적인 이 끔찍한 반인반수의 괴물은 많은 죄악을 범하고 잔혹한 해를 끼치면서도 아무런 제지를 받지 않았다.

어두운 밤이 되면 괴물은 훌륭하게 꾸며진 해록회관에서 지냈다. 다만 하나님의 서기(瑞氣)가 어린 왕좌(王座), 왕이 하늘의 이름으로 선물을 주는 곳인 그곳만은 감히 접근하지 못했기에 왕의 거처만은 무사했다. 그러나 이 모든 것은 백성을 사랑하는 군주에게 큰 슬픔이요 고통이었다.

나라 안의 현자(賢者)와 용자(勇者)들은 종종 회의를 열어 괴물의 급습에 대비할 방책을 구하려 애썼다. 그들 중 가장 용감한 자라도 과연 할 수 있는 것이 무엇일까 고민했다.

그런 중에 괴물 그렌델과의 싸움을 중지하고 그의 원하는 바를 들어주어 진정시키려는 시도도 있었다.

"그렌델이 회관에 찾아올 때쯤 그를 맞이하는 식탁을 차려 놓읍시다."

한 신하의 제안에 왕과 신하들은 주변의 농가로부터 소 두 마리와 양 다섯 마리를 받아 숲에서 그렌델이 오는 길목에 연해 있는 성문 앞에 묶어 두었다.

저녁이 되어 그렌델이 오는 소리가 들리자 책임을 맡은 몇 신하는 성벽 위에서 그렌델이 어떻게 제물을 처치하는가를 보기로 했다.

성문 앞에 다다른 그렌델은 소와 양이 묶인 것을 보더니,

"우걱, 컥."

사정없이 곰의 앞발과 같은 큰 팔을 휘둘러 때려죽였다. 이미 그렌델이 가까이 오는 것을 보고 소와 양들은 공포에 질려 날뛰었지만 꼼짝없이 그렌델의 갈고리 같은 손톱에 가죽을 찢겨 피투성이가 되었다.

그런데 순식간에 제물을 죽인 그렌델은 그것들은 하나도 먹지를 않았다. 그 대신 펄쩍 뛰어 성벽을 올라, 그렌델의 행동을 성벽 위에서 지켜보고 있던 신하 중 한 사람을 잡았다. 그리고는,

"크악, 캬."

더욱 성난 괴성을 지르며 희생자를 먹어치웠다.

도망가던 다른 두 사람도 금세 성난 괴물의 손아귀를 벗어나지 못하고 잡혀먹혔다.

괴물은 본래부터 평화를 원치 않았던 것이다.

그렌델은 그가 저지르는 극악한 행위를 전혀 멈추려 하지 않았다. 괴물의 악행과 인간에 대한 살생은 추구하는 목적 그 자체일 뿐이지 다른 어떤 것을 얻어내는 수단이 아니었다. 괴물은 제물을 받고 화해하려 할 리가 없었다.

"더 이상 괴물과의 화해는 포기해야겠군요······"

"하나님께 거역한 자에게 제물을 바친다는 것부터 그릇된 것이었습니다."

몇몇 점잖은 자들은 희생자의 장례식에서 이렇게 말하나 그들보다 참을성 없는 많은 자들은 울부짖으며 절규했다.

"하나님이 있다면 왜 이런 극악한 악마가 우리를 끝끝내 괴롭히는가?"

"우리나라의 사람들이 무슨 잘못을 했는가? 우리는 지켜야 할 계명도 다 지키고 이제까지 이교도의 신전에는 얼씬거리지도 않았다."

절망에 빠진 그들은 신앙심마저 흐트러지는 것이었다. 그들은 이교도 신전에서 우상에게 재물을 바치며 영혼의 살해자인 사탄에게 재앙에서 구출해주기를 기원하니 이는 곧 이교도의 관습이며 기망(冀望)이었다. 그들의 마음은 지옥을 생각하고 정작 행실의 심판자인 창조주는 깨닫지 못하였다.

전능하신 하나님을 알지 못하며 하늘나라의 수호자이자 영광의 통치자를 어찌 찬양할 줄도 몰랐다.

난경(難境)에 처할 때 구원을 청하여 개심(改心)하지 않고 도리어 저의 영혼을 불구덩이에 던지는 자들을 어찌할 것인가. 깨어나 있는 자들은 깊이 걱정했다.

"죽음에 이르더라도 주님을 찾고 하나님 아버지 품에 안식을 찾는 자는 복이 있느니라."

뜻있는 자들은 기도하였다. 그러나 현실에서 달리 어떤 희망을 찾을 길은 보이지 않았다.

흐로스갈 왕과 그의 백성들은 이렇게 끔찍한 재앙 속에서 암울한 한 시대를 지내야 했다. 그들에게는 그날그날 괴물의 횡포로부터 어찌하면 조금이라도 더 화를 면할 수 있을까 궁리하는 것밖에는 아무 방법이 없었다.

4 용사 베오울프

 나라엔 끔찍한 우환이 계속되어도 왕국의 해변은 조용하기만 했다.
바다는 일렁이는 물결 따라 한낮의 햇빛을 반사하여 드문드문 환한
광채를 뿌리며 침묵하고 있었다.

 바다 끝 수평선에 조그만 검은 그림자가 나타났다.

 반짝거리는 바닷물 위에 떠 있는 한 조각 그림자는 점점 크기를 키
워 갔다. 처음에는 수직으로 서 있는 막대로만 보이던 것이 조금씩 수
면 위로 떠오르면서 이윽고 그것은 육지로 오고 있는 배 한 척임이 드
러나 보였다.

 뱃머리는 높이 앞으로 솟아 그 끝은 둥글게 말려 있으며 양 옆면에
는 방패와 창이 주렁주렁 매달려 있었다. 갑판에는 네모진 선상루가
올려 있고 그 위에 높은 망루가 수직으로 솟아 있었다. 넓은 돛에는
교차하는 창검과 방패가 그려져 펄럭이고 있었다.

 배 위에는 열댓 명의 선원이 보였는데 모두가 억센 팔뚝의 용사들
이었다. 그들은 곧 있을 정박을 앞두고 감겨 있던 굵은 밧줄을 풀어
닻을 내릴 준비를 하고 있었다. 그들의 표정은 모두가 진지해 보여 이
번 항해의 목적이 예사로운 일 같지 않았다.

 이윽고 배는 해변에 다가와 모래를 파헤치며 정지했다. 타고 있던

자들은 닻을 내렸다.

이 배를 타고 온 주인공들은 누구인가.

덴마크의 동쪽 바다 건너 예이츠의 히엘락 왕에게는 베오울프라는 신하가 있었다. 그는 당대의 모든 사람 중 가장 힘센 자로서 명성이 나라 안은 물론이고 나라 밖에도 알려져 있었다.

그가 이미 쌓아올린 무수한 전공(戰功)으로 나라는 태평하고 국운은 융성해 갔다.

나라 안에 평화가 오래 계속되니 베오울프는 그저 명성을 누리며 안주해있기가 무료할 정도였다.

그에게도 바다 건너 나라의 소문이 들려왔다.

히엘락 왕과의 연회 자리에서 베오울프는 바다 건너 덴마크에서 온 사신으로부터 괴물 그렌델의 가공할 횡포를 전해 들었다.

"그렌델은 우리나라 궁궐회관 뒤편 깊은 숲 속 늪에 삽니다. 그곳은 살고 있는 동물과 초목마저 보통 생명과는 다른 기괴한 것들만 있어서 신의 저주를 받은 곳이라 합니다. 사람은 물론 산짐승들도 가까이 가기를 꺼려합니다. 인간의 형상을 닮은 커다란 괴물이 거기 살고 있다는 것은 오래전부터 알려졌었지만 괴물이 밤마다 회관에 나타나서 사람을 잡아먹기 시작한 것은 십이 년이 되었습니다. 그런데 그렌델이 그토록 크고 털투성이라는 것은 알려져 있지만 직접 그 모습을 봤다는 사람은 없습니다. 만난 사람은 모두가 잡혀먹혔기 때문입니다. 몇몇 용기 있는 자들이 그렌델을 잡겠다고 장담하며 밤에 회관에서 기다리기도 했지만 오히려 그렌델을 위한 먹이가 되었을 뿐이었습니다."

이 말을 들은 베오울프는 히엘락 왕에게 말했다.

"큰 배를 하나 주십시오. 저들은 우리의 도움을 필요로 하고 있습니다. 저들의 옛 왕과 우리의 옛 왕은 서로 각별한 교분을 가졌던 적이 있지 않사옵니까. 우리의 도움을 필요로 하는 그들을 도우러 떠나야 하겠습니다."

엷은 금판이 물결치듯 상하 요동하는 모양으로 둘러쳐지고 그 각각의 꼭지마다 맑게 빛나는 홍보석을 박은 왕관을 쓰고, 팔을 들고 어깨를 움직일 때마다 금빛 찬란한 부위가 달라지는 왕복을 입은, 젊은 히엘락 왕은 청회색 눈을 가만가만 껌뻑이며 굳은 표정으로 베오울프의 진언을 들었다.

조카이기도 한 베오울프는 단지 나라의 으뜸 용사일 뿐 아니라 마음속 깊이 의지하는 신하였다. 그러기에 선뜻 외지에 보내는 것은 내키지 않는 일이었다.

"그대들의 뜻은 어떠하오?"

베오울프의 청을 들은 왕은 좌우로 도열한 신하에게 물었다.

왕과 대신들 모두가 한동안 말을 꺼내지 못했다. 그들에게는 베오울프와 같은 훌륭한 용사가 있어 얼마나 든든했던가. 신하들도 그를 떠나보낸 자리가 얼마나 허전할 것인지 잘 알았다.

그러다 이윽고 한 백발의 노신(老臣)이 입을 열었다.

"용사 베오울프는 이미 우리 예이츠인 만의 용사가 아니 옵니다. 우리가 할 수 있는 것은 신의 이단자를 정벌하러 가는 그에게 신의 가호가 있기를 바라는 것뿐이옵니다."

다른 신하들 또한 묵묵히 있음으로써 수긍의 뜻을 보였다.

"그의 장도(壯途)에 어떤 운이 기다리고 있는지 점쳐보도록 할지어다."

히엘락 왕은 명령했다. 주술사가 왕과 대신들 가운데 들어왔다.

주술사는 회의장 중앙에 섰다.

"자비하신 전지자시여, 바다 건너 이국의 백성을 도탄에 빠뜨리는 이단자를 우리의 용사가 처단하러 가음이 주의 뜻에 합당한지를 묻사오니 합당하면 이 지팡이를 오른편으로 기울게 하시고 그렇지 않으면 왼편으로 기울게 하소서."

주술사는 끝에 방울이 달린 긴 지팡이를 손에 쥐고는 치렁치렁한 옷소매가 펄럭이고 고깔모자가 휘어지도록 몸을 좌우로 세차게 떨었다.

다시 한동안 멈춰 서서 조용히 지팡이를 두 손으로 잡고 움직이지 않다가 손을 떼고 한 발짝 뒤로 물러섰다.

지팡이는 홀로 서서 부르르 떨더니 주술사의 오른편으로 기울어 넘어졌다.

베오울프의 출정은 성공이 예상된다는 예측이 나왔다.

"인간 세상의 평화를 위해 그의 출정을 결정한다." 왕은 선언했다.

"전능하신 주님의 뜻을 받은 왕의 명령을 영광스레 행할 것을 다짐합니다."

베오울프는 배례하고 출정의 준비를 위해 자리를 떠났다.

성 밖으로 나간 베오울프는 성벽에 크게 방문(榜文)을 붙였다.

바다 건너 덴마크 왕국에서는 신의 저주를 받은 괴물 그렌델이 출현하여 왕은 근심이 떠날 날이 없고 백성들은 공포에 떨고 있다. 우리의 선군께서도 그곳의 옛 군주와 교분이 있었으며, 도움을 주고받은 바 있으니 오래도록 평화를 누려온 우리 예이츠인들은 형제의 곤경을 구하러 나섬이 마땅치 아니한가!

예이츠에 수년 동안 싸움 하나 없이 평화가 계속되자 싸움을 업으로 하는 용사들 중에는 지루해하는 이들도 많았다. 그들은 방문을 읽거나 용사를 모집한다는 소문을 듣고는 앞다퉈 지원하러 모여들었다.

"제군의 임무는 우리나라를 지키는 일에서 한 걸음 더 나아가 우리의 형제가 신의 저주받은 이단자에게 당하는 고초에서 벗어나도록 돕는 것이다. 그런 만큼 상대는 우리가 예측 못 할 힘을 가졌다.

그동안 우리 용사들이 전장에서 용감히 싸운 공로는 모두가 아는 바이고 비록 인간 중에 누구와도 싸워 이길 자신을 가졌다 하더라도 이번에 싸울 적은 인간의 힘을 넘어선 괴물이다. 또한 인간의 지혜로 그 행동을 예상할 수 있는 여느 짐승도 아니다.

그러니 괴물과의 싸움에서는 우리가 어떤 공격을 받을지 전혀 예측할 수 없다. 지금이라도 늦지 않으니 조금이라도 괴물과의 싸움에 두려움이 있는 자는 돌아가길 바란다. 인간과의 싸움에서는 아무리 자신이 있다 하더라도 이번 일은 다를 것이다. 신의 이단자를 징벌하겠다는 의지가 있지 않고는 안 되는 일이다."

베오울프는 모여든 자들 앞에서 말했다.

그러나 돌아가는 자는 없었다.

이미 예이츠에서 베오울프의 명성은 높아 그와 생사를 함께하며 전장에 나가는 것을 영광으로 여기는 자들이 많았다. 따라서 상대에 대한 두려움은 문제가 되지 않았다.

"상대는 한 마리의 괴물이니 많은 사람이 필요한 것은 아니오. 가지 못하는 사람들은 우리의 승리를 신께 기원해 주시오."

베오울프는 다시 말하고 이들 중 싸움에 나갈 가장 용감한 용사 열네 명을 뽑았다. 이리하여 성전(聖戰)을 위한 결사대가 조직되었다.

"신의 이단자를 이 땅에서 몰아내 하나님의 섭리가 지배하는 세상을 보전하는 데 우리의 목숨을 걸자."

모두들 결의했다. 베오울프는 그들에게,

"출정을 위해서는 배를 타고 떠나야 하니 약속한 날에 배가 정박해 있는 남서해안의 항구에서 모이도록 하자."

하고 자신도 무구(武具)를 준비하러 갔다.

약속했던 출정의 날이 왔다.

해안에서 기다리던 배는 다가오는 일행을 반기는 듯 바닷바람에 흔들거렸다. 용사들이 오랫동안의 평화를 지루해했듯이 그동안 무료히 있었던 이 배도 지루했던 속박을 벗어나 바다를 향해 떠나게 되었다.

아침에 모여든 용사들은 그들의 임무에 대한 자부심에 충천하여 서둘러 배에 올라탔다.

때마침 불어오는 북풍에 바다의 찬 물결이 소용돌이쳐서 물밑과 해변의 잔모래를 휘저어 뱃전에 뿌렸다. 용사들은 저마다 흑갈색의 갑옷과 화려한 장구(裝具) 그리고 날 선 청백색의 번쩍이는 무기들을 배 안에 실었다.

마침내 그들은 열망하던 항해의 길에 올랐다.

배는 머리에 거품을 일으키고 새처럼 가볍게 바람에 불려 가면서 파도를 올라탄 채 전진했다. 뱃머리가 활처럼 굽은 그 배는 앞뒤가 교대로 상하 왕복하며 살아 있는 바다짐승처럼 헤엄쳐 갔다. 바람은 몹시 차가웠지만 항해를 어지럽히는 센바람은 일지 않았다.

그리하여 다음날 오후 육지가 보이는 곳에 이르렀다.

해변 절벽의 검은 바위들은 오랜 세월 파도에 마모된 표면이 물에 젖어 반짝이고 있었다. 가파른 언덕이 계속 이어지는 그곳은 바다를 향해 튀어나와 있는 넓은 갑(岬)이었다. 큰 뜻을 품고 바다를 건너온 일행은 건너편 대륙의 또 다른 지형을 경이로운 눈빛으로 바라보았다. 불쑥불쑥 솟아 나온 해변의 흑요석봉(黑曜石峰)들은 거센 파도로부터 이 왕국을 보호하는 오목조목한 천연의 돌담이면서도 상륙자들을 영접하는 자연의 안내자였다.

바다는 횡단했고 항해는 끝났다. 예이츠인들은 해변에 올라가 닻을 내리고 배를 묶어 놓았다.

"덜거덕, 쿵ㅡ, 덜그럭."

그들이 가장 소중히 여기는 전의(戰衣)인, 쇠사슬로 엮어 만든 흉부 갑옷을 꺼내는 소리는 퍽 요란히 덜걱거려, 다가올 큰 싸움에 대한 긴장감을 느끼게 했다. 항해가 평탄하였음에 그들은 신께 감사를 드렸다.

해안 절벽 위에서 망을 보고 있던 덴마크의 파수병은 번쩍이는 검과 방패 등 싸움을 위한 만반의 준비를 갖춘 무기들이 배에서 내려지는 광경을 보았다.

"오오. 저들은 누구인가? 어찌 저리도 태연하게 이 왕국에 잠입해 올 수가 있단 말인가!"

그는 해안의 사장(沙場)을 달리는 데 이력이 난 군마(軍馬)를 타고 해안으로 내려갔다.

그는 배가 있는 곳을 향해 달리면서 힘찬 말발굽 소리와 함께 양손에 든 큰 창을 좌우로 휘둘러 그들에게 자기가 오고 있음을 알렸다. 배에서 내린 자들이 그를 보자 그는 동작을 멈추고 천천히 앞으로 군마를 몰아 그들에게 목소리가 들릴 만한 곳까지 다가갔다.

파수병은 정중히 물었다.

"이렇게 큰 배를 타고서 바다를 건너와 이곳에 온 당신네 쇠사슬 흉부 갑옷 차림의 용사들은 뉘시오? 보시오. 나는 오랫동안 해안 경비원으로 있으면서 어떤 적의 해군도 우리 왕국을 습격하지 못하도록 바다를 지켜 왔소. 우리들은 창과 방패를 든 용사들이 이같이 공공연하게 이곳에 들어오리라고는 상상치도 못했소. 당신네들은 이 나라에 들어오기 위해서는 우리 용사들의 허가와 왕가의 승인이 필요하다는 것을 몰랐던 것 같소.

게다가 당신네들의 침입은 결코 예사로이 넘길 일이 아님이 당신네들의 모습에서 나타나고 있소. 특히 당신들 중에 두드러지게 내 눈앞에 보이는 장려하게 무장한 용사…… 나는 여태껏 지상에서 저와 같이 위대한 용사를 본 일이 없소. 저 사람의 얼굴에서 나오는 범접 못할 위엄의 안광과 또한 장건한 몸 전체에서 우러나오는 비범한 풍모는, 그가 자기의 정체를 숨기려고 하지만 않는다면, 그가 단순히 그의 멋진 무구 때문에 저토록 훌륭하게 보이는 것이 아님을 증명하고 있소. 당신네들과 맞상대하기가 심히 두려움을 주는 것은 사실이나 국왕을 위하여 목숨을 내건 왕국의 파수병으로서 나는 말하지 않을 수 없소. 당신들을 덴마크에 온 침입자로 간주하여 당신들이 여기서 한 걸음 더 전진하기 전에 나는 당신네 종족에 대하여 알아보아야 하겠소. 먼 나라 해인(海人)들이여! 나의 진실한 부탁을 들어주시오. 당신들이 어디서 왔는지를 속히 알리는 것이 좋을 것 같소. 정체를 밝히시오. 그렇지 않고는 누구 하나 한 걸음도 앞으로 더 나아갈 수 없소!"

파수병의 태도는 당당하면서도 비장한 각오가 역력했다. 말하는 그의 턱 끝은 부르르 떨고 있었다.

원정대장은 앞으로 나섰다. 분위기를 누그러뜨리는 엷은 미소를 지으며 베오울프는 파수병에게 격의 없이 말했다.

"우리들은 예이츠인들이오. 히엘락 왕의 신복(臣僕)이지요. 나의 부친은 이미 천하 여러 민족 간에 이름을 떨친 바 있는 분으로서 에치데오라고 불렸으며 오랫동안 백성의 신망을 받으며 살아오시다 근래 나이가 차서 이 세상 마을에서 떠나가셨소. 천하의 현인 중 그분의 공로를 모르는 이는 없소. 우리들은 우호의 뜻으로 헤알프데인의 아들이며 백성의 수호자이신 당신들의 군주를 만나 뵈러 왔소. 바라건대 우리를 잘 인도하여 주시오. 우리들이 가진 용무는 실로 중대하기 이를 데 없는 것이오."

"중대하다니……" 파수병은 베오울프가 적의를 보이지 않자 일면 한시름 놓으면서도 굳은 자세를 유지하며 말을 이었다. "지금 우리나라에는 큰 문제가 있기 때문에 외국과의 어떤 일도 이보다 더 중요할 수는 없소. 당신네들의 용건이 아무리 중대하다고 해도 지금 우리에게 닥친 재난을 피하는 일보다 우리에게 더 중할 수는 없소."

파수병의 반박을 베오울프는 해명했다.

"어두운 밤만 찾아오면 진실로 정체를 알 수 없는 괴이쩍은 박해자가 당신네 덴마크인이 숱한 고난 끝에 이루어 놓은 값진 삶의 터전에 홀연히 침입하여 인간이 할 수 없고 하늘 아래 그 어떤 사나운 짐승도 일찍이 한 적이 없었던 무자비한 살상의 만행을 자행한다고 들었소. 전에 없던 이런 비참한 재난을 벗어나게 하여 흐로스갈 왕의 지극한 심려가 풀어지도록 나는 자비 영명하신 그분께 그 악마를 어떻게 물리칠 것인지 말씀드리겠소. 만일 나의 제안이 받아들여지지 않는다면 하늘 아래 가장 장려한 고대광실(高臺廣室)로 이루어진 훌륭한 궁전이 그 높은 곳에 서 있는 동안 우리 인간이 받는 시련과 고통이 언제까지 계속될지 아무도 모르는 일이오."

파수병의 뒤를 이어 군마 여럿이 따라와 있었다. 군마에 탄 이들 중에 황금장식의 멧돼지 형상 투구를 쓴, 대장인 듯한 차림의 사나이가 앞으로 나섰다.

그 사관(士官)은 말을 타고 있는 자리에서 고개를 끄덕이며 대답했다.

"현명한 용사는 상대의 언행으로 그의 됨됨이를 판가름할 줄 알아야 하오. 듣건대 당신네는 덴마크 군주의 편이라 하니 무구와 전의를 가지고 전진하시오. 내 그대들을 인도해 드리리다."

베오울프 일행은 서로 간에 있었던 약간의 긴장이 풀리자 앞으로 걸음을 옮겼다.

사관의 말은 계속되었다.

"그리고 저 치솟는 용의 머리를 가진 군선(軍船)은 위업이 끝난 후에 당신네를 태우고 예이츠 땅으로 돌아가도록 부하들을 시켜서 모래밭에 고이 간수하겠소. 나뭇결 사이에 덮인 옻칠이 티끌만큼도 상하지 않고 어떤 해도 입지 않게끔 조심히 간수할 것이오. 당신들 위대한 용사들은 격전의 시련을 능히 빠져나올 수 있을 것이니 내 그때까지 당신들을 위해 신의 가호를 빌겠소."

배는 밧줄로 굳게 묶여 해안에 정박되었다. 베오울프 일행은 경비병 용사의 안내를 받아 높은 바위벽과 우거진 참나무 숲을 통과하여 흐로스갈 왕의 해록회관을 향해 걸었다.

끝없이 망망한 바다와 울퉁불퉁한 육지 사이에는 항해 중 파도에 젖은 높은 뱃머리만이 하늘에 오롯이 솟아 멀리 바다 끝에서 오는 석양빛을 반사하여 공중에 흩뿌렸다.

그들의 투구 위에는 단단하게 제련된 황금곰의 상(像)이 번쩍였다. 사납게 으르렁대는 곰의 위용은 용사를 지키는 표상이었다. 황금 벽칠의 장려한 회관을 향해 그들은 들길과 숲길을 서둘러 질러갔다.

천하 인간의 건축물 중에 가장 이름 높은 회관! 그곳에서 비치는 찬란한 불빛은 나라 밖에까지 퍼질 정도였다. 그 안에 한때 용맹을 떨치던 흐로스갈 왕은 거주하고 있었다.

경비병은 저쪽에 보이는 빛나는 황금벽을 손으로 짚듯이 가리키며

"자, 여러 귀빈들, 그대로 안으로 들어가시오. 당신들을 정중히 맞이할 채비가 다 마련되어 있소."

하고, 타고 왔던 말머리를 돌렸다.

"나는 이제 돌아가야 하겠소. 전능하신 주님께서 은총을 베푸셔서 당신들의 과업을 수행하는 데 어려움이 없도록 지켜주실 것이오. 나는 또 바다로 돌아가서 적군을 감시해야 하겠소."

그의 말이 끝나자 군마는 앞발을 높이 들어 한바탕 콧소리를 내고는 곧 전속력으로 내달았다.

말발굽 소리는 수풀 속을 헤쳐가고는 이내 묻혀 사라졌다.

5 결전의 맹세

용사들은 안내자가 가리킨 길로 전진했다. 해록 회관 주변은 넓은 벌판이었고 성벽은 그리 높지 않아 그들이 들어오는 광경은 안에서도 훤히 보였다. 십오 명의 용사는 보무도 당당히 걸어 들어오고 있었다.

궁성으로 가는 길은 돌로 포장되어 있었다. 연분홍의 화강석…… 은백색의 대리석…… 반들반들한 흑요석 등 갖가지로 반짝이는 반석으로 덮여 있었다. 그 길은 용사들을 궁전회관 곧 덴마크인의 지도자가 모여 있는 곳으로 안내했다.

용사들은 궁성의 정문에 다다랐다.

정문의 파수병은 그들이 저네의 해변 파수병과 함께 왔기에 그대로 통과시켰다. 그다음 훌륭한 관상수들이 가지가 많이 상한 채 즐비하게 늘어서 있는 정원을 지나 해록 회관의 현관에 도달했다.

높고 견고하게 지어진 회관은 현관문과 유리창이 심히 파손되어 한눈에 그곳의 주인이 고난을 받고 있음을 알 수 있었다.

일행이 궁전 현관에 들어서자 그들이 착용한 갑옷이 창문을 통해 실내의 그늘 사이를 파고들어 온 햇빛을 받아 휘황하게 번쩍였다. 이들의 차림새는 고국의 장인들이 용사의 무훈을 기리는 정성으로 정교히 엮어 만든 훌륭한 갑옷과 무구로써 단장되어 있었다.

어깨와 무릎의 철갑마다 햇빛이 반사되어 실내를 관통하는 가느다란 광선들을 어지러이 흔들었다. 손발의 움직임을 따라 실내 곳곳의 명암이 바뀌며 높은 벽면에 일렁이는 빛의 수를 놓았다.

철컥! 철컥! 그들의 어깨와 무릎에 덮인 철갑들이 서로 부딪치고 마찰하며 둔탁한 소리를 냈다. 모든 장신구는 눈부셨고 쇠사슬 흉부 갑옷이 서로 부딪쳐 나는 쇳소리는 요란했다. 그들은 질서 정연히 회관의 실내를 행진했다.

이들은 항해에 지쳐 있었다. 모두가 실내에 자리 잡은 후 바다의 용사들은 각자 가지고 있는 방패를 손에서 내렸다. 볼록한 앞부분을 밖으로 해서 둥근 방패는 벽에 나란히 걸치고 긴 방패는 바닥에 놓았다.

"철커덩!"

용사들이 일제히 실내에 길게 설치된 장의자에 앉자 그들의 갑옷이 부딪는 소리가 한꺼번에 크게 울렸다.

바다를 무대로 살아온 해인들이 거대한 고래를 잡을 때도 쓰곤 하는, 회색 물푸레나무로 만든 기다란 창들이 각자의 옆에 세워졌다. 회색 자루는 용사들의 큰손으로 감싸 잡을 굵기였고 길이는 사람 키의 한 배 반이 되었다. 창끝은 길쭉한 마름모꼴로 빛나게 닦인 쇠 날이었는데 창대가 마루의 진동에 따라 흔들리면 창날은 빛의 변하는 반사각을 따라 섬뜩섬뜩 눈부신 광채를 쏘아댔다.

좌정해 있는 손님들 앞에 영접하는 이가 나타났다.

나타난 이는 백금색 머리칼 아래 붉고 각진 얼굴의 풍채가 당당하다 못해 거만스럽기까지 한 울프갈이란 사나이였다.

그는 이 용사들의 혈족에 대하여 물었다.

"당신네는 이같이 화려하게 장식한 방패와 쇠사슬로 얽은 회색의 흉부 갑옷, 면갑(面鉀)이 달린 단단한 투구, 그리고 이 많은 예리한 끝날의 창을 어디서 가지고 왔습니까? 나는 흐로스갈 왕의 충실한 신하이자 그의 대리인이오. 이제껏 왕을 위해 일해 왔지만 오늘처럼 많은 외국 사람이 이토록 담대히 자리해 있는 광경을 본 적이 없소.

내가 보기에 당신네가 우리의 왕을 찾아온 이유는 망명하여 몸을 의탁하려 하는 따위가 전혀 아니고 어떤 오만함을 품은 생각 때문 같소. 내가 생각하기로는 당신네는 아마도 커다란 자신감과 더불어 어떤 담대하기 이를 데 없는 행위를 우리 땅에서 하려는 것 같소."

베오울프는 그의 지적을 부인하지 않는 듯 투구를 쓴 그대로 긍지있고 대담한 태도로 답했다.

"우리는 히엘락 왕의 신복이고 나는 베오울프라 하오. 만일 덕망 높고 자비하신 그대의 군주께서 우리로 하여금 알현하도록 허락하신다면 나는 내가 부여받고자 하는 중대한 과업을 위대한 헤알프데인의 아들이며 이름 높은 군주이신 당신의 군주께 여쭈도록 하겠소."

울프갈은 용맹하기 이를 데 없는 반달족 출신으로서 그의 힘과 지혜는 널리 알려진 바 있었다. 그는 대답했다.

"나는 당신이 부탁한 대로 당신들이 온 뜻을 덴마크의 왕이시며 전리품 금가락지를 수훈자에게 나눠주시는 명성 높은 통치자께 알려서, 덕망 높으신 그 어른께서 나에게 주시리라 믿어지는 회답을 당신에게 신속히 알려 드리겠소."

그는 즉시 흐로스갈 왕이 귀인들과 함께 있는 궁내의 회의장으로 갔다.

백발의 고령인 흐로스갈 왕은 이 시간에도 대신들과 함께 이 나라의 재난을 극복할 방안을 숙의하고 있었다.

울프갈은 왕의 옥좌 옆 아래쪽에 서서 왕과 대신들의 대화가 끝날 때까지 기다렸다. 그는 충성된 신하들의 관행을 잘 알고 있었다.

이윽고 기회가 오자 울프갈은 군주에게 말했다.

"예이츠 사람들이 먼 곳에서 넓은 바다를 건너 이곳에 찾아왔습니다. 용사들은 저들의 두목을 베오울프라고 부릅니다. 군주시여, 그들은 전하와 이야기를 나누기를 원합니다. 대왕께서는 그들과 대면을 하시옵기를 감히 청하나이다. 너그러우신 흐로스갈 왕이시여, 그들에게 회답해 주시기를 거절하지 마옵소서. 그들은 참으로 훌륭한 무기를 갖고 있습니다. 용사들을 이곳으로 이끌어온 두목은 참으로 힘센 장사로서 능히 우리의 고난을 물리치기에 부족함 없는 인물로 보입니다. 그들은 가히 귀인들의 존경을 받을 만한 자들입니다."

덴마크 백성의 수호자 흐로스갈 왕은 조용히 감격하며 담담히 말했다.

"오 베오울프라. 나는 이미 그가 소년일 때부터 그를 알아왔소. 그의 부친은 에치데오라 불렸는데 예이츠의 선왕 흐레델은 에치데오에게 자기 외동딸을 주었소. 지금 그의 훌륭한 아들이 충실한 친구인 나를 도우러 여기까지 내방했다 하니 어찌 반겨 맞이하지 않을 수 있겠소. 게다가 지난번 예이츠 국민에게 보내는 사례의 선물을 실어갔던 선원들의 말에 의하면, 싸움에 용맹스러운 전사 베오울프는 삼십 명의 용사를 한 손에 쥘 수 있는 힘을 가졌다고 하오. 이는 내가 바라던 것같이 거룩하신 하나님께서 은혜를 베푸사 우리를 그렌델의 공포에서 구출해 주시기 위해 그를 우리 덴마크인에게 보내심이라. 나는 그의 격렬(激烈)한 용기를 찬양하여 그 용사에게 보물을 주겠노라. 그러니 그대는 서둘러 가서 그들 모두가 들어와 전승(戰勝)의 군주를 만나보라 하오. 그들은 덴마크인들로부터 환영받는 사람들이라고 말을 전하오."

그 유명한 용사 울프갈은 즉시 달려가 베오울프 일행에게 전했다. "덴마크 왕이신 나의 전승의 군주께서는 바다를 건너온 당신들의 고귀한 신분을 아시사, 용맹스러운 당신들은 덴마크 왕국으로부터 환영받는 사람들이라는 말을 전하라는 분부가 계셨으니, 지금 당신들은 투구를 쓰고 군복을 입은 채 흐로스갈 왕을 만나러 들어오시오. 그러나 당신네들의 방패와 나무창은 회담이 끝날 때까지 여기 그대로 세워 두시오. 그리고 남아 있는 사람들은 결과를 기다리게 하시오."

베오울프는 일어섰다. 투사이며 힘센 부하들이 함께 따랐다. 몇몇은 남아서 무구를 지키기로 했다. 울프갈의 인도에 따라 서둘러 해록회관의 대청으로 들어갔다.

베오울프는 투구를 쓰고 당당히 나아가, 벽면 중앙의 옥좌 앞에 섰다. 때는 쌀쌀한 늦가을이라 옥좌의 양옆에는 한 쌍의 벽난로가 활활 타오르고 있었다. 그의 가슴을 덮고 있는, 대장장이의 기술로 정성스레 다듬어 엮은 철의 방직물(紡織物)인 쇠사슬 흉부 갑옷은 화로의 이글거리는 불빛을 받아 가물거리는 빛을 반짝였다.

베오울프는 정중한 어조로 덴마크 왕에게 말했다. 그러면서도 그의 목소리는 우렁차 실내에는 반향이 울렸다.

"흐로스갈 왕이시여. 만강(萬康)하옵소서. 이 사람은 예이츠의 히엘락 왕의 혈족이며 또한 그의 젊은 신하이기도 합니다. 저는 그간 본국에서 다소간의 전공(戰功)을 쌓아 그 이름을 얻은 바 있어 정의를 위한 싸움이라면 여느 강한 대적(對敵)도 두려워하지 않습니다. 근자(近者)에 대왕의 나라에 우환이 있다는 소문을 듣고 자비로우신 전능자의 이름으로 환난을 일으키는 적을 물리치고자 찾아왔습니다.

그렌델의 소행은 저의 본국에서 들었습니다. 뱃사람들에게서 들은 바에 의하면 저녁 해가 서산에 져서 창공 밑에 감춰지면 가장 훌륭한 이 회관은 용사들이 쓰지 못하고 텅 비고 만다고 합니다.

흐로스갈 왕이시여. 저의 나라 백성 중 가장 고귀하고 현명한 자들이 저의 힘을 알기에 저더러 전하를 찾아가라고 권고했습니다. 그들은 예전에 싸움에 나가 적의 피로 얼룩져서 돌아오는 저를 보았던 자들입니다.

저는 그 싸움에서 다섯 거인을 한데 묶어 전멸시켰습니다. 그리고 바다괴물들과의 밤중 격투는 참으로 위태했습니다. 괴물들은 달빛 아래 번쩍이는 물보라를 높이 솟구치며 발악했습니다. 그들을 죽여 물결이 잔잔해질 때쯤 해가 떴습니다.

그동안 예이츠 백성을 괴롭힌 그 원수들을 물리치려고 큰 곤욕을 치러야 했지만 결국 그들은 저와의 싸움에서 최후를 맞이한 것입니다.

그리하여 지금 덴마크의 군주이시며 덴마크의 수호자이신 전하께 한 가지 간청을 드리옵니다. 이번에 저는 그 괴물, 악마 그렌델을 단독으로 만나 싸우겠습니다. 그 괴물은 야만의 생물이라 무기를 쓸 줄 모른다는데 저는 그 괴물을 격퇴하는 일에 검이나 방패를 갖고 나가는 것을 부끄럽게 여기겠습니다.

먼 곳에서 온 우리들은 다른 도움 없이 우리의 용사 일행만으로 이 해록 회관을 정화(淨化)코자 하오니 용사들의 수호자시며 만인의 고귀한 친구이신 전하께서는 이를 거절하지 마옵소서."

말하면서 베오울프는 싸움의 무기를 들지 않은 억센 두 팔을 벌려 보임으로써 굳은 의지를 보여주었다.

"저의 군주 히엘락 왕께서도 지금 아뢴 이야기를 들으시면 기뻐하시

겠지요. 그래서 저는 생명을 내걸고 그 원수를 손에 잡아 쥐고서 일대
일로 대항하여 싸워 보겠습니다."

"그 괴물은 인간이 아니오. 어찌 무기를 쓰지 않고 대적한단 말이
오?" 흐로스갈 왕은 놀라 베오울프의 긴말을 가로채고 물었다.

"전능하신 하나님께서 제게 주신 힘은 여느 부정(不淨)한 생물의 힘
보다 우월함을 널리 알리고자, 인간의 꾀로 만든 물건의 도움을 받지
않겠다는 것입니다. 그리하여 목숨을 걸고 맞서 싸워 어느 쪽이든지 죽
음의 부름을 받는 자는 전능신의 뜻에 따라야 할 것입니다. 거기서 죽
게 되는 자 즉 죽음이 데리고 가는 자는 주님의 심판에 따라야 합니다.

생각건대 이 악마는 할 수만 있다면 여태껏 싸움터에서 한 것처럼
예이츠인 군사를 먹어치울 것입니다. 그러니 제가 죽으면 전하께서는
저를 묻으실 필요가 없습니다. 이는 그 고적(孤寂)한 자가…… 은신처
에서 악마의 식사를 할 것이기 때문입니다. 전하께서는 저의 머리를
감출 필요가 없을 것이니, 이는 그 괴이한 자 그렌델이 저의 피투성이
가 된 시체를 가지고 가서 게걸스레 먹어버리고는 황무지에 있는 그의
은신처에 버려 그곳을 피로 물들게 할 것이기 때문입니다. 그러하오니
제 시체를 처리하는 문제에 관해서는 더 이상 걱정하실 필요가 없겠습
니다."

베오울프는 가슴의 갑옷에 손바닥을 대며 말을 계속했다.

"만일 제가 전사한다면 저의 가슴을 보호하던 가장 훌륭한 전의(戰
衣), 가장 훌륭한 무기인 이 쇠사슬 흉부 갑옷을 히엘락 왕에게 전해
주옵소서. 이것은 저 유명한 게르만 제일의 전설적인 대장장이 웬델이
오래전에 만든 것으로서 흐레델 왕 때부터 내려오는 가보입니다."

"그대는 기필코 승리하리라 믿소."

왕은 정색하며 말했다.

"사람의 운은 어떻게 할 수 없나이다. 운명은 미리 정해져 있지만 사람은 그것을 알 수 없나이다."

베오울프는 담담히 대답했다.

거사에 대한 합의는 이루어졌다. 덴마크 백성의 수호자 흐로스갈은 그와 베오울프 사이의 인연을 말했다.

"내 친구 베오울프여, 그대는 친절과 의무감에서 나를 찾아왔소. 그대의 부친은 사나운 격투로 말미암아 이웃 나라들 사이에 크나큰 불화를 초래했었지."

흐로스갈이 말하는 베오울프의 부친 에치데오와의 관계는 다음과 같았다.

베오울프의 부친 에치데오는 예이츠 왕국 군대의 용맹한 장수이기도 했지만 성미가 자유분방하여 특별히 국왕의 부름이 없을 때에는 배를 타거나 헤엄쳐 바다를 오가며 여러 나라를 여행하곤 했다.

나이 삼십이 넘도록 혼인도 않고 그는 국왕이 하사한 전리품을 팔아 여비로 삼아 발틱해와 북해를 건너 이웃 나라를 다니며 술과 여자와 보물을 찾아 모험을 즐겼다. 여비가 떨어지면 그곳 산속에서 사냥한 짐승을 시장에 내다 팔거나 일정 기간 유력한 성주의 용병으로 몸을 의탁하거나 싸움 대회에 나가 상금을 타기도 했다. 또 도둑이나 비적단(匪賊團)의 소굴을 찾아 보물을 훔치기도 했는데 그곳의 주인들과 마주치면 우두머리를 잡아 죽여 그들에게 붙은 현상금을 탔다.

그러다가 향수병이 생기거나 고국에서 전쟁이 일어났다는 소식이 들리면, 배가 없으면 헤엄쳐 건너서라도 돌아와 국왕의 부름에 답하곤 했다.

그때 에치데오는 발틱해 남쪽 해안의 '윌핑그'라는 지방에 있었다. 이곳은 그전부터 예이츠 사람과의 교역이 잦은 곳이었다.

에치데오는 성내의 저잣거리를 찾았다. 아직 여비가 남아 있어서 가게에 들러 마음에 드는 짐승 가죽옷, 무구 등이 있나 알아보았다. 반나절을 돌아다녔지만 마음에 드는 것은 찾지 못했고 당장 꼭 사겠다고 마음먹지도 않았기에 다른 구경이나 하고 가려고 시장의 중심 광장으로 갔다.

거기는 사람들 수십 명이 둘러서 모여 있었다. 구경거리가 있음에 틀림없었다. 에치데오는 옳거니 하고 가까이 갔다. 보통 사람보다 키가 머리 하나만큼 더 큰 그는 뒤에서도 가운데서 벌어지는 광경을 쉽게 볼 수 있었다.

체격이 큰 장정 둘이 씨름판을 벌이고 있었다.

조금 뚱뚱한 몸집의 한 사람은 금발머리에 얼굴이 둥글고 붉었는데 차림새와 표정이 시골에서 힘깨나 쓰던 자가 올라온 것 같았다.

다른 사람은 얼굴이 길고 갈색 머리에 키가 크며 단단한 체격이었다. 표정에는 여유가 있어 이런 곳에 처음 나서는 자가 아닌 듯했다.

둘은 한동안 붙잡고 있는데 뚱뚱한 사나이는 갈수록 얼굴이 붉어지며 힘겨워하는 반면 키 큰 사나이는 얼굴색 하나 변하지 않고 무표정하게 있었다.

"별로 재미없군."

에치데오는 중얼거리고 한발 물러서 고개를 돌려 두리번거렸다. 다른 무슨 재밌는 볼거리가 없나 하고.

그러자,

"와아!"

둘러선 사람들이 함성을 질렀다.

에치데오가 다시 다가가 보니 뚱뚱한 사나이는 넘어져 있었고 키 큰 사나이는 승리를 기뻐하고 있었다.

"역시 요령이 있어야 해."

"둘 다 부동자세로 있었다 해도 카알은 너무 힘을 쓰는 자세로 있었어. 프란츠는 가만히 몸을 지탱하고만 있었는데 말야."

"그렇지. 프란츠는 가슴으로 상대방을 막고만 있었는데 카알은 자기 온몸으로 상대방을 떠받들고 있었으니 배겨나겠어? 그럴 때 자기의 키가 불리한 것을 알았다면 진작 다른 수를 썼어야 하는데."

구경꾼들은 저마다 관전평을 했다.

이긴 자는 약속에 따라 싸움에 걸어 놓은 진 자의 물건을 가져가기로 되어 있었다. 두 씨름꾼은 서로 양 다섯 마리씩을 걸어 놓고 있었는데 프란츠라는 이긴 자가 그것을 모두 가지려고 양을 묶어둔 곳으로 갔다.

"갈 때 여비로라도 쓰게 한 마리는 남겨 주……"

뚱뚱한 금발머리 청년은 말하려 했으나 상대방은 들은 척도 않았다. 경기를 하기 전의 약속대로 하면 어쩔 수가 없었다. 그 청년은 자기가 꼭 이기리라고 생각하고 있었던 것 같았다. 그런데 이제 장터에 가져온 자기의 전 재산을 잃게 되니 암담해하는 것이었다.

"나하고 겨뤄 보겠소?"

에치데오는 프란츠라는 자가 들어가는 가게로 따라가며 말했다.

프란츠는 그의 체격을 보고는 당황하는 기색이었다.

"방금 경기를 해서 지금은……"

"그렇다면 다른 자라도……"

"글쎄…… 지금 될지…… 만약 경기를 하려면 걸어둘 물건을 내놓으시오."

"그런 건 없는데."

"없으면 안 되오."

프란츠의 가게에는 소년 하나가 구경꾼들에게서 관전료 삼아 받은 은화 등을 그릇에 담아 들어오고 있었다.

"이 시장에서 다른 곳에 씨름 경기하는 덴 없소?"

"여기 아니면 안 돼요. 우리 허가 없이는……"

"아니, 혼자 허가 내고 경기를 주최하고 관전료를 받는 건 좋은데 그러면 참가자들에게 물건은 왜 받소?"

"받다니? 내기해서 이긴 것뿐인데."

"주최자가 참가해서 받아내는 법도 있소?"

"내가 지면 그자가 받지 않소? 어차피 아무나 그냥 여기 씨름판에 들어오게 할 수는 없는 것 아니오?"

"할 만한 사람인지는 당신이 알아볼 수 있지 않소? 왜 공연히 저기 순진한 시골 청년의 물건은 잃게 하는 것이오?"

"이보슈. 이곳은 우리의 영역이오. 당신이 누군데 남의 일에 이래라 저래라 하시오?"

말하면서도 프란츠는 에치데오의 남다른 체격을 경계하는 눈치였다.

이때 가게 안쪽에서 소리가 들렸다.

"왜들 그리 시끄럽나?"

가게 안쪽의 커튼이 젖혀지고 그 안에서 자다 일어난 듯한 한 사나이가 나왔다. 그의 몸집은 에치데오보다 작지 않았다. 붉은 머리칼이 어깨까지 내려오고 붉은 수염이 덥수룩이 나 있었다.

"헤아돌라프님, 이 사람이 씨름을 해보고 싶다고 합니다."

"그래? 그럼 저녁에 오라고 해."

"저녁에는 구경꾼들이 별로 없을 텐데." 에치데오는 말했다.

"저녁이 오히려 많지."

헤아돌라프라는 자는 다시 들어갔다.

에치데오는 가게에서 나왔다. 프란츠도 가게에서 나와 조금 전에 경기를 치른 곳으로 갔다.

그동안에 방금 돈을 받아온 소년은 다른 한 건장한 사나이와 함께 와 있었다. 그리고 또 다른 지원자는 자기가 잡아왔다는 상어고기 한 마리를 내걸고 있었다.

"물건 내거는 게 대중없는데…… 기준이 없어. 얼만큼을 걸어야 하는지……"

에치데오는 이 광경을 보면서 불평했다.

"네가 알게 뭐야? 우리 두목님이 저녁에 오면 싸워 주겠다는데."

프란츠는 퉁명스럽게 내뱉고 돌아서고는 씨름장에서 이 사람 저 사람을 만나며 흥정하듯 말을 주고받았다.

에치데오는 장터를 돌아다니며 저녁때가 되기를 기다렸다.

저녁이 되자 문을 닫는 가게도 많았지만 군데군데 등불을 켜고 술자리가 벌어지고 있었다. 특히 낮에 씨름판이 벌어졌던 곳 부근에는 술자리가 더욱 많았다.

에치데오가 그곳에 나타나자 술자리의 몇몇 사람은 그를 알아보았다.

"저 사람이 오늘 낮에 헤아돌라프에게 도전한 자야."

"해볼 만하겠는걸. 덩치로 보나 든든한 체격으로 보나."

"저 불같은 눈초리 좀 봐. 사자 같은 수염에 말갈기 같은 머리털하고는……"

무심코 재미 삼아 말하는 자들도 있었지만,

"그런데 이긴다 해도 헤아돌라프 일당이 순순히 보내 줄까?"

다소 의미 있는 우려를 표하는 자도 있었다.

에치데오는 그들의 이야기에는 개의치 않고 낮에 프란츠를 만난 가게 쪽으로 갔다. 거기에는 큰 술자리가 마련되어 있어서 스무 명 정도의 남자가 둘러앉아 있었다.

"어! 힘센 용사, 이리 와 앉으시오."

좌중의 검은 머리에 검은 수염의 땅딸한 남자가 에치데오를 불렀다.

에치데오는 그가 비켜준 자리에 앉았다.

"오늘 싸움은 자신 있소?"

부른 자는 술을 따라 주었다.

"나는 싸움이란 걸 생각 않소. 그냥 상대를 내 앞에 쓰러지게 하는 것에 이력이 났을 뿐이오."

에치데오는 무뚝뚝하게 답했다.

"헤아돌라프는 여태 누구에게도 져 본 일이 없소."

건너편의 얼굴이 좁은 사내가 말했다.

"씨름에서?"

검은 수염의 사내가 그 말을 듣고 다시 물었다.

"그건 이곳 사람은 다 아는 사실이고…… 다른 어떤 싸움에서도 말이지…… 그가 이곳에 오기 전에 죽인 사람만도 열댓은 된다는 소문이 있네."

에치데오는 그들의 말을 가로막고

"싸워도 누구와 싸웠느냐가 중요하오. 개미 새끼 백 마리 죽여 봤다고 해서 누가 두려워하겠소?" 했다.

"와하하."

좌중의 사나이들은 웃었다.

"앗! 저기."

술자리에서 길 쪽으로 맨 끝에 앉은 자가 손으로 가리켰다.

그들 앞에 헤아돌라프가 나타났다. 몇몇은 일어서서 예를 표하기도 했다. 그는 에치데오를 보고,

"네놈은 누구냐? 여기서 썩 물러가도록 해라."

하고, 전혀 아는 체를 하지 않았다.

"아까, 저녁때 시합하기로 하지 않았나?"

에치데오는 황당하여 반문했다.

"쫓아내!"

헤아돌라프의 말에 술자리에 있던 사나이 중 넷이 한꺼번에 에치데오에게 달려들어 팔목을 잡으려 했다. 그러나,

"퍽."

"악!"

쿠당탕.

그들은 덤벼들자마자 모두 걷어차이거나 억센 팔목의 악력에 잡혀 내던져졌다.

순식간에 해치운 솜씨에 술을 마시던 구경꾼들은 긴장했다.

"어머머, 저 아저씨 좀 봐."

"어쩜 저렇게 쉽게 해치우지?"

"호호, 꼭 강아지 새끼들을 쥐어패고 내던지는 것 같네."

멀리서 있던 밤의 여자들도 사뭇 놀라움으로 바라보고 있었다.

"그렇다면 내가 직접 상대해 주지."

지켜보고만 있던 헤아돌라프는 말했다.

마침내 에치데오는 헤아돌라프라는 사나이와 맞섰다. 주변에서 술을 마시고 있는 남자들은 물론이고 시장에 남아 있는 거의 모든 남자들과 밤의 여자들이 모여들었다.

"이번만은 만만치 않을 것 같은데."

"헤아돌라프가 직접 싸움에 나선 지도 몇 달 만이라는데."

"내가 보기에 저자가 호락호락할 것 같지가 않으니…… 헤아돌라프가 진다 해도 큰일이야. 이 시장의 상권을 다 내줘야 할 건데 여태까지 헤아돌라프에만 의지하고 장사를 해 왔던 사람들은 어떡하느냔 말야."

"여태까지 자릿세 뜯어가기만 했는데 이젠 안 줘도 되는 것 아닌가? 후후."

"그렇게 단순하지는 않지. 외부에서 비슷한 장사치가 와서 우리 매상이 줄어드는 걸 헤아돌라프 덕분에 막을 수 있었잖아."

모여든 구경꾼 중 시장 상인들은 일면 저 낯선 건장한 사나이가 헤아돌라프를 어떻게 대적할까 기대도 있었지만 앞으로 생길 수 있는 변화에 대한 염려도 함께 일어나는 것이었다.

헤아돌라프가 주먹을 내밀며 덤벼들자 에치데오는 그의 팔목을 잡았다. 그리고 팔을 돌려 둘러메치려 했는데 헤아돌라프의 큰 덩치는 쉽사리 휘둘려지지 않았다.

싸움꾼 헤아돌라프가 가만있을 리도 없었다. 얼른 몸을 날려 에치데오를 덮쳤다. 에치데오는 주저앉았다. 헤아돌라프는 잡히지 않은 다른 손으로 에치데오의 목을 감았다. 에치데오가 팔목을 놓자 목을 조르기보다는 아예 꺾어버리려는 듯 두 손으로 에치데오의 머리를 젖히려 했다.

그러나 에치데오의 목은 쉽사리 꺾일 것이 아니었다. 에치데오는 두 손으로 헤아돌라프의 양어깨를 쥐었다. 강한 악력으로 손가락이 헤아돌라프의 어깨를 파고 들어가자 헤아돌라프의 두 팔은 힘이 빠졌다.

헤아돌라프에게 잡혔던 목이 풀리고 둘의 사이가 떨어지자 에치데오는 주먹으로 헤아돌라프의 가슴을 두 번 올려쳤다. 헤아돌라프는 뒤로 쓰러졌다. 에치데오는 자리를 털고 일어났다.

"별 의미 없는 싸움이니 그만 하자."

에치데오가 돌아서서 자리를 떠나려 할 때,

헤아돌라프는 다시 뒤에서 덮쳐 목을 감았다.

에치데오는 팔꿈치로 헤아돌라프의 배를 가격하여 떨어지게 했다.

"이 자는 사람을 죽이려고만 하는군……"

에치데오가 중얼거리며 슬쩍 고개를 돌린 순간,

"퍽!"

헤아돌라프는 주먹으로 에치데오의 옆머리를 후려쳤다. 에치데오의 입에서는 피가 나왔다.

얼굴을 맞아 화가 치민 에치데오는 다시 들어오는 헤아돌라프의 주먹을 피해 맞받아쳤다. 에치데오가 친 힘은 더 강했다. 비틀거리는 헤아돌라프를 그는 다시 한 번 더 치고는 발로 걷어찼다. 헤아돌라프는 쓰러졌다.

에치데오는 비로소 돌아가려 하는데,

"어찌 된 일이냐?"

"움직이지 않는다!"

쓰러진 헤아돌라프 주위에 모인 사람들의 분위기가 심상찮았다.

곧이어,

"저자가 사람을 죽였다!"

"잡아라!"

함성이 났다. 에치데오는 그 소리에 놀라 얼른 걸음을 빨리하고 달아났다.

"저자는 필시 무사나 싸움꾼이다! 한낱 장사치를 사소한 일로 때려죽이다니!"

상당수의 사람들이 그를 쫓아갔지만 도망가는 데도 그를 따를 자는 없었다. 하지만 곧 그들의 군대에 신고가 된 것 같았다. 뒤에는 병기를 들고 말을 타고 쫓아오는 병사들이 보였다.

에치데오는 성을 벗어나기 전에 길에 묶여 있던 말을 뺏어 타고 달렸다. 성문에 이르러 두 파수병이 제지했다.

"서라!

두 병사는 창을 에치데오에게 겨눴다. 잠깐 멈췄던 에치데오는 다시 개의치 않고 말고삐를 잡았다. 그러자 두 병사의 창끝이 그에게로 다가왔다. 에치데오는 고개를 숙여 몸을 말 등에 붙이고 양손으로 두 창을 잡았다. 그리고 양손을 휘두르니,

"으아앗!"

창대에 매달렸던 병사들은 동시에 양옆으로 내던져졌다. 에치데오는 닫혀 있던 성문의 빗장을 풀고 밀어 열고는 속력을 내서 말을 달렸다. 말을 타고 성문 가까이 쫓아온 병사들도 에치데오를 따라잡을 수는 없었다. 기실 그의 놀라운 힘을 보고는 감히 쫓아갈 엄두를 내지 못했다.

"우리만으로는 저자의 상대가 안 돼. 더 와야 하는데."

"지금 불러봐야 그 새 도망갈 거니 소용없지."

말하던 병사들은 도망가는 에치데오의 행위를 보고 또 놀랐다. 해안까지 간 에치데오는 그대로 물속으로 뛰어드는 것이었다.

"저자 보게나, 물속에는 흉악한 괴물들이 얼마나 많은데."

"어차피 둘 중에 하나야. 저자는 물괴물의 밥이 되든지 아니면 도저히 우리 힘으로는 잡을 수 없는 자이니 포기해야 해."

병사들은 말머리를 돌렸다. 뒤따라 온 자들도 되돌아갔다.

밤을 뒤따라 떠오른 달빛 아래 에치데오는 검푸른 바다를 헤엄쳐 갔다. 그러나 밤바다에는 아무것도 보이는 것은 없었다. 오직 저 앞에 넘실거리며 드리워 있는 자색의 극광을 따라잡겠다는 듯 그는 밤새도록 정신없이 헤엄쳤다.

"으엇!"

날이 밝으려 할 즈음 갑자기 그의 발을 무는 것이 있었다. 여느 사람 같았으면 이때 영락없이 한쪽 다리를 물속의 생물에게 먹히고 말았을 것이다.

그러나 에치데오는 발끝에 이빨의 감촉을 알아차리기 무섭게 발뒤꿈치로 걷어찼다. 정체불명의 도전자를 떨쳐내고는 재빨리 잠수해 몸을 돌려 물속의 그 생물과 마주쳤다.

그에게 도전한 물속 생물은, 몸은 보통 물개의 네댓 배는 되고 사람을 한입에 두 동강 낼 정도로 큰 입에 창검과 같이 번뜩이는 이빨을 가진 물개룡이었다.

"우– 우–."

물속에서 물개룡은 다시 커다란 입을 벌리고 달려들었다. 괴물의 달려드는 힘은 그 머리에 받치기만 해도 웬만한 생물의 몸은 터져 버릴 정도의 것이었다.

돌진하는 괴물의 위턱과 아래턱을 에치데오는 양손으로 잡았다. 그리고 힘껏 괴물의 입을 잡아 벌렸다.

"쿠아악!"

괴물은 입으로 물이 사정없이 흘러들어오는 것이 괴로운지 수면 위로 떠올랐다. 동시에 에치데오의 상체도 물 위에 떠올라 숨을 쉴 수 있었다.

에치데오는 재빨리 괴물의 등에 올라탔다. 그리고 괴물의 양턱에 집어넣었던 양손을 괴물의 잇몸을 미끄러지면서 옮겨 아가리의 양옆으로 위치시켰다. 금방이라도 괴물의 아가리를 찢을 듯이 위협하는 것이었다.

"쿠아악. 쿠아악!"

물개룡은 아무리 발버둥쳐도 에치데오를 떨쳐낼 수 없었다. 오히려 그의 양손은 괴물의 입가를 단단히 쥐어 잡으며 수시로 아픔을 가하는 것이었다.

괴물은 한동안 계속 발악하다가 제풀에 지쳐 늘어졌다. 한동안 떠가듯이 있다가 결국 에치데오가 인도하는 대로 천천히 헤엄쳤다.

에치데오는 물개룡이 헤엄쳐 가는 방향을 마음대로 조절했다. 괴물을 오른쪽으로 가게 하고 싶으면 왼쪽 입가를 잡은 손을 흔들어 후려치고 오른쪽 손은 괴물의 입가를 당겨서 괴물로 하여금 오른쪽으로 나아가게끔 했다. 왼쪽으로 가고 싶으면 반대로 했으며 혹 괴물이 잔꾀를 내서 잠수하려 하면 양손을 모두 세게 움켜쥐며 고통을 주어 막았다.

그리하여 나머지의 바닷길을 에치데오는 편안히 올 수 있었다.

하룻밤을 더하여 바다를 건넌 에치데오가 예이츠 해안에 다다랐을 때는 아침이었다. 해안까지 헤엄친 물개룡을 에치데오는,

"네 비록 사악한 괴물이지만 살려 보낸다."

하며 돌아가도록 했다. 일단 육지까지 온 이상 바다에서 사는 생물을 해치우기는 쉬운 일이었다. 그러나 아무리 자기를 해치려던 적이라도 일단 유리하게 이용한 이상 죽일 수 없었다.

물개룡이 떠난 지 얼마 안 돼 바닷가의 파수병 둘이 다가왔다. 에치데오는 그들이 묻기 전에 말했다.

"나는 우리 흐레델 국왕의 무신(武臣) 에치데오요. 사정이 있어 밤에 이리로 헤엄쳐 오게 되었소."

"저희도 에치데오님을 압니다. 그런데……" 파수병들은 곧 대답했다.

"어떻단 말이오?"

에치데오는 좋지 않은 예감이 들었다.

그중 상급자인 듯한 자는 품에서 양피지를 꺼냈다.

"국왕 전하의 명령서입니다. 에치데오님이 바다 건너 월핑그 지방에서 헤아돌라프라는 사람을 사소한 시비 끝에 죽여서 그곳의 민심이 좋지 않습니다. 그곳 국왕은 급히 우리 국왕 전하께 전갈을 보냈습니다. 살인자 에치데오를 받아들이면 양국 간의 전쟁은 피할 수 없을 것이라고……"

"나…… 나는 그를 일부러 죽인 것이 아니네. 맨손으로 싸우다 사고가 난 것일 뿐이네."

"에치데오님은 공연히 사람을 죽일 분이 아님은 저희도 압니다. 그러나 이미 이렇게 전하의 명령은 내려졌습니다. 일단 저희 초소에 들어

오셔서 옷을 갈아입으시고 갈 곳을 정하시지요."

에치데오는 그들의 말대로 해안의 초소인 작은 성 안에 들어와 옷을 말리고 새 옷도 얻어 입었다.

"그럼, 어디로 가야 할까?"

에치데오는 지키고 있는 병사들과도 상의하고 궁리한 끝에 덴마크의 국왕에게 배편으로 전갈을 보내기로 했다.

"지금 덴마크 왕이 천하 으뜸 군주로 인정받고 있으니 그에게로 가면 어떤 해결책이 있겠지……"

그리하여 젊은 시절의 흐로스갈 국왕은 에치데오의 사건을 듣고 그 해결책을 내주기를 위탁받은 것이었다.

"예이츠의 왕궁에서는 월핑그와 전쟁이 일어나는 것을 꺼려 그를 받아들일 수 없다고 했는데…… 그렇다고 에치데오를 월핑그로 압송할 수도 없는 노릇이겠고……"

흐로스갈 왕은 소식을 받고 신하들과 상의했다.

"그냥 멀리 도망칠 생각은 없다고 하던가?"

"에치데오는 그럴 생각은 없는 것 같습니다. 그는 비록 자유분방함이 지나쳐 말썽을 일으켰지만 본디 밝은 세상에서 살고 싶어 하는 자라고 합니다."

측근 신하는 답했다.

"그렇다면 이렇게 하지요. 자, 파도를 건너 월핑그 백성들 사이로 전갈을 보내야겠소."

흐로스갈 왕은 친히 전갈을 써서 건넸다.

그것은 이런 내용이었다.

"천하의 으뜸 군주인 덴마크 왕 흐로스갈은 에치데오로 하여금 다시는 나라 간에 분란을 일으키는 행위를 하지 않도록 약속을 받고 그 것을 보장할 터이니 에치데오를 덴마크로 망명하게 함을 양해하여 주 시오."

다시 이틀이 지나서 에치데오는 흐로스갈 왕을 알현할 수 있었다. 먼저 전갈을 상선을 통해 보낸 뒤, 회답을 기다린다고 해도 예이츠에 머물 수 없기에, 그는 쪽배를 얻어 혼자 타고서 밤새 출렁거리는 파도 를 넘어 덴마크 백성들의 나라로 왔던 것이었다.

황금성과도 같은 모양의 요철의 격자무늬가 있는 왕관을 쓰고서, 붉은 망토를 덮은 금빛의 왕복에, 황금 십자가가 달린 왕홀을 쥐고 있 는 젊은 흐로스갈 왕은 몹시 어려워하며 머리를 조아리고 있는 에치데 오를 맞이했다.

"그대의 행위에 대해서는 과인이 윌핑그 지방에 배상을 해주어 해 결하겠으니, 사건이 잠잠해질 때까지 과인의 나라에서 근신하여 생활 한 후, 서로 감정(憾情)이 풀어지면 그때 그대의 본국으로 돌아가는 것 이 어떻겠소?"

"양국 간의 평화를 유지하기 위하여, 차후 어떠한 경거망동도 하지 않겠사옵니다."

에치데오는 굳게 맹세했다.

"그때는 내가 즉위하여 덴마크 백성을 처음 다스릴 때였고 아직 젊 을 때였지."

늙은 왕은 회상에 잠기었다. 베오울프는 잠자코 듣고 있었다.

지나간 시절의 영화를 회상하는 왕의 말은 이어졌다.

"그때 이미 나는, 이 광대한 나라의 많은 용사들이 전투에서 거둬들인 찬란한 보물로 가득한 성을 차지하고 부귀영화를 누리고 있었소.

나는 가지고 있는 보물로 피의 보상액을 월핑그 지방에 지불하고 나라 간의 불화를 수습하기로 했소. 그리하여 에치데오를 망명객으로 받아들이고 양국의 화해를 주선했었지.

그 후에 에치데오는 평화를 지키겠다고 한 약속을 지키고 무사히 본국으로 돌아간 것으로 알고 있소."

에치데오는 오 년간을 덴마크에서 보낸 뒤 본국 예이츠로 돌아왔다. 예이츠의 국왕 흐레델은 에치데오를 맞이하여 그의 과거의 공헌과 남다른 용맹성을 평가하여 외동딸을 그에게로 시집보냈다.

열일곱 살의 아리따운 공주를 나이 차가 두 배가 넘는 방랑기 있는 무사에게 내준다며 왕실 가족과 측근의 우려와 반대도 있었으나 당사자인 공주도 에치데오의 용맹성을 흠모하였기에 어려움은 극복할 수 있었다. 게다가 에치데오 또한 공주를 아내로 받아들인 후엔 일체의 방랑기와 괴벽을 재발하지 않고 부마로서의 성실한 삶을 살았다.

에치데오와 공주 사이에 낳은 아들이 바로 베오울프였다.

"맞습니다. 저도 어려서 부친에게서 들어 잘 알고 있습니다. 부친께서는 수시로 제게 '그때 덴마크의 흐로스갈 왕의 자비로운 배려가 아니었다면 너는 예이츠 땅에 태어나지 못했을 것이다.'고 말씀하시곤 했습니다."

베오울프는 부친의 은인에게 재삼 경의를 표하는 눈빛을 보냈다.

그러나 지금 흐로스갈 왕의 용태(容態)는 마냥 위엄 있다고만은 할 수 없었으니 그것은 결코 그의 노쇠함 때문이 아니었다.

"사해(四海)를 주름 잡고 주변의 모든 족속을 복속하며 왕 중에서도 더한 왕의 지위를 누려 왔던 이곳 덴마크의 왕으로서 그렌델에 의한 크나큰 피해와 절망적 고통을 호소하는 것은 참으로 하고 싶지 않은 것이었지만 이제 진실로 우리를 구할 용사로서 미더운 그대에게 우리의 형편을 있는 그대로 숨김없이 털어놓고 자비로운 신의 은총이 함께 하는 그대의 싸움을 축복하려 하오.

그렌델의 사악함으로 인해 나의 해록회관이 받은 굴욕과 박해를 말하는 것은 나에게 퍽 가슴 아픈 일이오. 그동안 내 회관의 군대 용사의 수는 반으로 줄어들었소. 운명은 그들을 그렌델의 손아귀 속으로 휩쓸어버렸소. 진실로 하나님의 은총을 얻을 수만 있다면 정(正)히 광란의 황폐자의 소행을 멈출 수가 있을 터인데……"

왕은 비통하여 흐느끼는 듯한 소리로 말을 이었다.

"가끔 몇몇 용사들은…… 술을 마시다 맥주에 취해 떠벌리기를…… 자기들은 그렌델과 싸우기 위해서…… 칼끝이 뾰족하고 날이 예리하여 거기 생물의 살이 닿기만 하여도 갈라져 버린다는…… 시퍼런 광채나는 무서운 검을 들고서…… 그 맥주 회관에서 기다리겠다고 했소.

그러나 그 다음 날…… 동이 터서 아침이 되면 주연관…… 그 훌륭한 회관의 벽은 피에 물들어 있으며 의자들도 피에 젖어 있고 회관의 바닥은 격투에서 흘린 피로 온통 붉은 점액으로 도포한 듯 되어 있었소.

죽음이 그들을 빼앗아 간 후, 죽어 떠난 자 그리고 죽음이 두려워 떠난 자들로 인해 나의 사랑하는 충신들은 더욱 줄어들었소."

왕은 자세를 가다듬고는 다시 베오울프에게

"자 나의 한탄은 이만 하겠소. 나와 우리 덴마크 백성의 앞날은 이제 그대에게 달려 있소. 우리는 그대를 믿고 기대하며 그대의 싸움에 하나님의 가호가 있기를 바라오. 이제 그대는 연회석에 앉아서 마음 내키는 대로…… 그대가 생각하고 있는 것…… 그대의 전승 이야기를 사람들에게 털어놓으시오."

말하고는 자리를 일어나 연회장인 대청 쪽을 가리켰다.

연회장에는 예이츠에서 온 모든 사람들이 함께 앉을 수 있는 긴 의자가 있었다. 자기의 힘을 자랑하는 용감한 자들은 모두들 거기에 앉았다.

입에서 술을 토하는 해마의 형상으로 아름답게 꾸민 유리 주전자를 손에 든 신하가 자기의 맡은바 본분을 다해 모든 용사에게 달콤한 술을 따랐다.

해록회관에서는 다시 시인이 노래를 불렀다. 많은 덴마크 용사와 예이츠 용사들이 함께했다.

6 운휘스와 바다의 결투 이야기

　왕이 베오울프와 출전 용사들을 위해 회관에서 베푼 주연에 모인 사람 중에는 에치라프의 아들 운휘스가 있었다.

　베오울프가 뭇사람들의 기대를 받고 있음을 보고 그는 시기심이 발동했다. 그는 이제까지 덴마크 내에서 가장 용맹한 무사로 이름이 나 있었다.

　그러나 그렌델의 침입에 대해서는 미처 앞장서서 처단하겠다고 나서지 못했고 다만 전략 회의를 열자고 건의만 해 놓은 상태였다. 그런 중에 외국에서 불쑥 그렌델을 처치하겠다는 용사가 나타나니 자존심 강한 그는 당혹스러웠다.

　이제까지 덴마크 왕의 옥좌 아래 가만히 앉아 있던 에치라프의 아들 운휘스는 결국 마음을 드러내 언쟁을 걸었다. 용감한 항해자 베오울프가 바다에서 이룩했던 업적이 운휘스에게는 큰 괴로움이었으니 이는 그가 세상 누구도 자기보다 명성 떨치는 일을 하기를 원치 않음이었다.

　"예전에 그 넓은 북해 바다에서 브론딩 족속의 두목 브레카와 수영 경쟁을 한 자가 바로 베오울프 자네인가?"

　운휘스는 어깨까지 내려오는 금발로 덮인 얼굴에서 청백색 눈을 치커뜨고 긴 턱을 움직이며 발설했다.

"물론이네. 헌데 그건 왜 묻나?"

베오울프는 자기와 연배가 비슷한 용사가 도발적으로 말을 건네 오자 한바탕 담론을 즐기려는 듯 기꺼이 답했다.

운훠스는 하고자 하던 말을 계속했다.

"자네들은 그저 젊음의 혈기와 유아적인 치기에 이끌려 자기들의 용맹을 과시하려 했다네. 겨울의 북해 바다는 잠시 몸을 담그는 것만으로도 몸이 얼어붙는 곳인데 그곳을 며칠 동안 헤엄쳐 간다는 건 너무나도 위험한 일이었지. 게다가 북해 바다에는 가지가지의 맹수(猛獸), 맹어(猛魚), 그리고 괴물이 살고 있어서 작은 배를 타고 건너기도 두려운 곳인데 맨몸으로 헤엄쳐 간다는 건 사람들이 보기에 자살 행위나 다름없었지. 하지만 자네들 둘이서 바다에서의 수영 경기를 하려 했을 때는 주위의 그 누구도 두 사람의 친지에게 큰 슬픔을 초래할 수 있는 그 짓을 못하도록 말릴 수 없었던 거야.

때마침 겨울 바다에는 밀물이 들어와 있었지. 두 소년은 바다 위를 헤엄쳐 가기보다는 물속에 있는 시간이 더 많았어. 높은 파도는 한시도 쉬지 않고 덮치고 또 덮쳤어. 그들은 물속에서 눈을 뜰 겨를도 부족했지.

육지에서 멀리 갈수록 물결은 드높아지며 거세게 몰아쳤는데 둘은 그 뒤로도 칠일 동안을 세찬 물결 속에서 헤엄쳤어.

마침내 베오울프는 더 이상의 경쟁을 포기하고 뭍으로 올라와 고향으로 돌아갔던 것이지. 그러나 브레카는 더 앞으로 나아갔어.

결국 더 강한 브레카는 경영(競泳)에서 승리했지. 다음 날 아침 바닷물결은 브레카를 남부 노르웨이 헤아도램으로 보냈어. 그는 거기서 가까운 곳의 브론딩 백성들을 다스리고 사랑받았지. 그에겐 보물이 쌓였고 그의 힘은 그의 나라와 백성을 보호했어. 베안스탄의 아들 브레카는 자네에게 했던 그 자신 있는 월영(越泳)의 서약을 실천했어.

그러므로 자네가 이제까지의 여느 격투에서는 다행히 이겼다고 할지라도, 만약 자네가 이 회관에서 밤새 머무르면서 그 가장 악랄한 악마가 자네를 발견하기를 기다린다면 결국 자네의 운은 바뀌고 말리라고 나는 생각하네.

나는 바닷가에 닷새 동안을 잠복해서 상어와 같이 생긴 바다괴물인 흑갑어룡(黑甲魚龍)을 무찔렀던 적이 있었지. 거대한 흑갑어룡은 내가 옆에서 찌르면 대항하지 못했어.

그러나 저 호수의 괴물은 달라. 괴물은 몸집이 그토록 거대하면서도 모든 피조물 중에 가장 좋은 모양인 인간의 꼴을 취하고 있어. 그 괴물의 손아귀에 잡히면 참으로 난감할 것일세. 괴물은 얼마든지 자네를 밟아 뭉갤 수도 있고 집어던질 수도 있네. 웬만한 용맹만으로는 물리칠 수 없을 것이네. 그 괴물은 우리 군대가 차분히 전략을 세워서 무찔러야 할 상대가 아닐까 해.

나는 이미 우리의 군주께 대책 회의를 건의하고 괴물을 격퇴할 작전을 짜고 있던 중이었지. 바다를 건너온 용사의 용기를 진실로 존중하고 싶다만…… 귀한 손님을 무사하고 온전하게 돌려보내고 싶은 뜻을 이룰 수 있을지 걱정이네."

운훠스의 걱정은 어느 정도 진심이었다. 인간으로서 거대한 괴물을 맨손으로 처치하겠다는 것은 무모하다고 볼 수밖에 없었다.

이에 대해 에치데오의 아들 베오울프는

"이것 봐, 내 친구 운훠스. 자네는 술에 취한 나머지 브레카와 그의 경영 이야기를 필요 없이 길게 하는구나. 사실을 말하자면 나는 바다에서 누구보다도 더 강했고 또한 파도 위에서 많은 모험을 겪은 바 있네." 하고 답했다.

장내의 사람들은 이번에는 베오울프의 이야기에 귀를 기울였다.

베오울프와 브레카 두 사람은 마치 소년과 같이 – 사실 그때 둘은 아직 어린 나이였다 – 바다에서 목숨을 걸고 경주하자고 합의했다.

이미 많은 사람들 앞에서 경쟁적으로 떠벌렸던 바가 있어 둘은 그 것을 실행하지 않을 수 없었다.

베오울프와 브레카는 범고래 등 바다의 사나운 짐승들과 거대한 적 갑홍어룡(赤甲洪魚龍) 등 바다 괴물의 습격을 막기 위해 칼집에서 빼낸 단단한 검을 들고서 수영했다.

둘은 줄곧 가까운 거리를 사이에 두고 함께 헤엄쳤다. 브레카는 파도 속에서 베오울프보다 더 멀리 혹은 더 빨리 헤엄쳐 나갈 수가 없었고 베오울프 또한 브레카를 두고 멀리 헤엄쳐가고 싶지는 않았다.

그리하여 둘은 닷새 밤 동안을 함께 해상에 있었다.

그러다 밀물이 닥쳤다. 파도는 더한층 높이 치면서 두 사람을 삼키고자 덤벼들었다. 두 사람은 파도 속에서 자기를 추스르느라 상대방은 전혀 신경 쓸 수가 없었다.

바다의 날씨는 몹시 추웠으며 날은 어두워졌다.

"브레카!"

"베오울프!"

잠깐 여유가 생기면 상대방을 불러 보았으나 이미 대답은 들리지 않았다.

둘은 서로를 찾지 못해 결국 헤어졌다.

파도를 뒤집어쓰고 얼굴은 물속에 잠겨 숨 쉴 겨를이 없었다. 간혹 숨을 쉬려 고개를 들면 거센 북풍이 정면으로 불어왔다. 흠뻑 젖은 얼굴에 몰아치는 바람은 물보다 차가웠다.

파도가 워낙 성을 내며 으르렁대니 덩달아 바다의 짐승들도 흥분하는 것 같았다.

"끼욱! 끼욱!"

"쿠르르. 쿠르르."

비바람과 파도가 몰아치는 소리에 온갖 바다짐승이 내지르는 기괴한 울음소리가 섞여 들렸다. 베오울프의 몸은 파도에 싸여 솟구치다 가라앉기를 반복했다. 허우적거리는 이상한 침입자에 대한 물속 터줏대감들의 반격이 시작됐다.

"캬악!"

온몸이 검은 비늘로 덮이고 톱날 같은 이빨을 가진 흑갑어룡이 달려들었다. 사람 가슴팍만 한 머리통으로 한입에 상대를 두 동강 내고 삼킬 기세였다. 그러나 베오울프가 입은 견고히 엮은 쇠사슬 흉부 갑옷을 뜯지는 못했다.

흑갑어룡이 흉부 갑옷을 물고 있을 때 베오울프는 재빨리 검으로 그 괴물의 아가미를 찔렀다.

"콰아악!"

흑갑어룡은 한쪽 아가미가 갈라지고 피를 뿜으며 가라앉았다. 베오울프의 앞에는 또 다른 바다 괴물이 나타났다.

"쉭— 쉭— 쉬익."

정면으로 보아 도대체 무슨 생물인지 알 수가 없었다. 눈과 입은 있는 것 같은데 얼굴의 모양은 종잡을 수 없고 뻗어 나온 두 개의 긴 더듬이가 너울거리고 있었다.

베오울프는 나타난 괴물을 향해 검을 힘껏 휘둘렀다.

"챙!"

그런데 의외의 결과가 나타났다.

괴물은 그 자리에서 끄떡도 않았다. 괴물의 몸은 베오울프의 쇠사슬 갑옷 못지않은 단단한 껍질이었다.

베오울프는 괴물의 목 옆에 급소가 있을까 해서 옆으로 돌았다.

그러자 괴물의 모습이 눈에 들어왔다. 괴물은 황소 세 마리만 한 몸집의 거대한 바닷가재 홍갑하룡(紅甲蝦龍)이었다.

"푸르륵."

홍갑하룡은 베오울프를 공격하려고 몸을 돌리고 앞발을 들었다. 집게발은 가위와 같이 날카로운 것이어서 한 번 물었다 하면 상대의 몸을 동강 낼 만한 것이었다.

"훅. 훅. 쉬악, 쉬아악!"

홍갑하룡의 동작은 다른 바다 괴물보다 현저히 느려 베오울프는 공격을 쉽게 피할 수 있었다. 옆으로 피한 그는 괴물의 갑각(甲殼) 마디 사이의 급소를 노려 푹 찔렀다.

괴물은 비명을 지르지도 피를 흘리지도 않았다. 뒤집혀 여러 개의 절지(節肢)를 하늘로 향하고 부르르 떨더니 이내 가라앉았다.

숨을 돌린 베오울프의 발밑에는 문어발이 감겼다. 얼른 물속으로 검을 내리쳐 떨쳐냈다. 그러자 괴물의 다른 발이 곧바로 그의 발목을 감았다.

다시 검을 내리쳐 잘라내고 베오울프는 서둘러 헤엄쳐 나아갔다.

계속되는 바다괴물의 공격을 피해 베오울프는 저 앞에 물을 내뿜는 고래를 향해 갔다. 그리고 고래의 입속으로 들어갔다.

입속은 널찍하여 숨어 있을 공간이 넉넉했다. 고래가 입을 움직일 때마다 물더미가 오가는 것이 견디기 힘들었지만 그런 중에도 고래의 몸속 공기로 숨 쉴 수가 있었다.

한 차례 물이 들어오면 수염같이 생긴 고래의 이빨을 잡고 몸이 안으로 흘러들어 가지 않도록 버텨냈다. 물이 흘러나갈 때도 꼭 붙잡았다. 물이 나간 후 고래의 입속에는 새우와 오징어 등이 수북이 쌓여 있어 허기를 보충했다.

고래가 태평히 헤엄칠 때는 가만히 아래턱에 앉아 쉬면서 입이 벌어질 때마다 바깥동정을 살펴 나갈 기회를 보았다.

이윽고 떼를 지어 다녔던 바다괴물이 드문드문해졌다.

베오울프는 고래 입에서 나왔다. 괴물이 덤벼든다 해도 한 마리씩만 상대한다면 자신 있었다.

그러자 한 마리의 괴물이 기다렸다는 듯 공격했다. 큰 뱀과도 같은 문어의 다리가 그를 휘감았다. 물밑으로 끌고 들어가 입에 집어넣으려 하는 것이었다.

바로 육지의 사람들이 말로만 듣던, 바다를 다녔다 해도 보았다는 사람은 거의 없는 – 왜냐하면 본 사람은 모두 잡혀먹혔기에 – 여덟 개의 발을 가진 거대한 팔각독두룡(八脚禿頭龍)이었다.

검을 휘둘러 끊고는 괴물의 머리를 찾으려 했지만 어딘지 알 수 없었다. 먹물이 뿜어져 때는 낮인데도 캄캄했다. 또 다른 발이 그를 감았다. 거대한 발끝에는 송곳 같은 톱날이 줄줄이 솟아있었다. 검으로 자르면 또 감기기를 여러 번 했다.

"저기다!"

베오울프는 괴물의 다리 사이 한가운데 숨은 머리를 찔렀다. 팔각 독두룡은 패하여 검푸른 피 먹물을 뿌리며 죽었다.

싸움을 끝낸 그가 물 위에 떠올라 심호흡을 하려는 순간 또 다른 적이 그를 틀어잡는 것이었다. 발길질로 떨쳐버리려 했으나 이미 그의 발을 감고 있었다.

괴물은 베오울프를 다시 바다 밑으로 끌고 내려갔다. 싸움에 지친 그였지만 역시 하늘의 뜻에 의해 물속에서 그의 전검(戰劍)으로 괴물의 급소를 찌를 수 있었다. 또 한 마리의, 문어와 같이 생긴 흉포한 바다짐승이 그의 손에 죽었다.

바다의 악행자들은 번번이 그를 괴롭혔다. 그때마다 베오울프는 가지고 있는 훌륭한 검을 놀려 그들을 도륙했다.

그리하여 그 악한 살생자들은 해저의 마당에 마련된 연회석에 둘러앉아 인간을 잡아먹는 성찬의 쾌락을 누리기는커녕 검에 맞아 상처를 입고 다음 날 아침 해변에 죽어 늘어져 있었다.

베오울프는 천운 덕에 검으로 아홉 마리의 바다괴물을 죽일 수 있었다. 격렬한 싸움이 그를 지치게 했지만 끝내 적에게 붙잡히지 않고 살아 나왔다. 끝까지 그를 붙잡으려는 문어발과 상어 이빨을 뿌리치고 적들의 손아귀에서 빠져나왔다.

밤새 베오울프는 자기를 공격하던 적갑홍어룡의 등에 올라타 춥고 어두운 바다를 떠다녔다. 아침이 되어 신(神)의 밝은 횃불인 태양이 동쪽에서 올라왔고 바닷물결은 조용해졌다. 그때 베오울프는 바람을 막는 해변의 갑(岬)을 볼 수 있었다.

운명은 용감한 자를 도우시느니라. 운명은 운이 다하지 아니한 용사의 무용(武勇)이 창성(昌盛)할 때 도우신다.

천하에 그가 겪은 것보다 더 심한 야전(夜戰)은 알려진 바 없었다. 해상에서 그보다 더 심한 고난을 겪은 사람의 이야기는 없었다.

파도치는 바닷물결을 따라 베오울프는 휜스 땅에 상륙했다.

그 후로 바다괴물의 족속은 먼 바다를 가는 항해자의 통행을 방해하지 못했다. 인간이란 예측 못 할 힘을 가지고 있음을 알았기 때문이었다.

베오울프의 이야기는 이와 같았다. 그는 사람들을 향하던 얼굴을 돌려 운휘스를 보며 발설을 마무리 지었다.

"나는 자네와 관련해서는 이와 같은 무서운 싸움 이야기를 들어보지 못했네. 브레카나 자네 둘 중의 누구도…… 자네가 형제를 죽여 훗날 지옥의 사자에게서 초청받을 일을 저질렀다는 소문은 들었어도 빛나는 검으로 내가 이룬 것과 같은 무용담을 이루었다고는 듣지 못했네. 하지만 난 내 업적을 많이 자랑하지는 않아.

그러나…… 아무리 자네가 용맹스럽고 영특하다 해도 자네는 그 죄업 때문에 훗날 마땅히 지옥 불에서 고통을 받아야만 하네.

에치라프의 아들인 자네에게 바른말을 하노니 만일 자네의 심성과 정신이 자네가 주장한 만큼 용감했다면 무서운 괴물 그렌델이 자네의 군주에게 그렇게 많은 해를 끼치고 해록회관에서 그렇게 많은 난폭한 행위를 저지르지는 못했을 걸세.

그 악마는 전승(戰勝)의 덴마크인의 적개심에 찬 검날을 그다지 두려워할 것이 없었네. 저항자는 없고 쾌락의 식사감만 그득하니 욕심껏 무자비한 살해를 즐기고 게걸스레 성찬(盛饌)을 먹으면서도 안심하곤 했지. 괴물은 지금도 덴마크인이 어떤 항쟁을 해오리라고는 전혀 생각지 않고 있겠지.

그러나 나는 지금 당장 예이츠인의 전투력과 용맹성을 그 괴물에게 보여주겠네. 그리하여 다음 날 아침! 광휘(光輝)에 싸인 태양이 남쪽에서 사람들에게 비칠 때 누구든지 원하면 담대히 회관에 들어갈 수 있으리라!"

베오울프의 이야기는 여기서 끝났다. 그동안 덴마크 백성의 수호자 흐로스갈 왕은 베오울프의 굳은 결의에 찬 발언을 경청했다.

"그대는 참으로 훌륭한 용사로다!"

전투에 용감하고 보물을 나눠주는 백발의 왕은 기뻐했다. 이 용사야말로 자기를 도와줄 자임을 믿었다.

다시 여러 용사들의 웃음소리가 났다. 그들의 말소리는 쾌활했다.

7 왕비 웨알데아

싸움을 업으로 삼는 용사들은 생사의 갈림길을 앞둔 시점에도 전혀 두려움 없이 태연하게 일상의 화제를 떠올리며 술자리를 즐겼다.

"덴마크의 남자들은 어떤 요리를 즐겨 먹습니까?"

한 예이츠인 용사가 물었다. 덴마크의 용사는 이에 대해,

"여러 가지가 많지만 그중 가장 비싼 고급 요리는 상어지느러미요리와 문어발요리이지요."

"상어지느러미는 예이츠에서도 최고급 요리로 치고 있지만 워낙 구하기가 어려워서 돈이 있어도 사 먹기 어렵죠. 문어발요리라…… 문어팔이라고도 할 수 있고 아무렇게나 부르기로 하고…… 그건 어떻게 요리해 먹습니까?"

"산 채로 잘라서 소금을 찍어 먹죠. 문어 다리 하나가 소꼬리만 하죠."

"그렇게 작습니까?"

"작다니요? 그 정도면 큰 편인데……"

"요전에 예이츠에서 먹은 문어발 요리는 하나의 굵기가 사람 몸통만 하던데."

"그런 문어가 어디 있소?"

"아니, 이 사람아!"

옆에 있던 다른 예이츠인 용사가 말했다.

"그건 우리 두목 베오울프 님이 바다에서 싸우고 죽인 바다괴물 중 하나인 팔지독두룡이지 않나? 문어 비슷하게 생겼지만 문어처럼 발끝에 동그란 빨판이 줄줄이 달려 있는 건 아니고 송곳 같은 발톱만 너덧 개씩 나 있잖아. 색깔도 아주 검고…… 그때 그 큰 검은 왕뱀 같은 것이 식탁에서 꿈틀거리는 게 무척 징그럽기도 했지만 우린 모두 자기가 가지고 있는 검을 식칼로 사용해서 잘라먹었지. 맛은 느끼하면서도 소금을 찍어 먹으니 좀 고소하기도 하고…… 아무튼 기억은 나는데 말로는 잘 표현 못 하겠어."

"그랬었군요."

덴마크인은 끄덕이면서도 예이츠인의 대담한 식성에 적이 놀라는 눈치였다.

"그런 음식을 자주 먹나요?"

옆에 있던 다른 덴마크인은 물었다.

"한번은 그 음식을 먹으면서 술을 마셨는데 모두들 취해 있어서 정신이 없었지요. 그런데 먹다 남은 반 토막의 문어 괴물 다리가 슬슬 식탁을 기어 나와서 졸고 있던 한 용사를 한 바퀴 감질 않겠소? 모두들 놀라서 그 사람을 구하려 했는데, 칼로 자르려 하니 술 취한 용사들은 실수하기 쉬운 만큼 그 사람이 상할까 두려워 섣불리 할 수가 없었소. 그렇다고 손으로 떼어내려 하니 괴물의 다리는 미끌미끌해서 통 잡히지가 않았고…… 결국 묶여 있는 그 사람의 머리를 흔들어 깨워, 몇 번 벽에 부딪치고 바닥에 뒹굴고 해서 겨우 떼어냈지요. 그 뒤로는 진저리가 났는지 우리들이 별로 먹은 기억이 없네요. 허허."

또 다른 예이츠인이 말했다.

"무슨, 우리가 그렇게 비위가 약했던 것은 아니지. 그 뒤로 우리는 또 다른 바다 괴물인 물개룡이 잡아 삼켜서, 소화액을 받아 반쯤 허물어진 상어의 절인 고기가 더 맛있다는 것을 알고, 물개룡을 잡아 배를 가르고 삼킨 상어를 꺼내 술안주로 하지 않았소? 그래서 그걸 더 자주 먹었기 때문이지 먼저 것을 싫어했던 것은 아니었지."

맨 처음 말했던 예이츠인이 설명했다.

"당신네들은 참으로 뭐든지 잘 드시는군요. 앞으로 그렌델의 고기도 잡수셔야 하겠군요."

두 번째 말한 덴마크인이었다.

"그런 계획도 당연히 하고 있소이다. 허허."

두 번째 말했던 예이츠인이 얼른 답했다.

"그런데 그렌델을 잡아먹는 것은 좋은데, 바로 그렌델은 이제까지 숱한 사람을 잡아먹었으니 결국 저기 먼 남쪽의 어떤 야만인들처럼 사람을 먹는 격이 아닐까?"

세 번째 말했던 예이츠인이 고개를 갸우뚱하며 말했다.

"그렇게 따지면 밭에서 거두는 곡식도 우리 조상들의 육신이 스며들어 간 것이 아니오?"

"맞소이다. 그렇지. 허허허."

이제까지 옆에서 듣고 있던 덴마크인과 예이츠인이 한마디씩 했다. 서로의 이야기는 계속되었고 서로들 웃음으로 화답했다.

사나이들의 호쾌한 분위기가 절정으로 무르익을 무렵이었다.

"왕비께서 입장하십니다."

대청 안쪽 문가에 있던 시종장이 말했다.

모여 있는 용사들 중 가까이 있는 일부만이 그 소리를 듣고 고개를 돌렸다. 왕도 이때 주연석에서 용사들과의 주흥에 젖어 있었다.

왕비의 입장을 알지 못했던 자들도 이윽고 알게 되었다. 회관에 모인 사람들 사이로 스며드는 옅은 안개처럼 여인의 향기가 퍼져 들어왔다.

왕의 옆에 있던 신하 애시헤레가 물었다.

"전하, 왕비께서 들어오십니다. 이 혼탁한 주연석상에 정결하신 왕비께서 옥체를 현출하시니 송구스러울 따름이옵니다. 대왕께서 친히 오시라 하셨나이까?"

"허허, 내가 무슨 왕비를 오라 마라 할 수 있겠소. 한 남자로서의 왕비에 대한 소유권은 내 젊음과 함께 돌려보낸 지 오래요. 우리는 다만 부부로서의 두 사람 사이의 관습만 남아 있을 뿐이오. 그녀가 나의 사람인 때는 오직…… 잠자리에서뿐이오."

왕은 소탈하게 웃었다.

왕비는 왕의 옆자리에 와 앉았다. 고귀한 그 여인은 먼저 덴마크의 영도자에게 술잔을 올렸다.

"오늘 밤 용사들의 축복을 위하여 이 자리에 왔으니 즐거운 마음으로 같이할까 하옵니다."

전승의 왕은 반가이 술잔을 받았다.

"왕비가 부하 용사와 신하들에게 베푸는 자비로움과 세심함은 짐의 부덕함을 적잖이 보완해 주는 것이오."

"대왕 전하, 오늘 저녁은 주연석에서 마음껏 즐기며 신하와 백성의 사랑을 받는 왕이 되어주시옵소서."

다시 그녀는 고개를 들어 용사들이 출전을 앞두고 긴장해 있는 실내를 둘러보았다. 그리고 옥좌 아래 두 계단을 내려와 그들에게로 향했다.

아랫사람에게도 예의범절이 철저한 왕후 웨알데아는 앞으로 나아가 회관에 있는 용사들에게 일일이 인사했다.

그녀가 자리 가운데 서자 그녀의 숨결과 체온이 분위기를 감쌌다. 가슴과 어깨는 황금 사슬의 목걸이가 걸쳐 있고 허리에는 금수(金繡) 놓인 드레스가 둘러쳐 있는 그녀의 몸에서는 용사들의 체취와는 또 다른 생명의 기운이 온화하게 피어올랐다.

왕비는 용사들의 주흥의 중심인 장탁(長卓)에 손을 짚고 섰다.

회관 대청 한가운데 높은 천장을 가로지른 들보에는 커다란 현등(懸燈)이 걸려 있었다. 여덟 개의 굵은 촛대가 원반 위에 올려 있고 둘레에 투명 유리의 주렴(珠簾)을 둘러쳐 내려 환한 빛이 오색 칠색으로 휘황하게 산란했다. 연회를 위하여 불을 켤 때는 이동 사다리를 옮겨가서 올라가 초를 올려놓고 불을 붙이도록 되어 있었다. 그곳에서 내리비추는 빛은 촛불을 받치는 원반의 그림자를 제외하고는 회관대청 전부를 충분히 밝혀주는 것이었다. 중앙의 그림자에도 회관 기둥과 벽면 곳곳의 장식 촛불이 비추고 현등의 길게 내린 주렴에서 적지 않은 빛이 산란되어 오니 연회가 열리는 회관대청 내에 어두운 장소라고는 없었다.

장인의 세심한 정성으로 만들고 갈고닦아 반들반들한 장탁에는 취한 용사가 엎지른 맥주가 미처 아래로 흘러내리지 못하고 머물러 천장에서 내려온 찬연(燦然)한 낙광(落光)을 고스란히 되비치고 있었다.

그 빛은 왕비의 안면을 받들었다. 아래턱의 반드러운 윤곽과 그 위에 도톰히 자리한 아랫입술의 보드라운 질감이 그녀의 순탄히 솟은 콧날을 정점으로 선명히 드러났다.

어깨까지 흘러내린 그녀의 머리칼이 회관의 열린 창문으로 들어오는 저녁 바람결에 흔들려 너울거렸다. 한 올 한 올에 번쩍이는 금 광택이 순간순간 출몰했다.

인간으로서 가질 수 있는 지극한 미의 소유자 웨알데아는 은근한 여인의 향을 풍기며 대신들과 용사들이 모여 있는 가운데 들어와 자리했다.

그녀가 젊었을 때는 공사(公事)를 위한 접견이라도 얼굴과 자태를 여러 사람에게 보이는 것이 부끄러워 나서기를 꺼려했었다. 그러나 나이 들면서 자신이 한 여인으로서의 몸사림이 옳게 받아들여질 위치가 아님을 깨닫고 싸움에 나가거나 돌아오는 용사를 위한 주연석상에 몸소 나가 그들의 사기를 북돋워 주는 일을 자청했다.

왕비의 아름다움은 그녀 자신만의 것도 아니고 국왕 혼자만의 것도 아닐진대 그것은 당연한 것이었다. 옛적에 멀리 남해바다의 대국 인도의 아하수에로 왕의 비 와스디가 거만하여 백성들 앞에 자신을 나타내지 않아 왕의 진노를 사서 결국 왕비 자리를 이민족 여인 에스더에게 빼앗긴 사례도 있지 않았던가.

"이 나라를 구원하려 몸바치는 용사들께 하나님의 축복을 기원합니다. 오늘 밤 저의 영혼은 여러분과 일치되어 모두 한 꿈을 꾸며 주님의 뜻을 가까이 보려 합니다."

그녀가 지나가는 앞의 용사들에게는 따스하고 습한 공기가 스쳐 갔다.

일찍이 헬밍족의 공주로서 귀한 몸을 덴마크의 으뜸 용사에게 의탁했던 웨알데아는 회관을 돌며 노소(老少)의 모든 용사에게 정중히 술잔을 올렸다. 그리하여 금고리로 몸을 단장한, 마음씨가 숭고한 그 여인은 마침내 차례가 되니 술잔을 베오울프에게 가지고 갔다.

현명한 그 여인은 예이츠인 대장에게 인사하였다.

"예이츠의 이름난 영웅이 우리를 괴물의 악행에서 건지게 되었음을 기뻐합니다. 구원의 용사를 눈앞에서 본 것을 신께 감사하고 있어요."

전투에 용맹한 그 용사는 웨알데아에게서 잔을 받았다. 임전의 각오가 된 그는 말했다.

"내가 바다의 여행길에 올라 부하들과 함께 배 안에서 결심한 것은 당신 백성의 원을 어찌해서든 이루지 못한다면 차라리 전쟁에서 원수의 손에 잡혀 죽으리라는 것이었습니다. 저는 우리와 당신 나라의 모든 사람이 기대하는 용맹스런 업적을 이룰 것입니다. 그러지 못한다면 이 주연관에서 종말을 기다릴 것입니다."

예이츠인의 호언장담은 이 여인에게 매우 만족스러웠다. 정결한 그녀는 이 초면의 외국 청년에게 마음에서 우러나오는 헌사를 바쳤다.

"한 여인이 자기가 사모하는 용사가 적과 싸워서 이기고 돌아오기를 바라는 마음이 얼마나 절실한지를 당신은 아시나요? 당신은 이 시간 이후로 나의 사모하는 용사입니다. 이 시간부터 당신의 무사한 귀국은 이 여인의 행복과 일치하는 것입니다. 왜냐하면 나는 믿음직한 그대에게 앞으로도 기대하는 다른 것들이 있으니까요. 당신은 괴물과의 싸움에서 당신을 기다리는 이 여인의 간절한 소망이 있음을 잊지 마세요."

그녀는 다시 모든 용사에게 술잔을 채워 돌렸다. 용사들도 그녀에게 술잔을 권했다.

"왕국의 번영을 위하여 이단자와 싸우러 나가는 용사들의 앞길에 신의 가호가 있을 지어다!"

보랏빛의 포도주잔을 들어 한 모금 마시다 탁자 위에 놓고 왕비는 천장의 조명을 보았다. 천장의 큼직한 현등에 둘러쳐진 주렴에서는 달린 유리알 하나하나마다 주황색, 붉은색, 노란색의 빛 티가 가득히 묻어 나왔다. 여덟 개의 커다란 촛불은 실내를 황백으로 덮어 감싸고 있었다.

"여러분은 이곳에 누굴 위해 어떤 목적을 위하여 왔습니까?"

왕비는 새삼스레 질문을 던졌다. 그 얼굴에는 연회의 격식을 풀고 자유로운 여흥의 장으로 바꾸려는 미소가 함께하고 있었다.

"덴마크 국민의 안녕을 위하여 신의 저주받은 이단자를 처단하려 합니다."

베오울프의 일행 중에 한 용사가 외쳤다.

"진실로 그러하다면…… 중요한 순간을 대비하여 마음의 힘을 더한층 모으기 바랍니다. 어때요? 분위기를 잡아 건배를 할까요?"

왕비가 건배를 제창하자 모두들 따라서 잔을 높이 들었다. 왕도 말없이 모두의 분위기를 따랐다.

용사들의 마음을 진정시키는 저 고귀한 여인의 모습…… 그녀에게서는 연로하였으나 인자한 기품이 흘러나오고 있었다. 그녀는 모든 용사들의 사이사이를 돌아다니며 하나하나 손을 잡아주며 다가올 위험에 신의 축복이 있으라는 위안과 격려를 해주었다.

여신과 같이 아름다운 그녀의 위안은 능히 저들의 생명을 걸고 정의를 위해 싸울 힘이 되는 것이라 용사들은 즐거이 받아들이며 사기를 충전했다.

금으로 단장한 고귀한 왕후는 모든 이들에게 축복을 마치고 왕 옆에 가서 앉았다. 그리고 들고 있는 잔을 비우고 퇴장했다. 흘러가듯 걷는 왕비의 뒷모습은 금빛 폭포수의 조용한 움직임이었다.

회관에서는 다시 흥이 난 용사들이 서로 긍지에 찬 대화를 나누었다. 전승의 용사들의 자랑스럽고 힘찬 소리가 회관에서부터 들려 나왔다.

그러다 이윽고 헤알프데인의 계승자인 군주는 밤의 휴식을 취하고 싶어 했다.

덴마크 사람들에게 밤은 단지 어두워지는 것 말고 또 다른 의미가 있었다.

신이 베푸는 태양광에 보답하여 분주히 생명을 생산하던 초목이 저들의 즐거운 시간이 끝나 푸른 잎을 수그려 숨결을 가라앉히고 곳곳에 탐욕에 주린 짐승의 울음소리가 퍼지면, 어두운 밤의 불청객 그렌델은 어김없이 밤하늘 아래 그림자 같은 형상으로 나타나 낮부터 계획한 싸움을 이 높은 회관에서 일으켰다.

모든 용사는 일어섰다. 그 중의 한 용사가 다른 용사에게 즉, 흐로스갈 왕은 베오울프에게 행운을 빌며 주연관을 잘 지키라 했다.

"내가 창과 방패를 들기 시작해서 지금까지 그대 외에 아무에게도 이 훌륭한, 덴마크인의 회관을 맡겨본 적이 없네. 이 가장 훌륭한 밀주(蜜酒)의 회관을 그대가 맡아 간수하게. 그대는 명성을 잊지 말며 위대한 용기를 발휘하여 적을 물리치게나. 그대가 이 격투에서 살아난다면 과인은 그대가 원하는 것을 다 주리라. 해록회관을 정화하면 그대의 배는 보물이 그득하여 돌아가리라."

덴마크 국민의 수호자 흐로스갈은 모든 이들에게 축복을 마치고 그의 용사들과 함께 회관을 떠났다. 싸움의 수령은 동침자인 왕후 웨알데아의 곁에 가고파했다.

8 그렌델과의 격투

    회관의 서창(西窓)에 저녁 늦게까지 비치던 붉은 노을이 자줏빛으로 변하다 이윽고 사라졌다. 검푸른 어둠이 흘러들어와 실내 곳곳을 덮었다. 연회가 끝난 깊은 밤의 회관은 굵은 기둥마다 달린 장식 촛불만이 밝혀 있었다.

    모국에 있는 가족과의 평온한 삶을 놔두고 이국에서 하늘의 섭리를 거스르는 이단자를 응징하려 용약 자원하여 결전을 기다리는 용사들…… 그들은 먼 항해에 피곤하였기에 식사 후 저녁 술을 더 마시지 않고 그대로 갑옷과 투구를 벗어 몸을 풀고 회관 곳곳에 마련된 침상에 들어갔다.

    베오울프도 항해의 피로가 있었지만 섣부른 잠을 물리치고 깨어 밤을 보내고자 했다. 사악한 괴물은 인간의 생각처럼 움직이지 않는다. 그들은 본디 대자연의 순리에 따르는 자들이 아니다.

    이단자들은 그들과 맞서 싸우기로 한 날을 기다리지 않는다. 바로 오늘 어느 때고 그렌델은 침입할 수 있다.

    어두운 밤이 깊도록 늪지의 그 괴물은 홀로 분해하고 있었다. 오늘 따라 한동안 없었던 연회가 베풀어지고 인간들의 왁자지껄 즐기는 소리가 나자 그렌델은 더욱더 부아가 끓어올랐다.

어둠이 깔리자 하나님의 진노를 입은 저주받은 족속 그렌델은 안개 낀 언덕 밑 황무지(荒蕪地)에서 부스스 몸을 일으켰다.

그는 이제까지 지내온 중 오늘처럼 기분이 나쁜 날도 없었다. 오늘 들렸던 사람들의 소리는 이제까지의 그 어느 때보다 더 거슬렸다. 그도 그럴 것이 몸집과 풍모가 두드러지게 강건한 용사 베오울프는 목소리 또한 그러했기에 이제까지 들리지 않았던 그 소리는 그렌델의 심보를 더욱 자극했다. 게다가 왕비 웨알데아가 장시간 낭랑하게 신의 뜻을 위해 싸울 용사들을 축복할 때는 그렌델은 그 말이 자기에 대한 저주와도 같기에 더욱 못 견뎌 했다.

어둠이 깔린 후 회관 주위는 가끔 들리는 짐승의 울음소리뿐 사람의 자취는 없었다.

그런데 오늘 영광의 왕 하나님께서는 그렌델의 습격에 대비하여 회관에 한 보초를 두셨다. 그는 덴마크왕의 주변에서 특별한 임무를 맡았으니 이는 거괴(巨怪) 그렌델을 감시하는 일이었다.

진실로 예이츠의 장수는 자신의 용기와 힘 그리고 하나님의 은총을 굳게 믿고 있었다. 그리하여 쇠사슬 갑옷과 투구를 벗어버리고 물결과 용의 무늬로 장식된 그 훌륭한 검도 내맡겼다. 그리고 용감한 예이츠인은 침상에 오르기 전 다시 맹세했다.

"나는 힘과 용기에서 그렌델보다 약하다 생각지 않는다. 그래서 나는 검을 사용하여 그의 생명을 빼앗지 않겠다. 그러면 쉽게 끝난다 하더라도…… 그렌델은 싸움에는 용감하지만 큰 힘을 들이지 않고 상대를 죽일 수 있는 검의 이점을 모른다. 그는 흉포하지만 검으로 치거나 배를 갈라 손쉽게 상대를 죽일 줄을 모르니 내게는 내리치는 칼날을 막을 방패가 필요 없을 것이다. 그가 무기 없이 싸우니 나 또한 이 밤의 격투에 검을 사용하지 않을 것이다. 그리하면 결국 전능하신 주님께서 당신께 적임자로 여겨지는 한쪽에 손을 뻗어 승리를 명하실 것이다!"

말을 마치고 그는 바닥에 몸을 눕히고 베개에 얼굴을 댔다. 베개가 고단한 그 용사의 머리를 받치자 많은 용감한 해인도 그를 둘러싸고 잠자리에 누웠다.

이들 중 누구도 여기서 살아서 사랑하는 가족의 품, 자기가 자라난 아름다운 고장의 함께했던 사람들 곁에 돌아가리라고는 생각지 않았다. 주연관에서 그렌델이 수많은 덴마크인을 살육(殺戮)한 이야기를 들었기에.

그러나 주님께서는 예이츠인에게 전승의 운을 부여하셔서 그들 중 한 사람의 힘으로 적을 이겨내도록 해주셨으니, 전능하신 하나님께서 온 인류를 주관하신다는 사실이 명백해졌느니라.

밤이 깊었다. 저벅저벅 멀리서 들려오는 소리가 났다. 베오울프는 조금씩 스며오던 선잠을 깨우고 소리의 진원지를 어림잡아보았다.

필시 괴물이 산다는 늪지에서 들려오는 것이었다. 그러나 워낙 미미한 소리였기에 혹시 다른 바람 소리나 나무 흔들리는 소리 아닌가도 했다.

그러나 그 소리는 조금씩 더 커지고 있었다.

베오울프는 그 정체를 짐작하고 긴장 속에 침입자를 기다렸다.

달은 뜨지 않았다. 땅 위에 내린 어둠 속에서 베오울프는 밤하늘 별빛 아래 그렌델의 다가옴을 감지하고 있었다.

안개 낀 언덕 아래 황무지로부터 하나님의 진노를 입은 반신(反神) 짐승은 걸어오고 있었다.

캄캄한 밤중의 보행자 그렌델은 들리는 소리로 이곳에 새로운 사람들이 있음을 알고 더 빨리 달려왔다.

천장이 높은 그 집을 지켜야 할 용사들은 그 한 사람 베오울프를 빼고는 모두 잠들어 있었다. 홀로 깨어 지키는 용사는 침입하는 적을 맞아 벌일 사투를 기다리고 있었다.

악한 파괴자는 예사로이 성벽을 넘어들어왔다. 괴물은 그 높은 회관에 있는 사람 중 하나를 잡아먹으려고 작정했다. 그는 금박으로 덮인 거대한 보물과도 같은 주연관을 보았다.

그 황금회관은 검푸른 하늘 아래 잿빛 층적운(層積雲)을 이고서, 멀리 서편의 여광(餘光)을 받아 곳곳에 옅은 반사광을 원면(圓面) 혹은 각면(角面)으로 띠며 윤곽을 드러내고 있었다.

그렌델이 흐로스갈의 집을 찾아온 것은 이번이 처음이 아니었다. 그러나 이날은 그의 생에서 가장 운 나쁜 날이었으니…… 이제까지 그는 오늘처럼 그에게 참담한 결과를 안겨줄 대담한 무장을 만나지 못했다.

행복을 모르는 그 짐승은 성난 호흡을 내쉬며 회관에 접근했다. 불로 달궈 만든 쇠고리로 굳게 잠긴 문은 그가 손을 대자 곧 열렸다. 오늘도 여느 때와 다름없이 나쁜 짓을 꾀하고 있는 그 짐승은 "훅-" 거친 바람을 내쉬며 회관의 문을 밀어젖혔다. 그리고 회관 중앙의 넓고 빛나는 대청에 발을 디밀었다. 그 짐승의 양 눈에서는 끔찍스러운 녹청색의 불꽃이 번뜩였다.

친족의 일행이며 젊은 용사들의 무리가 한데 모여 자고 있었다. 밤에 이렇게 많은 사람이 있었던 적이 근래에 없었기에 그렌델은 반기며, 날 새기 전 모두의 생명을 육체에서 떼어놓고 배불리 성찬을 즐기리라는 기대에 부풀었다.

그러나 그날 밤이 지나면 더 이상 사람을 잡아먹을 수 없는 것이 그의 운명이었다. 베오울프가 이곳에 온 이후로도 사람을 잡아먹을 수 있다는 것은 결코 그의 운명이 아니었다.

히엘락 왕의 막강한 조카 베오울프는 그 악마가 어떻게 습격해오는지 지켜보고 있었다.

"덥석!"

전혀 예기치 못한 기습이었다. 괴물은 한 사람을 붙잡아 창날 같은 이빨로 목을 끊고 몸통을 찢어 뿜어나는 피를 게걸스레 마시고 큰 살덩어리째 뜯어 삼켰다. 원정길의 한 동지의 영혼은 비명도 없이 지상에서 떠나고 말았다.

그렌델은 순식간에 죽은 자의 손발 모두 먹어치웠다. 회관 바닥은 피가 흥건히 흐르고 고였다. 죽은 자의 잔해라고는 씹다 내뱉은 뼛조각들뿐이었다.

즉석 식사를 마친 그렌델은 피에 젖은 입을 헤벌린 채 다가왔다. 그리고 침대에 눈을 부릅뜨며 누워 있는 그 영웅을 손으로 잡았다.

그렌델은 여느 용사보다 장건한 그를 특별히 알아보지는 못했다. 먼저의 식사를 마치고 그저 새로운 먹잇감으로 베오울프의 옆구리를 잡았다.

순간 베오울프는 그 원수를 처치하고자 털투성이 팔을 잡았다. 그렌델이 베오울프를 잡아 올리자 그 용사와 괴물은 한 뼘 차로 마주했다. 베오울프는 꺼칠꺼칠한 감촉에 늪지의 썩은 냄새가 배어있는 그렌델의 목털과 가슴털을 접했다. 여느 사람이라면 그렌델이 붙잡는 순간 그 흉악한 악력에 눌려 질식했을 것이나 베오울프의 근력은 그렌델의 엄청난 악력에도 몸을 지탱하며 숨 쉴 수 있었다.

그렌델은 이번에도 목부터 잘라 먹으려고 양손으로 베오울프를 잡고 들어 올렸다. 그 찰나 베오울프는 괴물의 목을 발로 걷어찼다.

"크어억!"

그 힘은 매우 강해 괴물은 한동안 숨을 못 쉬었다.

한 인간의 예기치 못한 공격에 괴물은 겁이 났다. 괴물은 베오울프를 떨쳐내고 달아나려 했다. 그러나 용사는 이미 한쪽 팔로 괴물의 목을 끌어안고 올라타 떨어지지 않았다. 괴물의 행패를 직접 보아 분노한 베오울프는 다른 손으로는 괴물의 팔을 붙잡았다.

살생과 파괴밖에 모르는 악명 높은 그 괴물은 일찍이 당해보지 못한 상황으로 인한 두려움에 싸여 늪지의 은신처로 달아나고자 했다.

그렌델은 이제까지 싸움이란 것을 모르고 다만 일방적으로 해치워 잡아먹는 것에만 익숙해 있었다. 그는 자기보다 강한 상대가 있으리란 것을 몰랐다. 자기보다 강하거나 비슷한 자와 싸울 방법을 몰랐다.

그렌델은 자기 힘이 얼마나 강한지도 몰랐고 자기 움직임이 마음대로 안 될 수 있음도 몰랐다. 앞으로 나아가고자 하면 나아가고 들어올리고자 하는 것은 올려지는 것으로 알았다. 꺾으면 꺾이고 부수면 망가지고 터뜨리면 터지는 것에 익숙했다. 힘을 써서 움직여도 뜻대로 되지 않는 것은 참으로 황당하고 기이한 현상이었고 공포를 주기에 충분했다.

괴물은 두려운 싸움을 피해 달아나고자 목을 돌리고 팔을 흔들어 매달린 용사를 떨쳐내려 했다. 그러나 다시 손가락이 적에게 붙잡혔다. 붙잡는 그 힘은 너무 강해 그렌델이 도저히 힘을 쓸 수가 없었다. 하고자 하는 것이 뜻대로 안 될수록 괴물의 공포는 더해갔다.

히엘락의 용감한 친족은 저녁때 했던 맹세를 상기하며 결연한 다짐으로 그렌델의 손을 비틀었다.

우두둑! 하더니 그렌델의 손가락이 부러졌다. 회관의 악랄한 살인괴(殺人怪) 그렌델은 세상 누구에게서도 겪지 못했던 강한 악력을 실감했다.

괴물은 더욱 겁이 났다. 달아나고 싶은 마음이 간절했지만 달아날 수가 없었다. 어서 은신처에 돌아가 거기 동거하는 악마의 무리에게 힘센 자의 출현을 전하고 맞서 싸울 모의를 하고 함께 와서 복수하고 싶었다. 그가 이번에 당한 봉변은 평생 처음 겪는 것이었다. 그의 일생에서 그전에 당해 본 모든 것과는 달랐다.

신과 인간의 사악한 원수는 이날 밤에만은 해록회관에 오지 말았어야 했다. 그것이 그의 생명을 하루라도 더 연장하는 길이었다.

그러나 이미 때는 늦었다. 사명을 받아 원수를 응징하기로 마음먹은 용사는 원수를 결코 놓아주지 않는 것이었다.

"쿵!"

회관 안에는 큰 소리가 울렸다. 베오울프의 손아귀를 벗어나려고 몸부림치던 그렌델은 고통에 못 이겨 바닥에 넘어졌다.

"쾅!"

또 바닥이 울리는 소리가 났다.

그렌델은 잡히지 않은 팔로 베오울프를 후려치려 했다. 그러나 베오울프는 얼른 몸을 돌려 피했다. 그렌델의 손바닥은 회관 바닥을 세게 내리쳤다.

다시 괴물은 팔을 뒤로 돌려 용사에게 일격을 가하려 했다. 그러나 베오울프는 그렌델의 잡힌 팔을 꺾으며 옆으로 피했다. 이번에는 괴물은 자기의 등을 세게 내리치고 말았다.

그렌델의 치는 힘은 사람의 열 배가 되었으나 견디는 힘도 사람의 열 배가 될 수는 없었다. 괴물은 자기의 힘으로 인해 고통받아야 했다.

"캬악. 칵!"

괴물이 자기에게 들러붙은 용사를 떼어내려 할 때마다 용사는 피하면서 잡힌 팔을 세게 꺾었다. 갈수록 괴물의 힘은 약해졌다. 힘을 쓴 탓도 있지만 돌로 된 바닥을 치고 자기 몸을 치곤 한 때문이었다. 반면에 베오울프는 상대의 팔을 꺾으면서 피하기만 했기에 그다지 지치지 않았다.

"쿵! 쾅! 쾅……"

그렌델은 계속되는 헛손질과 고통에 정신을 가다듬지 못했다. 상대에게는 닿지도 않는 두 다리를 바닥에 구르며 헛된 발광을 했다.

"그렌델이다!"

깨어난 회관 내의 여러 용감한 사람들은 말로만 듣던 사악한 괴물이 성내고 날뛰는 광경을 보았다.

"여기 이 피는……?"

"혼드지오가 보이지 않는다."

"혹시 이 피가 그의 것이 아닌가?"

"맞다. 여기 이 찢어진 옷은 혼드지오의 것이다."

"뼛조각과 머리카락만 남았다!"

방금까지만 해도 그들의 친구이며 동료였던 자의 잔해가 있었다. 괴물이 죽인 시체의 처참한 나머지를 보고는 모두들 생전 겪지 못한 강렬하고 괴이한 공포와 분노에 사로잡혔다.

회관 안에 일어난 큰 소동의 두 주인공은 몹시 흥분해 있었다. 하나는 말로만 듣던 험상궂은 괴물을 마주한 놀라움과 사랑하는 동료를 갑자기 잃은 슬픔이 겹친 충격이 그대로 싸움의 격한 열정으로 변했다.

또 하나는 이제까지 자기를 위한 먹잇감으로만 여겨 왔던 인간 중에 어찌 이리 강한 자가 있나 하는 놀라움이 그대로 공포로 바뀐 것이었다. 불리한 싸움에서 어서 벗어나고자 하는 몸부림도 전혀 듣지를 않으니 본래부터 박약했던 그의 정신은 더욱 어지러이 흐트러졌다.

"쾅! 쾅!"

"크아악!"

괴물은 두 다리로 바닥을 쳤다. 온 건물이 흔들리게 다시 몇 번 크게 소리가 울렸다.

그 아름다운 주연관 건물이 무너지지 않고 그 지독한 싸움꾼들의 격렬한 충돌을 견뎌냈다는 것은 정말 경이로운 일이었다.

회관 안팎의 모든 벽은 능숙한 대장장이의 솜씨로 만들어진 쇠 버팀대로 튼튼히 고정되어 있었다. 격노한 자들이 싸웠을 때 금으로 장식된 수많은 술좌석이 마룻바닥에서 튀어 오르고 굴러다녔지만 회관의 벽과 바닥은 상하지 않았다.

덴마크의 현인들은 그 전에 이 회관을 짓고 말하길 화마(火魔)가 이 건물을 둘러싸서 삼켜버리는 일이 일어나지 않는 한 어떤 사람이 어떤 방법으로도 곳곳에 황금의 칠을 하고 사슴의 뿔을 걸어 찬란히 장식한 이 위대한 건물을 부숴버릴 수는 없을 것이라고 했다. 일어날 수 있는 모든 종류의 사고와 재난 외에 어떤 악의를 가진 자가 교묘한 수단으로 이 건물을 부수려 해도 도저히 그렇게 할 수 없도록 모든 벽돌과 문짝과 모서리 곳곳은 단단히 접착되고 조여지고 굳게 막아둔 것이었다.

싸움은 오래 계속되었다.

"우리의 대장을 도와야 한다!"

회관의 용사들은 정신을 추슬러 각자의 창검을 잡고 그렌델을 겨누었다. 그들 각자의 용감했던 조상에게서 자랑스레 물려받은 옛 가보를 빼들고 사방에서 괴물을 찔러 그 생명을 뺏고 대장의 생명을 보호하려 했다. 그러나,

"앗, 이상하다!"

"내 검이 바닥에 붙어서 떼어지지 않는다."

"내 것도 안 들어진다."

이상하게도 평소에 쉽게 들던 저들의 창검을 들 수가 없었다.

신의 반역자로서 악마의 주술력을 가진 이 괴물은 이미 마음속의 주문으로 얽어매어 회관의 모든 무기를 못 쓰게 했다. 세상에서 제일 훌륭한 전검(戰劍)도 그 악행자를 해칠 수 없었다.

인간으로서 그렌델과 힘으로 대적할 자는 베오울프 하나뿐이어서 다른 용사들은 감히 맨손으로 덤빌 엄두를 내지 못했다. 하지만 그 중에도 세 용감한 용사가 그렌델의 양 발과 한쪽 팔에 매달려 괴물의 행동을 부자유스럽게 했다.

"쿠엑, 켁."

베오울프와 그렌델은 서로 껴안듯이 밀착하여 뒹굴었다. 그렌델이 몸부림치고 몸을 구르자 그렌델에 달라붙어 있던 다른 용사들도 함께 굴렀다. 싸우는 자들과 붙잡고 있는 자들은 연달아 회관의 대청에 그들의 몸을 부딪쳐 요란한 소리는 계속 쿵쿵 울렸다. 아직도 그렌델을 공격하여 그들의 군주를 도울 기회를 엿보고 있는 다른 용사들은 싸움하는 자들의 주위를 서성거렸다.

신에게 반란했던 거인족 괴물 그렌델과 인간 중 으뜸인 장사 베오울

프의 힘 대결은 어느 한 쪽으로 쉽게 기울지 않고 팽팽했다. 이러다 한 쪽이 단 한 차례의 공격 기회를 얻는다면 승부는 결정 나는 것이었다.

그런 중에도 그렌델은 혹 다른 용사가 기습해올까 하는 두려움이 있었다. 괴물은 이제까지는 일방적으로 사람들을 죽이고 잡아먹기만 했는데 뜻밖의 싸움을 하게 되었으니 싸움은 전혀 즐겁지 않고 갈수록 짜증만 더할 뿐이었다.

회관 창밖의 하늘에는 창백한 하현달이 보였다. 싸움을 오래 끌수록 괴물은 싸움에 흥미를 잃고 어서 기회를 보아 도망치려 몸부림쳤다. 매달린 세 용사는 그것만으로도 힘에 부치는 것이라 더 이상의 공격은 못했다. 다만 그렌델의 몸을 부자유스럽게 하여 베오울프로 하여금 싸움에 유리하게 해주는 것뿐이었다.

칼날 같은 손톱을 가진 그렌델의 손에 조금이라도 여유를 주어서는 안 되었다. 베오울프의 양팔은 그렌델의 한 팔목을 꼭 붙잡고 있었다. 그렌델의 다른 팔과 두 다리는 세 용사가 이를 악물고 붙잡고 있었다. 그래도 그렌델의 발광은 계속되어 좀처럼 또 다른 용사가 그렌델을 공격할 틈은 없었다.

필생의 호적수로서 만난 두 싸움꾼은 서로가 상대에게 조금이라도 여유를 주어서는 안 되기에 부둥켜 얽힌 채 몸부림했다. 팽팽한 긴장이 계속되었지만 시간이 흐르자 사지를 잡히고 있는 그렌델의 힘이 떨어졌다. 그렌델이 바닥에 깔리자 베오울프는 두 손으로 그렌델의 팔목을 붙잡고 그렌델의 목을 밟고 일어섰다. 그리고 발로 괴물의 머리를 걷어찼다.

"크아아악!"

충격을 받은 그렌델은 팔과 다리를 부르르 떨었다. 그렌델은 베오울프에게 잡힌 팔은 꼼짝도 못했지만 다른 팔과 다리를 더욱 크게 흔들며 발광했다. 그러나 다행히 기운이 빠진 동작이었기에 매달려 있는 용사들은 무사할 수 있었다.

오래전부터 인간에게 많은 고통을 주며 악행을 범해온 그였다. 하나님과 싸우고 있었던 그는 용감한 히엘락의 친족이 손으로 꼭 움켜쥐고 있어서 몸을 쓸 수 없었다.

충격으로 그렌델의 몸이 풀어지자 베오울프는 양손으로 그렌델의 팔목을 잡은 악력을 더욱 세게 하고는 괴물의 가슴을 밟고 힘껏 당겼다.

이 순간 베오울프는 전능신에게 힘을 주시옵기를 기도하며 온 정신력을 합하니 그 힘은 엄청난 것이 되었다.

"끼아아악!"

그전에는 아무도 들어보지 못한 매우 이상한 소리가 싸움하는 곳에서 일어났다. 회관 밖으로 흘러 저 멀리 성 밖의 농가에까지 들릴만한 신의 원수의 처절한 울음소리…… 패배를 맞이한 횡포자의 애도가 들렸다.

지옥의 포로가 지르는 고통의 신음을 들은 모든 북방 덴마크인은 앞으로 과연 어떤 큰 변화가 일어날까 하는 공포에 싸였다.

그 당시의 사람 중에 가장 힘센 사람이 사악한 괴물을 꽉 쥐고 있었다. 용사들의 수호자 베오울프는 어떤 일이 있어도 그 살인객을 살려 놓으려 하지 않았으며 또한 그 생명은 아무에게도 쓸모없다고 보았다. 두 싸움꾼은 서로 상대방이 이 세상에 사는 것을 그대로 놔둘 수 없었다.

그가 그렇게 당기자 괴물의 팔과 어깨가 우지직하며 찢어져 나갔다. 무시무시한 그 괴물은 몸에 끔찍한 아픔을 느꼈다. 그의 어깨에는 큰 상처가 생겼고 그의 힘줄은 튀어나왔으며 관절은 터졌다.

"끼야아, 꺄악, 꺄악!"

그렌델은 엄청난 고통에 크게 발광했다. 결국 붙잡고 있던 용사들도 모두 나가떨어졌다. 폭포 같은 피를 쏟으며 괴물은 온 힘을 다해 도망쳤다. 베오울프와 용사들의 얼굴에는 피가 솟고 더러는 입에 들어가 짭짤한 소금기를 냈다.

격투의 승리는 베오울프에게로 돌아갔다.

그렌델은 치명적인 상처를 입고 늪지의 비탈로 달아나 기쁨 없는 자기의 거처로 가야 했다. 괴물은 자기 생명의 종말이 닥쳐왔음을 알았다.

그렌델은 고통에 못 이겨 비척거리며 숲을 향해 갔다.

숲 깊숙한 곳의 경사지며 우묵이 패인 늪에 다다랐다. 그렌델은 주위에 빽빽이 우거진 거무튀튀하고 까칠까칠한 관목을 헤집고 들어가면서 꺼져가는 생명을 의식했다.

물속에는 공기로 들어차 있는 그의 집이 있지만 들어가려면 물을 통과해야 한다. 그렌델은 어쩔 수 없이 침침한 어둠의 물속으로 뛰어들었다.

"풍덩! 쏴아."

그가 들어가자 호수는 사정없이 피를 빨아들였다. 이제까지 걸어오면서 흘린 피만큼의 피를 또 한 번 호수에 쏟아냈다. 호수는 번지는 피로 붉게 물들었다.

물속에서 그렌델은 정신없이 자기의 집을 향해 갔다. 이제 그에게 모든 욕심과 소원은 없고 오직 자기의 자리에서 편안히 죽음을 맞고 싶을 뿐이었다.

그날 그는 비참한 죽음을 하게 되었다. 그렇게 그의 운명은 정해져 있었다. 그리고 그의 영혼…… 인간의 영과는 다른 우주에 속한 그의 이방령(異邦靈)은 멀리 떠나갔다. 신의 뜻을 따른 인간의 영은 세상을 떠나면 전능자의 품에 들어갈 것이나 본디부터 거역자(拒逆者)였던 그의 영은 세상을 떠나간 뒤 악마들의 지배를 받게 될 것이다.

잔악한 자와의 격투가 끝났다.

회관 바닥은 희생된 인간이 흘린 피 말고도 그보다 검붉은 색에 군데군데 검은 망울이 응어리져 있는 끈끈한 피의 덩어리가 한 아름만큼씩 줄줄이 흩어져 있었다. 그리고 그 나열된 핏덩어리의 끝에는 길이가 사람의 키만 한 커다란 팔이 어깻죽지까지 붙어 있는 채로 떨어져 있었고 그것을 인간으로서 가장 힘센 용사가 들어 올리고 있었다.

끔찍한 광경 속에서도 환희의 기운은 피어올랐다. 괴이한 비명을 듣고 달려온 여러 덴마크인이 있었다. 흐로스갈 왕의 신하들은 회관에서 떨어진 곳에서 오늘 밤 신의 뜻에 따른 결판이 과연 어떻게 될지 고대하며 밤을 새웠던 것이었다.

괴물이 퇴치되어 모든 덴마크인의 소원은 성취되었다. 바다 건너 찾아온 굳센 의지의 용사 베오울프는 흐로스갈의 회관을 정화하고 재난에서 구출했다.

"드디어 괴물이 퇴치되었다."

"이것은 시련을 이겨 이 땅에 하나님의 뜻을 이루라 함이시다."

이제까지 자기들 대장의 싸움판에 안절부절못하며 있던 여러 용사들과 그 소란을 듣고 온 왕의 대신들은 함께 환호했다.

"이제 그렌델은 힘을 못 쓰게 되었겠지."

"힘만 못 쓰다 뿐이야. 필시 죽을 것이오."

부하 용사들은 말했다.

"그가 사는 곳은 물속인데 피 흘리는 몸으로 어찌 살 수 있겠소? 그렌델의 생명은 위대한 용사 베오울프에 의해 끝난 것이오. 우리는 이제 괴물의 공포에서 벗어났소."

왕의 신하는 말했다.

어깨부터 떨어져 나간 그렌델의 팔을 피가 줄줄 흐르는 채로 들고 베오울프는 대청의 중앙으로 걸음을 옮겼다.

"이것을 모두가 볼 수 있도록 회관의 높은 벽에 전시해 놓읍시다."

베오울프는 스스로 그 밤에 이룬 영웅적인 업적을 기뻐하고 자랑스러워했다. 예이츠인의 대장은 덴마크인에게 한 바 있는 자부심에 찬 서약을 이행했으며 그들이 전에 겪었고 부득이 참아야 했던 모든 슬픔과 고통을 덜어 주었다.

그 용사는 승리의 확실한 증거물로 그렌델의 손과 팔과 어깨 즉 그렌델의 무서운 힘을 나타내는 것을 전시하기로 했다.

"사다리를 가져와야겠군."

왕의 신하들은 사다리를 타고 올라가 전승의 기념품인 그렌델의 팔과 어깨를 입구에서 잘 보이게 회관의 높은 벽에 걸어두었다.

걸려 있는 팔을 보면서 사람들은 다시 한마디씩 했다.

"저 그렌델은 삼십 명의 힘을 당해낸다는데……"

"하지만 우리의 용사는 혼자서 저 그렌델의 팔을 뽑았잖소? 하나님이 주신 용기를 하나님 뜻에 따라 사용한다면 어찌 이단자를 처치 못하겠소? 다만 우리는 베오울프처럼 실천하지 못했던 것이 아니겠소?"

"맞소. 그의 힘이 비록 강하다고 하나 그가 가진 힘만으로 어찌 저 사악하고 거대한 괴물의 팔을 뽑아버릴 수 있겠소? 그에게는 괴물을 이길 확실한 신념이 있었기에 가능했던 것이오. 우리는 평소 그러한 자신감을 갖지 못해왔지만 그렌델이 우리나라를 어지럽힐 때 그 일이 엮어지는 바탕이 무엇이고 하늘의 뜻이 무엇인지 우리는 더 깊이 생각했어야 했소."

덴마크인들은 그렌델의 최후의 징표를 보며 저마다 회한에 젖었다.

"우리의 원정이 승리로 이끌어진 것에 감사를 올립시다."

회관 내 예이츠군 용사들은 비록 동료를 하나 잃은 슬픔은 있었지만 그것은 이미 목숨을 걸고 싸우는 자들로서 늘 있는 일이었기에 그것을 딛고 넘어서 인간과 신 공동의 흉악한 적을 이긴 승리를 자축하고 있었다.

9 용사의 모험

어느 때보다 길었던 밤이었다. 사람들은 새벽녘에 밀린 잠을 잤다. 태양도 어느 때보다 밝아 보이는 아침이 되었다.

왕은 간밤에 회관에 어떤 일이 있었는지 두려움과 기대감을 교차하며 대청에 들어갔다.

"아니, 저게 뭔가?"

이미 열려 있는 문을 통해 들어오던 왕은 높은 벽에 걸린 그렌델의 팔을 보고 흠칫 놀랐으나 이윽고 알아챘다.

"혹시…… 그렌델의……?"

"예, 그렇습니다. 바로 그렌델의 팔입니다. 어젯밤 용사 베오울프가 그 팔을 잡아 뺐습니다."

왕을 영접하는 덴마크의 신하가 말했다.

"그럼 그렌델은 어찌 되었나?"

왕은 조용한 흥분에 겨워하며 다시 물었다.

"피를 쏟아 흘리며 호수로 도망쳤습니다만 죽을 수밖에 없을 것입니다."

"오오, 이렇게 기쁜 일이…… 위대한 용사를 위하여 모든 국민이 그를 칭송할지어다."

왕은 기쁨의 대 축제를 선포했다.

날이 환해지면서 소식을 들은 많은 귀인들이 그 선물의 회관에 모여들었다. 지방에서 백성을 다스리던 영주와 촌장들까지 원근 도처에서 그 달려 있는 팔과 원수의 발자국을 보려 찾아왔다.

피 엉긴 발자국은 회관 문으로부터 나와 성의 앞마당을 돌아 그렌델이 침입하며 넘곤 했던 뒤쪽 성벽을 넘어 숲으로 향해 있었다. 발자국을 따라 그보다 더 큰 핏방울 자국이 줄줄이 늘어선 악마의 붉은 장미와 같이 뿌려 있었다.

생명다운 우아함이라고는 전혀 없는 괴물의 투박한 발자국…… 괴물이 팔을 잘리고 피가 터져 물괴물들이 사는 호수로 도망가며 남긴 발자국을 본 사람들은 누구도 그의 죽음을 두고 아쉬워하거나 허탈해하지 않았다.

사람들은 그 괴물의 최후를 확인하고 싶었다.

"괴물이 과연 죽었을까요? 발자국이 계속 저 숲 쪽으로 나 있는데."

"괴물이 도망간 그 호수에 가 봅시다."

모여든 사람들은 발자국을 따라 호수 쪽으로 갔다. 갈수록 흘려진 핏자국의 크기는 커졌다. 숲길의 아름다움이 그치고 음침한 사망의 골짜기인 괴물 그렌델의 소굴 가까이 진입하면서도 사람들은 크게 두려워하지 않았다. 괴물의 핏자국은 커질 대로 커졌다. 호수의 안개가 자욱이 보이는 곳에 다다라서는 검고 칙칙한 관목 숲이 헤쳐진 그렌델의 길목은 온통 붉은 도료가 칠해진 듯 피로 덮여 있었다.

호수는 피로 끓고 있었다. 본래부터 이곳은 안개가 깔려 있는 곳이었지만 오늘은 붉은 핏물이 거푸 튀어 오르며 수면 전체가 뜨거운 온천처럼 끓고 있었다. 안개는 물 끓는 증기가 더해져서 평소보다 더 자욱했다.

콸콸콸…… 계속해서 튀어 오르는 물의 진노가 더해지다 이윽고 더 이상 참지 못하겠다는 듯…… 푸아악! 그 큰 호수 전체에 무서운 파도와 같은 뜨거운 피의 성난 용틀임이 일어났다.

그렌델은 늪지의 은신처에서 생명을 마치고 이교도의 영혼을 내던졌다. 그리고 지옥이 그를 받아들였다.

여러 노병과 신병은 호숫가의 광경을 즐거운 마음으로 바라보고는 돌아오는 길에 마상에서 베오울프의 영예로운 업적을 말했다.

"천하남북 양 대양 간의 광대한 지상에서 창을 든 용사들 중에 그이보다 왕국을 다스리기에 좋은 자는 없을 거야."

"그런 무적의 용사가 왕이 된다면 그 나라는 참 부강한 나라가 되겠지."

그렇다 해도 그들은 친애하는 주군인 인자한 흐로스갈 왕이 결코 왕으로서 부족하다고는 생각하지 아니하였으니 이는 그가 훌륭한 왕이었음이라.

호수로 갈 때는 혹시 그곳의 상황이 어떨까 하는 염려도 있었으나 과연 괴물이 피를 흘리고 죽어간 흔적을 본 그들은 올 때는 간간이 한담하면서 즐기는 마음으로 길을 걸었다.

숲을 나오니 돌로 포장된 길은 넓고 평탄했다.

이 자리에는 많은 고담(古談)을 곧잘 노래하는 궁중시인이 함께했다. 그 시인은 최근 회관의 모임에서 많이 오간 이야기를 섞고 짜맞춰 새로운 이야기를 들려주었다.

그는 베오울프의 모험담을 능숙하게 정리하여 절을 바꿔가며 흥미 있는 이야기로 교묘하게 읊었다. 그리고 헤레모드 왕 시절 시그문트의

용맹한 업적을 이야기로 들려주었다. 웰즈의 아들 시그문트의 여행과
모험은 이제까지 알려지지 않은 사실들이었다.

시그문트의 널리 알려진 공적 이외에 그의 많은 모험과 활약에 대
해서는 그와 항시 행동을 함께했던 휘델라를 제외하고는 사람들에게
많이 알려지지 않았다. 시그문트는 조카인 휘델라에게 자기가 다니면
서 겪은 모든 것을 말해주었는데 그것은 그들의 사이가 함께 전장을
누비며 돕는 전우이기도 했기 때문이었다.

이미 백성을 괴롭히는 수많은 거인 족속을 검으로 죽여 명성을 떨
친 그들은 다시 거사를 도모하였다.

"휘델라, 보물을 얻는 모험을 해볼 생각은 있나?"

시그문트는 조카에게 물었다.

그의 양옆으로 길게 자란 은발 밑의 짙게 그을린 얼굴에는 유난히
흰자위가 빛나는 검은 눈동자와 흰 잇바디가 두드러졌다. 아무렇게나
자란 누런 턱수염은 거칠고 분방하게 살아온 그의 삶을 말해주는 것
이었다.

"예? 숙부님, 당연하죠. 모험이라면 마다치 않는 게 제 성미인데요.
게다가 보물도 얻을 수 있는 것이라면 금상첨화지요. 그런데 어디에 그
런 일이 있습니까?"

금발동안(金髮童顔)에 가느다란 눈매의 휘델라는 평소에는 무겁게
다물었던 입술을 얼른 움직이며 화답했다.

"북해를 거슬러 올라가면 일 년의 반은 밤이고 반은 낮인 곳이 있
는데 거기는 온통 얼음으로 덮여있고 땅은 없다네. 그곳 깊숙이에는
얼음의 성이 있고 그 아래는 사람들이 모르는 해저 섬이 있다네. 거기

에는 북해의 마왕이 사는데 그는 각양각색의 해상, 해저 괴물들을 거느리고 있지."

시그문트는 설명했다.

"그런데 아무리 싸움과 모험에는 두려운 것이 없는 우리지만 그 많은 괴물이 사는 마왕의 소굴을 어떻게 한다는 것이지요? 작년에 평정한 남부 베아단 마을도 아직 잔당이 남아 있어서 언제 일이 터질지 모르는데…… 인간인 적을 소탕하기에도 벅찬데 언제 그 마왕의 소굴을 무찌른다는 말씀이지요?"

휘델라가 묻자 시그문트는 슬며시 웃으며 휘델라의 어깨를 쳤다.

"허허, 아무렴 내가 젊은 너도 생각지 않는 무모한 만용을 부리겠나? 북해의 마왕이 사는 해저 섬은 우리가 들어가 볼 필요가 없다네. 다만 얼음 성에는 마왕의 부하인 거인 족속과 각종의 무서운 괴물이 살고 있지. 그런데 그 안에는 북해를 다니는 해적들이 정기적으로 갖다 바치는 보물이 쌓여 있지."

"해적들이 그곳에 보물을 바칩니까? 처음 들었는데요."

"북해마왕이 해적의 활동을 묵인하는 댓가지. 물론 북해마왕이 해적을 잡을 이유도 없지만 자기네가 직접 사람들에게서 물자를 탈취하는 것보다는 해적으로 하여금 정기적으로 자기네에게 바치게 하고 그 대신 해적선은 건들지 않기로 암암리에 협정을 맺은 것이지."

"그 참 재밌네요. 그런데 그들도 보물을 쌓아둔 곳을 허술히 방비하지는 않을 텐데요."

"당연하지 얼음성 안의 보물 창고를 지키는 괴물이 있지."

시그문트는 칼집에서 검을 빼고 넣고를 반복하며 말을 이었다.

"그런데 우리에게는 그 보물 창고가 대단해 보여도 북해마왕은 일

년에 한 번 정도만 그곳에서 맘에 드는 것을 가져가고 별 신경을 안 쓰는 것 같아. 때문에 얼음성에는 마왕의 부하인 거인들과 바다괴물들이 살고는 있지만 대개 주변 바다에서 놀고만 있지. 그곳을 불시에 기습하여 보물 일부만 가져 나온다 해도 우리 용사들을 위한 풍부한 전리품이 될 것 아닌가."

"해볼 만하겠습니다. 그전에도 숱한 거인족과 바다괴물을 상대했지만 북해 깊숙이 들어가 얼음성을 공격한다는 것은 참으로 흥미 있을 것 같은데요."

합의한 두 사람은 저들에 속한 부하 용사들에게도 전하고 함께 북해로 원정을 결의했다. 갑판 아래서 여럿이 노를 저어 빠르게 속력을 내는 배를 타고 평소 가까이 따르는 병사 이십여 명이 동행했다.

항구를 떠난 배는 육지를 등지고 북쪽으로 나아갔다. 시그문트는 나날의 대부분을 뱃머리와 망루에서만 보냈다.

"가도 가도 수평선뿐이로군……"

그는 줄곧 사방을 두리번거리며 어서 빨리 말로만 듣던 얼음성이 나타나기를 바랐다. 그리하여 이 배의 용사들이 본국에서 떨치던 무용을 맘껏 발휘하며 값비싼 전리품을 노획할 것을 기대했다.

인간과의 싸움에서는 이편에서 얻는 만큼 저편에서는 잃는 것이기 때문에 상대방은 격렬한 저항을 하기 마련이다. 하지만 이번의 공략 대상은 인간이 아닌 바다괴물이다. 괴물에게는 보물에 대한 관념이 인간만큼은 없다. 그러니 인간과의 싸움보다는 적은 노력으로 보물을 얻을 수 있으리라는 것이 그의 계산이었다.

이제까지 거인족이나 바다괴물과의 싸움을 종종 해보았지만 대개 인간사회로 침입한 것을 처치하거나 여행 중에 만난 방해자를 죽이는 것이었다. 직접 찾아가 공격하는 것은 처음이었다.

떠나온 동토(凍土)의 해안은 얼마 뒤 망루 끝의 시야에서도 사라졌다. 북쪽을 향하는 뱃길의 앞쪽에는 온통 크고 작은 얼음으로 뒤덮인 망망대해만 보였다.

배는 바다를 가로질러 북으로 계속 나아갔다. 갈수록 바다 위 군데군데 희뭇게 떠다니는 얼음은 굵어지고 늘어 갔다.

"쾅, 콰르르릉, 우르르."

거대한 얼음 덩어리들은 뱃전에 부딪쳐 깨지며 천둥소리를 냈다. 바다짐승들이 성나 으르렁대고 울부짖는 소리로도 들렸다.

"무슨 소리지?"

갑판 아래서 노를 젓던 병사들은 긴장했다. 벌써 결전을 준비해야 하는 것 아닐까.

소리는 갈수록 더해 갔다. 괴물의 습격이 다가왔다고 여기고 병사들이 갑판 위로 올라왔다.

"이제 싸워야 하지 않습니까? 우리 배 주위를 바다짐승들이 습격하려고 포위한 것 같은데……"

갑판 위로 올라온 병사 하나가 물었다.

"아직 아니네. 보게나."

시그문트는 앞의 바다를 가리켰다. 바다에는 떠다니는 얼음산들이 무수했다.

"지금 들리는 소리는 단지 떠다니는 얼음산들이 우리 배와 부딪쳐 깨지면서 나는 소리네. 얼음들은 갈수록 커지네. 그러니 좀 더 가면 큰 빙산들을 피해 가기만 하면 되지. 그러면 소리가 없고 잠잠해질 테니 차분히 기다려 보게."

"얼마나 더 가면 되겠습니까?"

옆의 다른 병사는 조바심 나는 듯 물었다.

"소리가 잠잠해지면 큰 빙산 몇이 떠 있는 북해 깊숙이 들어온 것이고…… 빙산은 갈수록 커져서 마침내는 그냥 끝없이 거대한 얼음덩이가 되지. 그게 바로 자네나 나나 말로만 듣던 북극의 빙원이네. 그곳에서 다시 얼음을 따라 얼마간 행진하면 우리의 목표인 얼음성이 나올걸세."

"두목님은 언제 그런 것을 다 알아보셨습니까?"

병사 중에 나이 많은 고참병이 물었다. 시그문트는 준비한 듯 얼른 답해주었다.

"내가 젊었을 때 작은 상선을 타고 업랜드 쪽으로 여행한 적이 있었는데 그 배가 해적을 만났지.

그때 내가 탄 배에 싸움할 만한 자는 나 혼자뿐이었어. 하지만 다행히 해적선도 열 놈 정도만 있는 그리 크지 않은 배였지.

그놈들이 승객을 위협하여 가지고 있는 것을 다 내놓으라고 할 때 나는 패물상자를 가지고 나오겠다며 선실로 유인했지 그때 검을 뽑아들고는 그놈들을 모조리 베고…… 한 놈만을 남겼지. 그놈에게서 들은 이야기네. 아참, 휘델라는 안 올라오나?"

"글쎄요. 부관님은 구석에 앉아서 뭔가 골똘히 생각하고 있는 것 같은데요. 저희보고만 올라가 보라고 하던데요"

"그놈은 항상 나이답지 못하게 따지는 게 있단 말야. 그놈하고 얘기하다 보면 내가 더 젊은 것 같은 착각이 일어나기도 한다구. 어쨌든 나쁜 건 아니니…… 내가 아직도 혈기 차게 활동한다는 것을 확인할 수 있으니 말야. 허허."

"아앗!"

몇몇이 소리를 질렀다. 삐적삐적 발밑의 얼음이 갈라졌다. 모두들 황급히 달려 피했다.

마침내 얼음판 한 곳이 크게 갈라지더니 그 안에서,

"크르릉!"

크기는 코끼리만 하고 생기긴 검은 물개와 같은 괴물짐승 물개룡이 튀어나왔다. 물개룡은 긴 목을 휘두르며 앞에 있는 병사를 물어 삼킬 듯이 덤볐다.

그러나 그 목의 움직임은 병사들의 발걸음보다 빠르지 못했다. 물개룡은 목으로 내리치면서 한 병사를 물려 했지만 그대로 얼음 바닥에 머리를 부딪치고 말았다.

"물러서랏! 내가 처치하겠다."

휘델라가 창을 들고 앞으로 나섰다.

"크르륵!"

물개룡은 일차 실패한 공격을 다시 만회하기 위해 목을 높이 치켜들고 다가왔다. 물속에서 튀어나올 때는 빠르게 움직였으나 얼음판에서 지느러미를 겸한 앞발로 올라오는 동작은 더뎠다.

"쩌억, 챙강!"

물개룡은 몸을 돌진하여 얼음을 깼다. 얼음은 휘델라의 바로 앞까지 깨졌다.

물개룡은 씩씩거리며 목을 내리꽂을 듯하며 공격해왔다. 휘델라는 그 목을 향해 창을 겨눴다.

"휘익!"

물개룡의 머리는 위협적으로 돌진해왔다. 창을 겨눈다 해도 조금만

비껴가면 그대로 괴물의 이빨에 사람의 몸은 두 동강이 난다. 그러나 아랑곳 않고 휘델라는 창끝으로 괴물의 입을 정조준하며 꼿꼿이 서 있었다.

괴물은 그대로 덤벼드나 했더니 슬쩍 목을 옆으로 틀어 창을 피해 옆의 얼음 바닥에 박치기했다. 얼음이 깨지자 휘델라는 그대로 물에 빠졌다.

물에서의 사람과 물괴물의 대결은 너무도 위태로운 것이었다. 시그문트와 몇 용사가 창을 던졌으나 물괴물의 가죽을 뚫기는 역부족이었다.

물개룡은 잠수했다. 괴물은 물속에서 공격하는 것이 유리함을 알았다.

괴물은 물 위에 떠 있는 휘델라를 한입에 잡아먹을 기세로 목을 수직으로 내뻗으며 다가왔다.

휘델라도 물개룡의 공격에 대응하고자 잠수했다. 괴물은 저를 향해 겨눈 창을 얼른 피하고 다시 입 벌려 공격했다.

물속에서는 아무리 용맹한 용사라도 물괴물보다 동작이 느렸다. 물개룡의 머리가 그를 잡아먹으러 달려들기 전에 창을 그쪽으로 바꿔 겨눌 수가 없었다.

절체절명의 순간 휘델라는 창을 아래로 하고 몸을 웅크렸다. 물괴물은 순식간에 그를 덥석 삼켰다. 그러나 쉽사리 넘어가지는 않고 몸의 반쯤만 입에 들어갔다.

이때 휘델라가 입은 견고한 쇠사슬 갑옷과 산돼지 어금니 형상의 뿔이 달린 단단한 투구가 없었더라면 그도 영락없이 물괴물의 식사감으로 으깨져 괴물의 식도를 타고 들어갔을 것이다. 갑옷과 투구가 몸을 보호한다 해도 착용한 자의 강력한 근력이 받쳐주지 않았다면 덥

석 깨무는 충격에 혼절하여 두고두고 씹을 식사감으로 물개룡의 되새
김위로 들어갔을 것이다.

물개룡의 위턱과 아래턱 사이에서 그 혓바닥의 강한 흡인력에 완강
히 저항하던 용사는 그 혀의 움직임이 주춤하는 순간을 틈타 허리와
다리에 온 힘을 다해 몸을 곧게 펴고 일어섰다. 동시에 창으로 물개룡
의 위턱을 찔러 피가 터지게 했다.

"크르르르륵, 카악."

물개룡은 피를 불 뿜듯이 물속에 뿜어 주변을 빨갛게 물들이고는
몸부림치다 늘어졌다. 휘델라는 앞이 잘 안 보이는 물속을 헤엄쳐 손
에 집히는 얼음판을 딛고 올라왔다.

"와, 휘델라님 만세."

지켜보던 부하들은 기뻐했다.

"장하다. 참으로 우리 집안의 큰 용사답게 해냈다."

시그문트는 다가와 그의 손을 잡았다.

그러나 휘델라는 자신의 무용에 긍지를 보이기는커녕 담담히 말했다.

"숙부님, 아무래도 무리입니다. 이곳에는 방금과 같은 거대한 물괴
물이 수두룩합니다. 우리가 빙원을 가로질러 가면 얼음성을 지키는 육
지 괴물도 나타날 겁니다. 괴물의 수효는 필시 우리 용사의 수효보다도
많을 텐데 어떻게 우리가 헤쳐 들어가고 무사히 빠져 나오겠습니까?"

"무슨? 우리는 뭉쳐 다니지만 괴물은 따로따로 한 마리씩 나타날 것
이네. 강한 괴물은 우리가 힘을 합해 죽이면 돼."

"힘을 어떻게 합합니까? 숙부님이나 저나 그저 혼자 용감히 싸우는
용사일 뿐입니다. 아까의 싸움에서도 그렇지 않았습니까?"

이 말에 시그문트는 할 말이 없었다.

"그럼, 원하지 않는 사람은 따라가지 않아도 좋다. 이곳 북극을 구경 왔다 셈 치고 배에서 이틀만 기다려라. 내가 그곳을 보고 오겠다."

휘델라와 나머지 일행은 먼저의 무서운 괴물과의 싸움을 보았으므로 배로 돌아가기로 하고 병사 둘만 시그문트를 따라가 보기로 했다.

세 사람은 눈 덮인 빙원을 가로질러 얼음성을 향해갔다. 계속 나아가니 멀리서는 밝은 반사광으로만 보였던 얼음성의 모습이 차차 드러나 보였다.

얼음성은 지키는 자 없이 빙원에 홀로 서 있었다. 밖에서 보기에는 아무 건물도 없고 담만 세 겹으로 있었다.

맨 앞의 성벽은 보통의 성벽보다는 낮아서 사람 키의 두 배 정도밖에 안 되었다. 그저 바다짐승의 침입을 막는 목적 같았다. 큼직한 얼음덩어리를 두세 겹 쌓아올린 것뿐이었다.

두 번째의 성벽은 안쪽 높은 곳에 있었다. 네모진 얼음 벽돌로 여느 인간의 성벽 못지않게 견고히 쌓아올린 높은 성벽이었다.

세 번째의 성벽은 차라리 탑이라고 해야 옳았다. 가운데 높이 솟은 봉화대 같은 그 탑은 회색을 띠어 얼음 같지 않았다.

"저게 뭐하는 것인지 모르겠네요. 이런 곳에서 봉화를 올릴 일이 있을 것도 아닌데."

"나도 잘은 모르지만 북해마왕은 이 성에 올 때면 저 탑 위의 출입구로 들어온다더군. 그리고 그 아래는 해저와 연결되어 있고……"

시그문트는 두 군사를 뒤로 물리고 얼음성에 가까이 갔다.

얼음성의 첫 성벽은 역시 그다지 높지 않았다. 시그문트는 빙벽을 훌쩍 뛰어넘었다.

이어지는 미끄러운 얼음의 오르막을 그냥 걷기는 힘들었다. 검으로 얼음을 찍으며 전진했다.

그다음의 성벽은 상당히 높았고 정면에는 거대한 문이 있었다.

시그문트는 검을 휘둘러 문에 달린 가슴팍만 한 얼음 자물쇠를 깨부쉈다. 그리고 문을 힘껏 밀었다.

그러나 문은 꿈쩍하지 않고 오히려 그의 몸이 뒤로 미끄러지기만 했다.

'안 열리네. 내 힘이 부족한 건가?'

시그문트는 자존심이 상했다.

'아니, 바닥이 너무 미끄러워서 그런 것이지.'

검으로 바닥의 얼음을 파서 홈을 내고 발을 미끄러지지 않게 걸치고 다시 시도하고자 했다.

그러나 문을 열려는 그의 노력은 곧 필요 없게 되었다.

"카아악!"

고개를 드니 그의 머리 위 성문 꼭대기에는 침입자를 노리는 용의 머리가 나타났다.

모든 괴물 족속 중의 대표적인 괴물…… 적린사룡(赤鱗蛇龍)이었다. 뱀과 같이 긴 몸집이 단단한 비늘로 덮여 있고 입에서는 불을 뿜는, 멀리 동방에도 이름난 짐승으로서 통상 용이라면 바로 이 생물을 지칭함이었다.

시그문트는 얼른 검을 높이 들고 용의 공격에 대항할 자세를 취했다.

"쉬리릭!"

용은 성문에 허리를 걸치고 머리를 내리꽂으며 돌진했다. 시그문트가 검으로 찌른다 해도 그 내리치는 힘에는 자신도 성하지 못할 것이었다.

시그문트는 얼른 옆으로 몸을 굴려 피했다.

시그문트가 피하자 용은 짧은 앞발을 땅에 사뿐 딛고 내려왔다.

용은 다시 기다란 몸을 들어 공격 자세를 취하며 꼬리를 흔들어댔다. 그 통에 얼음 성문도 열리고 말았다.

용은 달려들면서 불을 내뿜었다. 하지만 동작은 그다지 빠르지 않았다. 방금 성문에서 떨어져 내려올 땐 무척 빨랐지만 그땐 불을 뿜을 수 없었다.

휘익! 휘익! 용은 고개를 움직이며 불을 뿜었다. 그 동작은 둔했지만 쏘아지는 불이 번개 같아 시그문트는 피해 다니느라 정신없었다.

넓은 곳에서는 불리할 것임을 판단한 시그문트는 기회를 보아 열려진 성문 틈으로 들어갔다. 용도 따라 다시 들어왔지만 문을 통과하는 데는 시간이 걸렸다.

들어가 보니 커다란 회색 바위가 있고 그 아래로 들어가는 틈이 벌어져 있었다. 가운데의 높은 탑은 아직 저만치 떨어져 있었다. 그 탑 아래쪽에는 어떤 출입구도 없었다.

'저 회색 바위 밑에 보물이 있는 것 같다.'

모험을 광적으로 좋아하는 그는 기왕 용의 위협을 받고 있으니 그 안에 더 무서운 무엇이 있을까도 생각 않고 바위 아래로 뛰어들어갔다.

용은 더욱 성을 내며 따라왔다.

들어가 보니 여러 사람이 둘러앉아 놀이를 즐길 만한 크기의 공터가 있었다. 그리고 한쪽에는 작은 철문이 있었다. 그 문을 열기는 먼저 성문을 열기보다는 쉬워 보였다.

'이때 휘델라가 같이 있었다면……'

왕족의 아들 시그문트는 아쉬웠지만 어차피 혼자 부닥친 이상 홀로 대담한 일을 감행하기로 했다.

"크아! 카카칵!"

용은 성나 펄펄 뛰면서 시그문트를 쫓아 바위 밑으로 찾아들었다.

이 둥근 공터가 바로 용이 똬리를 틀고 잠자는 곳이었다. 용은 시그문트를 잡아 물려고 자꾸 쫓아다녔지만 불을 뿜지는 못했다. 좁은 곳에서는 숨이 부족한 탓이었다.

"카악!"

용이 달려들자 시그문트는 옆으로 피했다. 용은 돌벽에 그대로 머리를 박아 충격을 입었다. 다시 달려들자 또 피하긴 어렵지 않았다. 대신에 용만 또다시 머리를 다쳤다.

'지금 이 좁은 데 있을 때가 용을 해치울 기회다.'

생각한 시그문트는 달려드는 용을 몇 번 피하다 옆으로 돌아 자신의 검을 용의 목에다 찔렀다.

"끼우욱!"

용은 좁은 공간에서 피하지 못하고 그대로 칼을 맞았다. 시그문트의 검은 기괴한 생물인 용의 목을 꿰뚫었다. 어찌나 세게 찔렀던지 고귀한 보검은 그대로 벽에 꽂혔다.

용은 기다란 몸을 거칠게 흔들며 마지막 발악을 했으나 이윽고 부르르 떨기만 할 뿐 잠잠해졌다. 북극 얼음성의 창고지기 용은 목을 돌벽에 갖다 붙인 채 인간 중 가장 용감한 자에게 칼을 맞아 죽었다.

북극 얼음성에는 다른 어느 괴물도 상주하지 않고 거인족들도 저마다의 탐욕을 위해 남쪽 인간 세상으로 놀러 나가 있으니 이제는 보물을 거둬가기만 하면 되었다.

시그문트는 철문을 부숴 열고 이어진 계단을 통해 내려갔다. 더 이상 그의 방해자는 없었다. 한 층만 내려가니 창고가 있었다.

과연 각지에서 모아온 금은보화들이 쌓여 있었다. 그중에는 남방에서 온 옥향목(玉香木) 의자, 동방산 주목(朱木) 책상, 남방산 상아 주전자, 로마 황금갑옷 등 큰 물건들도 있지만 어디서 왔는지 모르는 금강석과 홍보석의 반지, 팔찌, 귀걸이, 목걸이 등이 마치 여염집에 하찮은 잡동사니 널려 있듯 흩어져 있었다.

시그문트는 일단 탐이 나는 보석 팔찌와 목걸이 몇 개만을 가지고 계단을 올라왔다.

칼에 찔린 용은 평소 불을 뿜기 위해 몸속에 가졌던…… 흥분하면 달아올라 불을 뿜게 하는 그 열기에 녹아버렸다. 바위 밑 소굴은 끈적끈적한 붉은 핏덩이의 잔해만이 남아 있었다.

"두목님 무사하셨습니까?"

두려워 바위틈 밖에서 지켜보고만 있다가 그가 용을 죽인 것을 본 두 병사는 다가왔다.

시그문트는 열려진 창고문을 가리키고 씩 웃으며

"저기 번쩍이는 보물들을 배로 운반하게나." 했다.

시그문트는 이 모든 일을 자기의 힘으로만 성취하였으므로 그 보고(寶庫)를 마음대로 쓸 수 있었다.

그리하여 그 용감하고 욕심 많은 자, 웰즈의 아들 시그문트는 모험선에 짐을 실었다. 용사들의 보호자인 그는 용감한 업적으로 인하여 모든 나라에서 가장 유명한 모험가가 되었다.

군주 헤레모드가 계속되는 학정으로 나라 안에서 신망을 잃은 뒤에도 시그문트의 명성만은 덴마크인 사이에서 계속 퍼져 나갔다. 모두들 말로만 듣던 얼음성 보고의 간수용을 죽였으므로 그는 보통 사람이 생각할 수 없는 큰 용기를 가진 자라 하여 죽은 후에도 큰 영광이 돌아갔다.

헤레모드는 반정으로 쫓겨난 후 프리지아인의 수중에 넘어갔다. 거기서 그들에게 망명을 요청했으나 그전부터 자기들을 괴롭혀온 적국의 군주를 그들은 용서해 주지 않았다. 프리지아인은 자기들이 당한 원한을 복수하면서 폭군은 용서 못 한다는 명분도 내세워 굴욕적인 투항을 했던 군주를 처형했다.

적국에 잡혀가기 전까지 헤레모드는 오랫동안 고통에 시달렸다. 인간으로서 자기가 저지른 모든 폭정과 악행에 대한 가책이 그를 괴롭혔다. 그가 왕위에 오르기 전 젊었을 때 왕자의 몸으로 세웠던 전쟁에서의 많은 공로를 감안하면 그는 백성의 칭송을 들으며 말년을 보낼 영웅이 되어야 했다. 그러나 그러한 과거의 공적이 그의 삼십여 년에 걸친 학정을 용서할 만한 것은 될 수 없었다. 왕위를 내놓으면 원한을 가진 자들이 그를 해할 것이 명백하니 그는 왕위를 내놓을 수가 없었다. 그리하여 그는 자기 백성과 모든 귀인들에게 큰 걱정거리가 되었던 것이었다.

그가 적국으로 도망하여 거기서 잡혀 죽자 예전부터 그가 불운에서부터 구제되기를 간절히 바랐던 많은 현인들은 용감한 그의 운명을 매우 슬퍼하면서 대신 그 군주의 아들이 부친의 직위를 계승하여 백성의 보물성이며 영웅들의 왕국인 고국 덴마크를 지켜 주기를 기원했다.

하늘은 그들의 원을 비록 그대로 들어주지는 않았지만 그 절반은 이루어졌다. 헤레모드의 아들은 부친의 방탕으로 말미암아 전혀 왕자로서의 수업을 받지 못했다. 그리하여 전왕에 이은 새 왕의 무능으로 왕실 친척 간의 패권 다툼이 일어나려는 때 덴마크 변방 해변 마을에서 힘을 길러오던 지방의 자치국왕 실드세핑에게 수도가 점령되었다. 이때 덴마크의 수도는 가축 한 마리 상하지 않고 그대로 새로운 영명한 군주의 휘하로 편입되니 대부분의 신하와 백성은 반겨마지않았다.

시인의 이야기는 여기서 끝났다.

호수에서 돌아오는 길은 갈색 모래로 덮여 있었다. 사람들이 회관으로 바삐 돌아오는 동안 늦은 해는 서둘러 떠올랐다.

회관은 이미 그들 말고도 찾아오는 자들로 붐볐다.

많은 신하들이 그 신기한 것을 보려고 회관에 들어왔다. 근교의 귀인들도 찾아왔다.

금고리 보물 창고의 보관자이자 전리품을 베푸는 미덕으로 잘 알려진 국왕도 많은 수행원의 무리와 함께 왕후의 침실에서 나와 주연관으로 향했다.

왕후도 시녀 한 무리를 거느리고 주연관을 향해 걸었다.

오후부터 왕은 모든 신하를 불러 다시 연회를 크게 베풀었다.

축하와 감사의 술잔이 베오울프에게 옮겨졌다. 왕은 우정 어린 선사(膳賜)를 했다.

"진실로 그대를 낳은 여인은 하늘의 은혜를 입은 여인이로다. 이제껏 이보다 작은 일에도 상을 주어 왔는데 하물며 그대일까 보냐."

오랫동안 큰 시름을 겪은 왕의 이 말에 그 전에 왕에게서 상을 받은 바 있던 여러 신하와 용사는 조금도 자존심이 상하지 않았다. 베오울프의 전과(戰果)는 왕에게서와 마찬가지로 그들에게도 선물이었다.

여덟 필의 말이 끄는 황금의 수레를 승리의 선물로 증여하기로 했다. 또한 금고리 제품들……, 팔찌 한 쌍, 정교히 만든 쇠사슬 갑옷과 금장식 투구, 그리고 여태껏 지상의 누구도 알지 못한 채 왕실에 비치(秘置)되었던 보물······ 태양이 빛나는 듯한 주먹 크기의 다이아몬드에 황금 테를 두른 커다란 금사슬 목걸이가 공손히 그에게 증여되었다.

"이 선물이 그대의 마음에 흡족한지 모르겠소."

왕은 물었다.

"훌륭합니다. 옛적에 우리의 선조가 그 이전까지 대대로 내려오던 황금 목걸이를 도적질을 일삼는 야만족에게 빼앗긴 뒤로는 이와 같은 것을 보지 못했다 합니다."

"그때가 언제였다고 했소?"

"한 이백 년쯤 전이라고 합니다."

"이 목걸이가 우리 왕실에 들어온 때도 이백 년이 조금 못 되는 과거인데······ 야만족을 정벌하던 젊은 실드 왕이 노획한 것이라고 하오. 어쩌면 이것이 바로 그것인지도 모르겠구려. 허허."

그때 실드 왕은 죽기 전에, 이 황금 목걸이는 이민족으로부터 가져온 것이니 언젠가 우리 덴마크를 위해 크게 봉사한 이민족 용사가 있으면 그에게 주라고 유언했던 것이었다. 그래서 왕실에서는 대대로 이 보물이 있다는 것을 신하와 부하 용사들에게 비밀로 했다. 혹 누구라도 그것을 탐내는 일이 생기면 국조(國祖) 실드 왕의 유훈을 지키지 못하는 결과가 생길 수 있기 때문이었다.

회관은 떠들썩한 박수 소리로 울렸다. 아무도 그 훌륭한 보물이 왕실에 숨겨져 있었다는 것을 탓하는 자가 없었고 아무도 그 엄청난 보물이 이민족 용사에게 건네진다는 것을 시샘하는 자가 없었다.

먼젓번에 베오울프의 능력을 의심하였던 운훠스는 조용했다. 오히려 마음속은 베오울프의 용맹에 대한 경외감으로 차 있었다.

어제보다 성대한 잔칫상이 차려졌다. 베오울프가 그렌델을 이길 수 있도록 그렌델의 팔다리를 붙잡고 도와준 세 용사에게도 술잔이 돌아갔다. 죽은 이에게는 그에 맞는 황금의 보상을 본국에 보내기로 했다.

흐로스갈 왕은 높은 곳에 올라가 보고자 이동 계단을 가져오라고 했다. 그는 친히 계단에 올라가서 황금으로 장식된 높은 기둥에 매달린 그렌델의 손을 자세히 살펴보았다.

그는 내려오면서 감탄하며 말했다.

"이 구경을 할 수 있게 해주신 전능하신 하나님께 감사를 드릴 지어다!"

다시 옥좌에 앉은 왕은 모두를 향하여 회한을 푸는 연설을 했다.

"나는 그렌델…… 가증스러운 그 괴물에게서 많은 고통을 겪었다. 천지의 수호자이신 하나님께서는 인간의 시련이 막바지에 이를 때면 언제고 기적을 거듭하여 주시길 바라노라.

이 훌륭한 회관이 피투성이가 된 이후 나는 조금 전까지만 해도 우리가 재앙으로부터 벗어나리라고는 생각지 못했다. 재앙은 나라의 지주(支柱)인 고문관들에게도 널리 미쳐서 실의에 빠진 우리는 백성들의 성채를 그 악마로부터 수호할 수 있으리라고 전혀 생각하지 않았다.

지금 한 투사가 하나님의 힘을 입어 우리 모두가 그 전에 이룰 수 없었던 일을 했다. 볼지어다. 어느 누가 이와 같은 아들을 세상에 낳았건 간에 그 여인은…… 만일 그 여인이 아직 살아 있다면, 예부터 계신 하나님께서 그 아이의 해산 때 그녀에게 은혜를 베푸셨다고 나는 말할 것이니라.

이보게, 사람들 중에 가장 훌륭한 그대 베오울프여! 나는 그대를 마음속으로 내 친아들같이 생각하노니 이제부터 이 새로 맺은 언약을 잘 지키게. 내 수중에 있는 이 세상의 좋은 것들이 그대에게도 부족함이 없을 것이니라.

나는 이따금 이보다 작은 일에도 또한 그대보다 보잘것없고 싸움에 약한 용사에게도 상을 주고 보물로 예우하였도다. 그대는 스스로 이와 같은 업적으로써 그대의 영광이 영구하도록 해 놓았도다. 전능하신 하나님께서 방금 나를 통하여 말하신 것과 같이 앞으로도 그대를 좋은 것으로 보답해 주시기를 바라노라."

왕의 진심 어린 치사에 화답하여 에치데오의 아들 베오울프는 말했다.

"우리는 하나님의 은총으로 용감한 그 격투를 치러냈으며 위험을 무릅쓰고 불가사의한 원수의 힘에 저항해 대담히 싸웠습니다.

저는 전하께서 엎드려져 죽은 그 원수를 볼 수 있었으면 했습니다. 그를 내 손에 꽉 붙잡아서는 죽음의 자리에다 묶어 놓고 내 손에서 죽음의 고통을 겪게 하려고 했습니다. 그러나 주님이 그것을 원치 않으셨기에 저는 달아나는 그 무서운 적을 붙잡아 둘 수가 없었습니다.

그 원수의 달아나는 힘은 너무도 강했습니다. 그러나 자기 몸을 온전히 가지고 도망가지를 못했으니…… 그의 팔과 어깨는 위압적인 악력에 꽉 쥐어져 있었기 때문이었습니다.

그래서 그는 목숨만을 구하려고 자기의 손과 팔과 어깨를 남겨 두고 달아나 버렸습니다.

가련한 그 짐승은 아무 위로를 받지 못했습니다. 죄에 시달린 그 악행자는 더 이상 살 수 없게 되었으니 이는 그 상처에서 오는 고통은 벗어날 수 없는 악업의 차꼬였던 것입니다.

그리하여 죄로 더럽혀진 그 젊은 짐승은 영광스러운 주님께서 그에게 내리실 심판을 기다려야만 했습니다."

귀인들은 그 용사의 힘에 의해 악마의 몸체에서 뽑혀 높은 지붕 아래 걸려 있는 손과 손가락들을 쳐다보았다. 그들 중에는 에치라프의 아들 운훠스도 있었다. 말 많았던 그는 더할 수 없이 조용한 사람이 되었다. 그는 자기의 전업(戰業)에 관한 자랑스러운 연설을 할 엄두가 나지 않았다. 에치라프의 아들은 이제까지 사람들이 모여 있는 곳이라면 빠짐없이 계속해 왔던 자신의 전업 연설을 거두고 무언의 사람이 되고 말았다.

이교도 투사 그렌델의 손바닥과 손가락은 가증스러우리만큼 끔찍했으며 거기 뛰어나온 손톱은 강철과 같이 견고했다. 모두들 말하기를 전해 내려오는 아무리 훌륭한 고검(古劍)이라고 할지라도 그 괴물의 피비린내 나는 포식(捕食)의 전완(戰腕)을 다치지 못하리라 했다. 그러나 베오울프는 맨손으로 해냈다.

해록회관을 수리하고 장식하라는 명령이 내려졌다.

많은 남녀 백성이 동원되어 주연관과 영빈관을 단장했다. 새로이 벽에 덮인 금장식의 수단(繡緞)도 찬란했지만 거기엔 모두가 놀랄 구경거리가 있었다. 바로 실내의 높은 기둥에 걸려 있는 그렌델의 팔이었다.

빛나는 그 건물의 사방 벽면은 각각의 이음새가 쇠판으로 단단히 고정되었지만 몹시 파손되었으며 문에 달린 경첩들도 많이 부서졌다. 죄로 더럽혀진 그 괴물이 체념하고 달아났을 때 회관 지붕만이 파손되지 않고 남아 있었다.

누구나 할 수 있다면 죽음을 피하려 하나 그것은 쉬운 일이 아니다. 지상에 살았던 피조물은 언제고 육체가 이승의 연회를 끝내고 죽음의 차가운 침대에 누워 굳게 잠들면 그들의 영혼을 위하여 마련된 곳을 찾아가야 한다.

그렌델 또한 자신의 그곳을 찾아 떠나갔다.

왕의 전용실에 잠시 가 있던 헤알프데인의 아들 흐로스갈은 저녁이 되어 다시 회관의 모임에 가야 할 시간이 되었다.

왕 자신도 기꺼이 축연에 참석하여 함께 즐기고 싶었다. 보물을 하사하시는 자의 주위에는 환희에 겨워하면서도 지극한 예모(禮貌)로 거동하는 충성스러운 신하의 행렬이 있었는데 그 장엄함은 일찍이 들어보지 못한 것이었다. 영광스러운 시간을 맞아 그들은 의자에 앉아 축연을 즐기며 기뻐했다. 강하고 굳센 정신의 소유자인 두 사람의 혈족 흐로스갈과 그의 조카 흐로둘프도 높은 회관에서 여러 번 정중히 술잔을 들었다. 해록회관은 왕의 많은 친구들로 들어찼다.

그때까지만 해도 덴마크인은 배신이란 것을 몰랐다.[1]

헤알프데인의 아들 흐로스갈은 베오울프에게 승리의 보답으로 황금으로 장식된 군기(軍旗) 그리고 투구와 흉부갑옷을 주었다. 투구를 둘러싼 외륜(外輪)은 철사로 엮어져 외부의 공격으로부터 머리를 보호하니 창 든 용사가 적을 향해 돌진할 때 숫돌로 간 날카로운 검날도 그를 해칠 수 없었다. 많은 사람들이 유명하고 귀중한 검이 그 용사 앞으로 옮겨가는 것을 지켜보았다.

베오울프는 회관에서 술잔을 받았다. 그는 많은 투사들의 면전에서 값진 선물을 하사받는 것을 쑥스럽게 여길 필요가 없었다. 왕이 술좌석에서 금으로 장식된 네 가지의 보물을 그렇게 기꺼이 타인에게 줬다는 전례는 들어보지 못했다.

---

1) 흐로스갈이 죽은 후 흐로둘프는 왕좌를 빼앗는다.

백성들의 보호자 흐로스갈은 팔필금기마차(八匹金羈馬車)를 들여보내라고 명령했다. 회관의 큰 문이 열렸다. 왕실 마부는 금빛 굴레가 달린 여덟 마리의 군마를 회관으로 몰아왔다.

그 중 한 군마에는 정교하게 장식되고 보석으로 꾸며진 안장이 얹혀 있었다. 그것은 헤알프데인의 아들인 고귀한 왕 흐로스갈이 검전(劍戰)할 때 앉던 전투석이었다. 함께했던 용사들이 쓰러지는 중에도 선두에서 싸웠던 명성 높은 왕의 무용은 꺾이지 않았다.

백성들의 수호자 흐로스갈은 베오울프로 하여금 말과 무기를 모두 갖되 그들을 잘 사용하라고 부탁했다.

현명하신 군주이며 영웅들의 보물의 관리자인 그는 이처럼 마차와 보물로써 베오울프의 격투에 후하게 보답하였으니 진실을 올바르게 말하고자 하는 이는 어느 누구도 흠을 잡지 못할 것이니라.

주연석(酒宴席)에 자리한 군주는 함께 바다를 건너온 각 용사들에게도 기보(記譜)의 선물을 주었다.

"그렌델이 잔악하게 살해한 용사에 대해서는 덴마크의 구국 전사의 반열에 올리고 고국의 가족에게 더 많은 금으로 보상하라."

흐로스갈 왕은 명령서에 서명하고 다시 말을 이었다.

"만약 베오울프의 용맹과 올바르신 하나님의 가호가 아니었다면 그렌델은 앞으로도 같은 짓을 더 많은 사람들에게 저질렀을 것이다.

주님께서는 지금도 그러하려니와 과거에도 그랬고 다가올 그때에도 언제나 온 인류를 지배하신다. 사람들은 그 거룩한 품에 안겨 오직 그 뜻에 따라 움직여야 한다.

우리의 마음은 항상 주의 뜻을 찾아 살펴 어디서나 세상일에 분별력과 선견지명을 가지도록 해야 한다.

세상에서 긴 삶을 누리노라면 많은 길흉사를 겪게 마련이다. 심판 날이 오기 전 투쟁의 시대에 세상을 사는 사람들은 기쁨뿐만 아니라 많은 슬픔도 각오해야 하느니라.”

10 봄날에 피어난 피의 꽃

그때 헤알프데인의 아들 흐로스갈의 궁전에서는 노래와 음악이 함께 울렸으며 목제 하프도 울렸고 또한 많은 옛이야기도 읊어졌다.

흐로스갈의 시인은 주연석에서 회관의 용사들을 즐겁게 하는 이야기를 또 들려주었다. 그것은 삼촌과 조카의 비극적인 골육상쟁을 다룬 저 유명한 휜스부르그 전투 이야기였다.

지난날 덴마크의 전 왕조 흐내프왕의 시절이었다.

전왕 호크의 딸이며 호크의 아들 흐내프왕의 누이인 힐데부는 덴마크와 오랜 세월 전쟁을 거듭하면서 앙숙으로 지내온 적국 프리지아의 휜 왕에게 출가한 바 있었다.

그것은 힐데부 공주와 휜 왕 두 사람의 국경을 뛰어넘는 사랑에서 말미암은 것이라고는 볼 수 없었다.

그것은 양 국민 간의 오래된 불화와 반목을 청산하고 자기 한 몸을 바쳐 평화를 지을 수만 있다면 한 여자로서의 생을 양보하고자 했던 힐데부 공주의 마음에서 비롯된 것이었다.

그 혼인은 두 적국을 가깝게 하였다. 평화를 위한 혼인이었으나 그것은 두 나라 사이를 전쟁의 위험이 없도록 떼어놓는 것은 아니었다.

흐내프는 남방원정을 가는 길에 프리지아를 방문했다. 누이 힐데부의 안부도 묻고 남방원정에 관한 협조도 요구하고자 했다. 덴마크 왕과 그 일행은 프리지아 국내의 일을 자신들의 일처럼 관여했다. 그것은 대국 덴마크로서 소국 프리지아에 대한 우위를 확인하고자 하는 것이었다.

프리지아의 해변에서 궁궐로 이르는 길은 양털의 융단으로 깔리고 좌우에는 휜 왕의 모든 신하들이 도열해 서서 이 귀하기 이를 데 없는 국빈을 맞았다.

흐내프의 일행은 성문을 지나 휜 왕의 궁실에서 왕을 접견하기로 되어 있었다. 흐내프의 신하 헨게스트는 미리 휜 왕의 궁실에 도달해 영접을 위한 만반의 준비가 되어 있는지 알아보았다.

그런데 프리지아의 궁인은 말했다.

"왕께서는 지금 원정에서 돌아오지 않으셨습니다."

"그럴 수가…… 미리 전령을 보내 우리가 방문한다고 했는데……"

헨게스트는 황당해했다.

"오늘 아침 연락을 받았습니다만 지금 동방 전선이 위급해져서 미처……"

"무슨 소린가? 근래 프리지아에 절체절명의 전투가 있다고는 들어본 적이 없다. 있다면 우리나라와의 전투지."

헨게스트는 융단 위에서 천천히 걸어오고 있는 흐내프 왕에게로 가서 이 사실을 전했다.

"오늘 밤 극진히 대접해드릴 것이니 하루 쉬어 가시라 합니다."

흐내프 왕은 분노했다.

"내가 놀러다니느라고 이곳에 들렀는 줄 아는가. 내 누이라도 만나고 가게 들어가 보자."

왕은 군대로 하여금 궁궐을 둘러싸 있게 하고 호위대와 함께 열린 문을 통해 들어왔다. 왕은 힐데부 왕비가 있는 궁실에 들어가고자 했다.

"들어가시려면 왕과 대신들께서는 무장을 여기서 벗고 들어가 주십시오."

흰 왕의 궁인은 말했다.

"뭣이 어째? 내 가족을 만나려 하는데…… 그럼 차라리 왕비를 이리 나오게 하라."

"힐데부 왕비께서는 프리지아의 국모십니다. 타국의 국모를 홀로 나오라 부르는 것은 예법에 맞지 않사옵니다."

궁인은 여전히 뻣뻣이 말하는 것이었다.

흐내프 왕의 군대가 무장한 채로 궁궐에 머물러 있자 벌써부터 사방에서 프리지아의 군대가 한두 무리 들어오고 있었다. 그들은 일어날 수 있는 사태를 대비하여 잔뜩 긴장해 있었다.

자존심 상한 흐내프 왕은 프리지아의 군대가 정렬을 갖추기 전에 자신의 군대를 향해 선언하듯 크게 외쳤다.

"우리는 이대로 물러간다. 그러나 각 용사들은 여기서 마음껏 행하고…… 여기서 그대들이 한 행위에 대해서는 뒤에 책임을 묻지 않겠다."

백마의 머리를 돌려 왕은 문밖으로 달렸다.

밖에서 기다리고 있던 이천의 군사는 행군의 권태로움에 지쳐 있었다. 그들은 왕의 명령의 의미를 너무도 잘 알아들었다.

"자, 진격하라!"

한 대장이 휘하의 병졸들을 향해 소리쳤다. 그의 말이 끝나기 무섭게 병사들은 흩어졌다.

"자, 우리도 진격!"

다른 대장도 지시했다. 병사들의 함성이 더해졌다.

그다음 지시를 기다릴 것도 없이 서로의 눈치로 행동의 방향은 정해졌다. 이천여 군사들은 궁궐 주변마을을 밟고 다니거나 해안마을을 달리거나 멀리 농가로 내려가며 내키는 대로 행동했다.

궁궐 주위는 삽시간에 아비규환이 되었다. 덴마크인 병사들은 닥치는 대로 여성을 희롱하고 보물을 탈취했다. 해변과 농지로 나간 병사들도 약탈 등의 행패를 자행했다. 프리지아의 군사들은 모여든 군사가 오백 정도뿐이었고 미처 싸움에 이르기까지는 준비하지 못했던 터라 이들의 행위를 거의 막지 못했다.

흐내프 왕의 전령들은 병사들에게 전했다.

"모든 병사들은 기분을 풀었으면 서쪽 산기슭으로 돌아오라."

흐내프 왕은 휜스부르그 성에서 멀지 않은 서쪽 산기슭에 진영을 쳤다.

왕은 분한 마음을 가라앉히지 못했다.

"아무래도 프리지아를 쳐야 하겠다. 그때 힐데부를 결혼을 시키지 말았어야 하는 것인데."

탄식하는 왕을 보고 헨게스트는,

"당시 공주님이 프리지아국의 초청을 거부하지 않으셔서 어쩔 수 없었습니다. 조금만 더 버티셨어도 저희가 무슨 구실을 붙여서라도 막았을 것인데." 하고 답했다.

"공주가 그 프리지아의 남자를 얼마나 좋아했었는지는 모르지만, 어찌했든 간에 전쟁이 끊이지 않았던 적국에 시집간다는 것은 편한 일이 못 되는 것인데. 결국 자기 하나의 희생으로 양국의 평화가 있게 되지나 않을까 해서 별로 마음이 끌리지 않았다 해도 혼인을 자청했던 것이었지. 그 애는 어릴 때부터 너무 마음이 착해서 탈이었어. 남이 동정을 바라며 부탁하는 것은 거절을 못 했지. 하여튼 개인 간이나 국가 간이나 어리숙하게 남을 믿는 자는 손해를 보게 되어 있더라고."

왕은 휴식을 위해 안으로 들어갔고 헨게스트와 군장(軍長)들은 밖에서 경계를 보았다. 북국의 짧은 가을 해는 서편 언저리에 엉거주춤 떠 있고 성급한 상현달은 동쪽 하늘 구름 위에 엎드린 채 기지개를 켜고 있었다.

덴마크의 용사 헨게스트는 진지 주변의 고지에서 망을 보았다. 그러던 중 한 섬광을 보았다. 그는 곧장 흐내프 왕에게로 달려갔다.

"주군, 밖에 빛이 번쩍거립니다."

"그전부터 낌새가 이상하더라니 결국 놈들이 쳐들어오는구나."

흐내프는 필시 적군이라 생각했다. 덴마크 군주의 방문을 점차 달가워하지 않는 그들의 태도를 의식하고 있었다. 전투에 미숙한 왕 흐내프는 밖으로 나와 자기의 군대를 향하여 외쳤다.

"우리의 궁궐회관의 지붕은 결코 타지 않을 것이다. 그러나 저들의 궁궐은 오늘 불타오르는 운명을 맞이할 것이다.

이 섬광(閃光)은 동쪽 하늘이 트는 것도 아니며 화룡(火龍)이 이리로 날아오는 것도 아니며 또한 저들의 궁궐이 타는 것도 아니다.

단지 적군이 무기를 들고 이리로 오는 것이다. 그들의 적의(敵意)에 찬 칼날에 햇빛이 부딪쳐 이리로 비치는 것이다.

독수리와 까마귀는 끼욱끼욱 소리 내며 하늘에 맴돌고 회색갑옷의 용사들은 함성을 지르며 창봉(槍棒)을 부딪치고 있다. 우리의 방패는 비 오듯 날아오는 화살을 막고 있다.

하늘에 방황하는 달은 구름 아래 지나고 있다. 백성의 증오를 초래하는 흉사가 곧 일어날 것이다. 그러나 내 용사들이여! 깨어서 그대들의 보리수나무 방패를 잡고 우리의 무용을 잊지 말고 선두에 나가 싸워라! 용감할 지어다!"

금장식 무구의 여러 군장들이 그들의 검을 차고 일어섰다.

그때 훌륭한 용사 시계퍼스와 에아하는 정문 앞에서 검을 빼들었다. 오들라프와 구슬라프는 좌우 양쪽 문을 지켜서 있었으며 헨게스트는 그들의 뒤에서 다른 용사들과 함께 있었다.

이때 덴마크인들과의 일전을 준비하고 그들의 성 밖으로 나온 프리지아 진영에서는 구세레와 가루프라는 용사가 결전을 준비하고 있었다.

"가루프, 이번 첫 전투에 섣불리 생명을 걸지는 마시오. 우리가 승세를 잡을 때까지는 적진 앞까지는 가지 마오."

"싸움에 두려움이란 없소. 어차피 싸움에는 승리 아니면 죽음뿐이오."

"시기를 보아야 하오. 지금 싸움에 용감한 적군의 장수 시계퍼스가 자꾸 그대에게 싸움을 걸려 하는 것은 그대를 죽여 갑옷을 빼앗아 가고 싶어 함이오."

그러나 가루프는 결국 앞으로 나갔다.

"거기 앞에 지키는 자는 누구인가?"

가루프는 상대 쪽을 향해 크게 외쳤다.

곧 대답이 들렸다.

"나는 세칸족의 유명한 방랑 무사 시계퍼스다. 나는 이제까지 많은 고난과 혹독한 싸움을 겪어왔다. 그대가 내게서 얻으려는 둘 중 하나를 내가 주리라. 승리 아니면 죽음이 나와 그대를 위해 마련되어 있으니 골라서 가져가라! 허나 그대 뜻대로 만은 안 될 것이다."

가루프와 프리지아의 모든 병사는 흐내프 왕의 진영을 향해 진격했다. 그러자 조금도 지체 없이 흐내프 왕의 군사는 프리지아의 휜스부르그 성을 향해 진격했다.

프리지아에서 천여 명, 덴마크에서 이천여 명. 삼천여 명의 보병 용사들은 서로 뒤엉켜 접전을 벌였다.

그러나 시간이 흐를수록, 저들의 나라를 유린한 외국 침입자에 대한 분노로 무작정 출진한 프리지아의 군대는 호기로운 여유를 부리면서 적을 농락하는 덴마크 군대의 우세한 힘에 밀리고 있었다.

프리지아의 진영은 흐트러졌다. 성문은 큰 돌을 굴리며 목차(木車)를 밀고 들어오는 덴마크 군사에 의해 부서지고 성벽 일부마저 무너졌다. 덴마크 군사들은 성안으로 물밀 듯 밀고 들어왔다.

프리지아의 궁성과 그 주변에서는 한바탕 살육의 대 참극이 일어났다. 덴마크군은 궁전 안에까지 들어왔다. 죽고 죽이는 싸움이 지붕 밑에서도 벌어졌다. 휜스부르그 성 실내의 마룻바닥에서 울리는 소리는 요란했다.

죽음을 불사하며 용감히 적을 향해 달려들었던 자들의 손에 쥔 방패는 상대의 사정없는 내리침에 맞아 불쑥 나온 중심만을 남기고 부서졌다. 방패가 부서진 다음에는 뼈와 같이 단단히 주조한 투구도 깨어졌다. 그다음…… 인간의 연약하고 부드러운 육체는 날카로운 금속의 타격 앞에 맥없이 스러지고 말았다.

마침내 구슬라프의 아들인 프리지아 용사 가루프는 그 땅의 거주민 중에 제일 먼저 전사했다. 그의 주위에는 또한 많은 용감하고 충성스러운 용사들이 쓰러져 있었다.

싸움터에는 짙은 회색 구름이 덮였다. 후득후득 빗줄기가 간간이 뿌려졌다.

방금 전까지도 억센 팔다리를 힘차게 놀리며 기운찬 생명력을 과시했던 젊디젊은 용사들은 차가운 검날에 쓰러지고, 낮게 공중을 선회하는 검은 까마귀 떼만이 탐내는 한 줌 육질로 화했다.

아직 살아남은 양편의 용사들은 더욱더 맹렬히 치고 막으며 싸움을 계속했다. 싸우는 그들의 검날은 불꽃이 튀고 번뜩였다. 멀리서 보면 그 찬란히 나부끼는 광채로 마치 온 흰스부르그 성이 불타는 것 같았다.

흰 왕의 궁실 입구 대청마루에서의 전투는 가장 치열했다. 그들의 군주를 지키려는 용사들의 결사적인 방어와 한층 달아오른 싸움의 열기를 이곳에서 결판내려는 용사들의 공격이 맞부딪쳐 실내에는 곧바로 바닥이 무너질 듯싶은 둔탁한 충격음과 날카롭고 명징(明澄)한 쇳소리가 어우러진 묘한 화음의 울림이 계속되었다.

사람들은 그 이전까지, 프리지아의 궁실을 지켰던 이들 오십 명의 용사들만큼 전투에서 훌륭하게 싸웠다는 이야기를 들어보지 못했다. 또한 흐내프의 젊은 부하들만큼 군주에게서 받은 백주(白酒)에 훌륭히 보답한 용사들이 있다는 이야기도 듣지 못했다.

프리지아의 구세레는 부상당하여 싸움터에서 물러나 궁실 뒤에 있는 흰 왕의 진영으로 돌아왔다.

"나의 쇠사슬 갑옷이 부서져 쓸모없게 되고 투구도 관통되었다. 이제 어떻게 더 싸울 것인가."

쓰러져 돌아온 구세레의 한탄을 듣고 프리지아 백성의 수호자 흰 왕은 그에게 묻기를,

"용사들은 상처를 어떻게 참고 견뎠소? 죽은 가루프 외에…… 젊은 용사들 중 누가 살아남았소?" 했다.

"상처의 아픔은 싸움을 위한 충성심으로 이겨냈습니다. 지금 상처를 안고 있는 용사는 거의 없습니다. 그들은 모두들 상처 난 몸으로 싸우다…… 죽었기 때문입니다."

이때 이 광경을 보고 있던 흰의 왕자는 분개하였다.

"이 악한 침략자들을 그냥 둘 수 없습니다."

소년을 갓 벗어난 홍안의 왕자는 투구를 쓰고 말을 달려 흐내프의 진영으로 나아갔다.

흐내프는 달려오는 왕자를 보고 그를 막으러 말을 달려 앞으로 나왔다. 이미 모든 장수는 싸움에 나가 있으니 예기치 못한 적은 그가 친히 나설 수밖에 없었다.

달려오는 적은 기운찬 적마(赤馬)를 타고 금빛 수놓은 푸른색의 갑옷에 황금투구의 차림새로 고귀한 신분임은 알 수 있었으나 싸움에 흥분한 흐내프는 그가 누구인지 안중에 없었다.

챙! 챙! 황금투구의 두 용사는 십여 합을 겨뤘다.

두 사람의 검날은 서로 맞긁혀, 부서진 쇳조각은 주홍빛의 불티가 되어 튀고, 서로 미끄러져 생기는 마찰열은 부싯돌 같은 청백색의 섬광을 일으켰다.

시간이 흐르면서 덴마크의 국왕은 젊은 프리지아 왕자에게 밀리고 있었다. 검과 방패, 방패와 검, 그리고 검과 검은 계속 부딪쳤지만 흐내프 백마는 조금씩 뒤로 물러서고 있었다.

근방에서 싸우던 덴마크의 용사들 중 싸움에 승리한 자들이 급히 그의 곁으로 왔다. 그들은 달려오는 프리지아 병사들을 격퇴하고는 왕자의 군마부터 공격했다.

마지막 무용을 찬란히 발휘했던 프리지아의 용맹한 왕자는 순식간에 땅바닥에 내려앉고 한 떼의 사정없는 공격의 칼부림에 처참히 쓰러졌다. 그리고는 더 이상 움직이지 못했다.

싸움의 균형은 이내 허물어졌다. 국왕의 구출에 전념하던 덴마크 병사들은 어느새 전열을 가다듬은 다수의 프리지아 군에게 포위되었다.

왕자를 잃은 그들의 분노는 말할 나위 없었다. 다시 국왕 흐내프를 포함한 덴마크의 용감한 자들은 적군의 성난 칼질 앞에 깨어지고 터져서 한 줌 피곤죽으로 화했다.

프리지아의 군사들은 또다시 몰려온 성난 덴마크 군사들과의 난전(亂戰)을 피할 수 없었다. 덴마크 국왕을 죽인 프리지아 군사 중에 덴마크 군사의 창칼 아래 죽지 않고 살아 돌아간 자는 없다고 봐야 할 것이었다.

덴마크 백성의 영웅 흐내프는 프리지아와의 전장에서 죽을 운명이었다. 그러나 나머지 덴마크인들은 닷새 동안 신하 장수 중 누구 하나 죽지 않고 싸워서 그들의 진영을 방어했다.

덴마크군은 충실한 신하 헨게스트가 지휘하였다. 결전 엿새째, 그는 남은 군사를 모아 오늘이야말로 결판을 내서 국왕의 원수를 갚겠다고 벼르고 있었다.

"성의 앞 벽이 허물어졌다. 그러니 오늘 공격에는 후방에 화살부대를 배치해서, 접전이 일어나 정신없는 사이에 성안으로 화살 세례를 퍼붓자……"

그러는 중 밖에서 소리가 들렸다.

"헨게스트 대신님, 프리지아의 힐데부 왕비가 백기를 들고 옵니다."

헨게스트는 장막을 걷고 언덕 아래를 보았다.

과연 휜스부르그 성의 무너진 성벽을 딛고 이리로 오는, 이십 명가량의 프리지아 군이 있었다. 그 중에 장수인 듯싶은 자는 없었다. 다만 앞의 백마에는 참혹한 전장에 어울리지 않는…… 지극히 아름다운 흰옷의 여인이 타고 있었는데 바로 흐내프 왕의 누이이자 프리지아의 왕비인 힐데부였다.

왕비 일행은 서로의 진영 중앙에서 조금 더 전진하여, 덴마크군 진영에서 그녀의 말소리가 들릴 만한 곳까지 왔다.

"덴마크의 어진 대신 헨게스트여! 한 여인의 간청을 들어주소서."

이전에 섬겼던 공주의 애절한 목소리는 헨게스트로 하여금 그녀의 청을 들어 몸을 움직이지 않을 수 없게 하였다. 헨게스트도 역시 스무 명의 군사와 함께 나왔다. 걸어서 힐데부 일행이 서 있는 곳의 네댓 걸음 앞까지 왔다.

그가 오자 힐데부는 말에서 내려, 몸은 일으킨 채로 땅에 두 무릎을 대고 올려보았다.

"공주님, 그간 안녕하셨습니까?"

헨게스트는 검을 땅에 꽂고 한쪽 무릎을 대고 앉아 예를 표했다.

힐데부 왕비의 눈가에 괴었던 눈물이 옆으로 새어 나와, 찬바람을 쐐 붉게 상기된 양 뺨을 흘러 타고 내렸다. 흑갈색의 머리칼은 녹아내린 진눈깨비에 젖어 굵게 뭉치고 가라져서 그녀의 흰 이마와 물 젖은 흰옷을 내리덮었다. 가련한 왕비의 붉은 입술은 추위와 긴장으로 보랏빛을 띠며 떨리고 있었다.

"저희 프리지아 군에는 더 이상 감정에 휩싸여 헛된 싸움을 벌이지 말라고 일렀사옵니다. 이미 저가 이곳 나라의 사람이 되어 서로 친척

의 나라가 되었으니 서로가 서로의 땅을 왕래하는 데도 아무런 문제
가 없고 서로는 땅을 차지하기 위해 싸워야 할 이유도 없습니다.

위대하셨던 군주 흐내프와 저의 자랑스러웠던 아들은 이 전쟁에서
죽을 운명이었으니…… 이제 그들의 희생 위에 더 이상의 희생이 없도
록 해야 하지 않습니까.

덴마크의 백성이 저희 땅에 와서 농사를 짓고 사냥을 하고 소출물
(所出物)을 덴마크 왕실에 바친다 해도 개의치 않겠사오니 원컨대 현명
하신 덴마크 왕실의 대신께서는 싸움을 중지시켜 주시옵소서."

헨게스트는 그대로 꿇어앉아 힐데부의 말을 들었다.

그가 아무런 대답과 움직임이 없자 힐데부는 더 가까이 와서 헨게
스트의 손을 잡았다.

헨게스트는 잠자코 듣고만 있다 생각에 잠겨 고개를 숙이고 있었는
데 전장에 어울리지 않는 여인의 향기가 더욱 강하게 풍겨오는 것이었
다. 고개를 든 순간 땅에 꽂은 검의 칼자루를 덮어 쥐고 있는 그의 손
등을 여인의 보드라운 손이 덮고 있었다.

참혹한 싸움터에서 나날이 복수심과 증오에 불타오르고만 있던 그
의 마음은 거부하지 못하는 온화한 압력에 밀려 녹아들고 있었다.

"그렇소. 휴전을 합시다."

헨게스트는 대답했다.

양국은 힐데부가 말한 것과 같은 조약을 체결하였다. 백성의 인구
가 덴마크 쪽이 훨씬 많았으므로 당연히 그들에게 유리한 조약이었다.

양국의 군사들은 내심 느끼기에도 뚜렷한 명분 없이 복수심에만 들
떴던 전쟁이라 순순히 휴전을 받아들였다.

화의(和議)의 행사로 양국의 합동 장례식이 거행되었다.

진실로 왕비 힐데부는 프리지아인들의 용감함을 칭찬할 하등의 이유가 없었다. 아무 죄도 없이 그 여인은 전투에서 사랑하는 아들과 오라비를 모두 빼앗기고 말았다. 명예를 위해 살았던 그들은 운이 다하여, 싸우다 창에 찔려 상처를 입고 죽었다. 진실로 그녀는 이 세상 어느 여인보다 슬픈 여인이었다.

힐데부는 그날 아침 혈육의 죽음을 보고는 까닭 모를 운명의 가혹함을 여간 한탄한 것이 아니었다. 그녀는 전에까지 그들 자랑스러운 혈육들로 말미암아 세상에서 가장 큰 기쁨을 누리던 여인이었다.

전쟁은 몇 사람만을 제외하곤 거의 모든 흰의 신하들을 빼앗아 갔다.

흰은 더 이상 전쟁에서 헨게스트에 대항하여 싸울 수가 없었다. 이대로 싸움을 계속해서는 살아남아 있는 자들조차 흐내프의 신하 헨게스트의 공격으로부터 보호할 수 없었다.

그래서 프리지아인은 덴마크인에게 협정을 제의했던 것이었다. 다만 싸움에 참여한 용사 대부분은 차라리 싸우다 죽자며 반대했다. 그러나 왕비 힐데부는 그날 밤 모두에게 눈물로 호소하여 몸소 화의를 청하러 나가기로 했다.

프리지아인은 손상되지 않은 또 다른 궁전회관과 건물터 그리고 회관에 붙은 왕좌를 덴마크인이 사용하도록 내주었다.

프리지아의 국왕 흰은 덴마크인들에게 보물을 바치기로 했다. 그가 헨게스트의 군대에 바쳐야 하는 보물은 자신의 궁전 주연관에서 부하들을 기쁘게 할 때 주는 판금(板金)과 금환(金環)의 물량에 덜하지 않아야 했다.

평화 조약이 쌍방에 맺어졌다. 흰은 헨게스트 앞에서 엄숙한 서약을 했다.

　양측은 발표하기에 무리 없는 조항만을 골라 양측의 군사가 모인 앞에서 큰 소리로 낭독하며 확인했다.

　"이번 재난의 참가자들은 고문관의 판단에 준하여 극진히 예우한다!"

　"앞으로 누구든지 말로나 행동으로 이 조약을 어길 수 없다!"

　"덴마크인 용사 중 일부는 프리지아에 남아 흰 국왕의 봉급을 받아 생활한다. 이것은 영도자의 죽음에 따른 부득이한 필요에 의해서이다. 이것을 가지고 주군의 살해자를 섬겼다며 악의로 평가해서는 안 된다. 만일 프리지아인 누군가 도발적인 언사로 덴마크 용사에게 그 아픈 숙원을 상기하게 한다면 그 실언은 검으로 응징될 것이다."

　화장을 위한 장작더미가 마련되었다. 이 세상의 영광을 뒤로하고 떠난 그들과 함께 불탈 금을 보고에서 꺼내왔다.

　덴마크 용사들 중에 가장 훌륭했던 흐내프는 화장불 위에 놓였다.

　장작더미에는 피묻은 쇠사슬 흉부갑옷과 금빛 산돼지 상이 붙은 투구가 있었다. 그리고 피 흘려 죽은 수많은 용사의 시신도 함께 있었다.

　참으로 많은 사람이 전장에서 죽었다.

　그때 눈물을 그치고 의연히 바라보던 왕비 힐데부는 격앙된 큰 소리로 명했다.

　"흐내프 국왕의 화장불에 나의 아들도 맡기도록 하라!"

　모두들 이의를 달지 않았다. 둘의 육체가 같은 불 속에 함께 타도록 프리지아 왕자의 시신도 그의 삼촌의 어깨 옆에 나란히 눕혔다.

　그녀는 슬퍼하며 비가(悲歌)를 불렀다.

삶과 죽음은

영혼이 거하는 두 개의 다른 집

밝은 낮이 지나면 어둠이 오고

더운 여름이 지나면 추운 겨울이 오고

다시 낮과 여름은 돌아오듯이

님들의 영혼은 때가 되면 다시 살아나리

얼음이 녹으면 물이 되고

물이 다시 얼음이 될 수 있듯이

님들의 영혼은 이 세상에 다시 오시리

그러나 언제 어느 때

우리가 다시 만날 것인가

그것은 알 수 없고

훗날 다시 언제 우리가

더 행복하고 축복받는 만남이 있다 해도

現世의 비통한 헤어짐의

상처를 보상할 수 있을까

神이시여 이것이

우리 영혼의 단련을 위한 것이라면

인간의 슬픔도

다툼과 증오로부터 생기도록 하지 마옵고

화해와 사랑으로부터 피어나게 하소서.

그 용사들은 불 위에 얹혔다. 크나큰 화장의 불이 장작을 타올라
가더니 폭발하듯 번지며 시신 더미 위를 덮치고 감싸 올라갔다. 그들

의 머리는 타서 으스러졌고 몸의 심했던 상처는 피가 터져 나와 불길에 끓었다.

불…… 가장 욕심 많은 악마는 전쟁이 빼앗아 간 모든 사람들을 남김없이 삼켜버렸다. 그들의 많은 영광도 함께 사라졌다.

친구를 잃은 프리지아의 용사들은 각자의 거처로 돌아갔다. 그들은 저들의 집이 있는 성시(城市)를 향해 갔다.

그 해 덴마크의 대신 헨게스트는 프리지아 국왕 흰도 그러했듯이 학살로 얼룩진 한겨울을 심히 불행하게 보냈다.

헨게스트는 폭풍에 파동(波動) 하는 바다에서 바람과 다투며 어서 고국으로 가고자 했으나 겨울은 파도를 얼음의 자물쇠로 굳게 채워 놓았기에 떠나갈 수 없었다.

선수(船首)에 고리가 달린 배로 바다를 건너지는 못했지만 그는 멀리서도 고국을 그렸다. 햇빛 나는 맑은 날을 기다리는 많은 사람들처럼 그 또한 거처에 다음 해 봄이 찾아오기를 기다려야 했다.

겨울은 지나고 대지의 가슴은 아름다워졌다.

타국에서 온 망명객은 그 성시를 떠나기를 열망했다. 그러나 아직도…… 그는 만약 자기의 검으로 프리지아의 군사들을 무찌를 싸움을 일으킬 수만 있다면…… 고향을 향한 항해보다는 차라리 피의 원한에 대한 복수를 하고자 했다.

프리지아에 머물고 있는 구슬라프와 오들라프는 그곳의 사람들에게 자기들이 이리로 온 후에 일어난 끔찍한 사건과 그에 따른 고통을 호소했다.

"친목을 도모하려고 찾아온 외국 군주를 살해하다니 있을 수 없는 일이야."

그리고 자기들이 입은 여러 재난에 대해 프리지아의 왕실을 비난했다. 덴마크의 공주를 빼앗아 인질로 삼고 다른 소국들과 달리 대국 덴마크에 위세를 높이려 했던 프리지아의 행태는 너무도 괘씸한 것이었다.

"왕의 측근이시여."

회관의 내실에서 고뇌에 잠겨있는 헨게스트를 부르는 소리가 있었다.

홍안의 소년이 들어왔다. 붉은 바탕에 금색 용 무늬가 수 놓인 칼집에 든 보검을 두 손으로 들고 있었다.

소년은 무릎을 꿇고 헨게스트가 묻기 전에 자기를 소개했다.

"저는 훈라프의 아들이며 구슬라프와 오들라프의 조카인 훈라핑이라 합니다. 이 검은 제가 가질 수 있는 모든 물건 중에 가장 훌륭한 것입니다. 즉 저의 부친이 남긴 천하의 보검입니다."

소년은 검을 두 손으로 들어 올려 헨게스트의 무릎 위에 놓았다.

"아비의 원수를 갚아 주소서."

헨게스트는 소년이 준 그 검을 빼 보았다.

"이…… 이것은 말로만 듣던 바로 그 비룡금수검(飛龍金繡劍)이 아니던가? ……"

이 검은 프리지아인들 사이에도 잘 알려져 있는 천하의 보검이었다.

"알겠네. 내 또한 이대로는 돌아갈 수 없던 참이네."

헨게스트는 프리지아의 궁궐에 전갈을 보냈다.

흰 왕 또한 적국의 대신이 군대를 이끌고 근처에 머물고 있음에 하루도 편할 날 없이 고뇌에 시달리고 있었다. 흰 왕은 전략 회의 중에 전갈을 받았다. 올 것이 왔구나 하는 마음에 떨리는 손으로 뜯어보았다.

"덴마크의 대신 헨게스트로부터 결투 신청이 왔소."

전갈을 읽은 흰 왕은 둘러서 있는 측근들에게 알렸다.

"그런 법이 있나. 한낱 일국의 신하가 일국의 군주에게 결투를 신청하다니……"

"안 될 말입니다. 적국의 신하와 생명을 흥정하다니요."

"정 하려면 그네들 본국의 왕자를 보내라 하십시오."

그러나 흰 왕은 거절할 수 없었다. 헨게스트는 이미 주변에 진을 치고 침공을 벼르고 있음을 알기에.

"어쩔 도리가 없소. 적장 헨게스트를 결투에서 죽이면 그들도 물러갈 것이오."

결투의 날은 초봄의 따스한 햇살이 내리며 밝았다.

프리지아의 왕궁 앞 넓은 뜰에서 많은 군사들이 둘러서 지켜보는 가운데 둘은 각기 검과 방패를 들고 마주 섰다.

반듯한 콧날과 일자로 다문 입술, 정갈한 피부에 흑발벽안(黑髮碧眼)의 고귀한 용사 흰 왕과, 길게 자란 붉은 머리에 턱과 뺨 언저리에는 희끗한 수염이 듬성듬성하고 상대를 노려보는 갈색의 눈매가 매서운 역전(歷戰)의 용사 헨게스트는, 이제 둘 중 하나는 죽거나 크나큰 수모를 당하는 운명을 피할 수 없었다.

올려 있던 각자의 면갑(面甲)을 내려쓰고 그들의 대결은 시작되었다.

강철과 강철의 양보 없는 포효가 요란했다.

"챙! 챙!"

"퉁! 타악!"

검날끼리 충돌하는 날카로운 쇳소리를 방패의 둔탁한 울림이 받쳐주었다. 두 사람의 검날은 서로 부딪고 긁히며 불티를 튀었지만 밝은 햇살 아래 그다지 눈에 띄지는 않았고 검의 움직임에 따라 때때로 반사되는 밝은 햇빛이 관전자들의 눈을 부시게 했다.

용사 흰은 한동안 자기의 검으로 싸움의 달인 헨게스트의 공격을 잘 막아냈다. 그러나 결투가 계속되면서 복수심에 충천한 칼잡이 헨게스트에게 왕은 역부족이었다.

햇빛 아래 파르라니 번뜩이는 헨게스트의 보검 날 끝은 거듭되는 장합(仗合)에 무디게 마모되길 원치 않는 듯…… 이윽고 흰의 가슴을 찔렀다. 참혹한 검에 의한 죽음이 이번에는 흰 왕 자신에게 그의 집에서 일어났다.

국왕이 쓰러진 순간, 충격받은 프리지아 군사들을 향해 덴마크의 군사들은 일제히 덤벼들었다. 프리지아군 대부분은 기가 꺾여 달아났다.

덴마크의 군사들은 지키는 자가 없는 프리지아 궁성에서 온갖 보물을 약탈했다.

해결 못 한 한을 품은 불안한 마음은 언제까지나 가슴속에 담아둘 수 없는 것이었다.

겨우내 덴마크의 가신 헨게스트의 마음을 잡아매며 많은 덴마크 병사의 마음속에 맺혀 있었던 한은 봄날 땅속에 묻혔던 씨가 움틀 때 서둘러 참혹한 붉은 피의 꽃을 만개했다.

한때 비옥한 토지 위에 오붓하고 튼실한 부를 일궈 비록 크지는 않으나 여느 강국 못지않은 영화를 누려 왔던 프리지아의 궁성은 덴마크인의 칼날에 죽은 시체로 붉게 덮였다.

이때 그 가련한 여인 힐데부는 어디 있었을까.

덴마크 군사의 기세등등한 살육전이 자행될 때 그녀는 싸움터 중앙에 나갔다.

"나를 죽이지 않고는 프리지아인 누구도 죽일 수 없다!"

그녀는 두 팔을 벌리고, 전진하는 덴마크 군사들 앞에 섰다.

"체포하여 우리 진영에 모셔라!"

헨게스트의 단호한 명령이 떨어졌다. 내키지 않는 일이었지만 그녀와 가까운 데 있던 두 병사는 명령을 따를 수밖에 없었다.

"싸움을 중지해요!"

"말씀을 안 하시게 해 드려라!"

호송하는 병사는 천으로 그녀의 입을 막았다.

적국의 왕을 궁중에서 살해하고 그의 왕후마저 사로잡은 덴마크 용사들은 그 나라 왕의 모든 것…… 휜의 집에서 찾아낸 금목걸이 그리고 홍색, 자색, 녹색의 각종 보석을 배에 실었다. 그리고 그들은 가장 귀중한 노획물이자 되찾은 것이기도 한…… 그 고귀한 여인 힐데부를 본래 그녀의 백성에게 돌려주었다.

시인의 이야기는 여기서 끝났다.

사람들이 기뻐하는 소리가 회관에서 다시 들렸다. 주연석의 즐거운 소리는 벽과 천장을 오가며 크게 울렸다. 술을 따르는 사람들은 빛이 반사되는 훌륭한 유리그릇에다 용사들을 위한 흑자색 포도주를 정성스레 따랐다.

그때 웨알데아는 홍보석의 꽃봉오리 형상이 붙은 작지만 우아한 금관을 쓰고 앞으로 나와서 두 용사…… 남편 흐로스갈과 그의 조카 흐로둘프가 앉아 있는 곳으로 갔다.

이때만 해도 이들 두 사람의 정의(情義)에는 금이 가지 않았고 서로는 상대에게 신실했다. 훗날 사촌 간의 피를 부르는 싸움은 상상할 수 없었다.

또 왕가의 대변인 운휘스는 옥좌 바로 아래 앉아 있었다. 비록 운휘스는 검투에서 자기 혈육들을 무정하게 처단했지만 사람들은 그의 기백이 온전함을 믿었으며 또한 그가 명분 있는 일 앞에서는 대단히 용감함을 알고 있었다.

덴마크의 왕후는 모두 앞에서 선언하듯 말했다.

"보물을 나누어주시는 자, 나의 고귀한 군주시여 이 술잔을 받으시옵소서. 용사들의 군주시여 기뻐하소서! 예이츠인들에게 감사의 마음을 표하시옵소서. 당신이 가지고 계시는, 원근에서 모은 모든 선물을 잊지 마시고 예이츠인들에게 후히 베풀어주십시오.

사람들이 말하기를 당신께서는 용사 베오울프를 아들로 삼으시려 한다 합니다. 빛나는 황금의 회관 해록은 정화되었습니다. 이제 인간으로서 부귀영화를 누리기를 하늘로부터 허락받은 자가 받을 그 많은 보상을 즐기십시오. 그리고 당신이 죽을 때…… 당신이 태어나서부터 미리 정해진 숙명을 대하러 갈 때, 국민과 나라를 당신의 혈연자들에게 편안히 두고 가십시오.

만약 덴마크의 군주이신 당신께서 흐로둘프보다 먼저 세상을 떠나시게 되면 저의 현량(賢良)하신 흐로둘프께서 우리의 젊은 왕자들을 극진히 예우하실 것을 저는 압니다. 그가 예전 자기가 아직 어린아이였을 때 우리 둘이 그의 기쁨과 명예를 위해 베푼 호의를 잊지 않는다면 그는 우리의 아이들에게 친절히 보답할 것을 믿습니다."

그리고 그 여인은 아직도 탄력이 있는 허리를 금빛의 유선형 의상 아래 유연히 움직이며 자기의 아들인 흐레드릭과 흐로문드가 여러 영웅의 아들인 건장한 청년들과 함께 앉아 있는 장의자(長椅子)로 갔다.

두 형제 곁에는 훌륭한 예이츠인 베오울프도 있었다.

"진실로 위대한 그대에게 한잔을 바칩니다."

왕비의 옥수로 건네는 유리잔을 받은 베오울프는,

"왕가의 앞날에 영광 있기를 기원합니다."

하고 우정 어린 화답을 했다.

왕궁의 보물 중 가장 훌륭한 두 개의 금팔찌, 왕가의 용사를 위해 만들어졌던 사슬 미늘 갑옷, 그리고 여태 천하의 황금시장에서 어떤 거상도 보지 못한 제일 큰 황금 목걸이가 그에게 공손히 증여되었다.

옛날 전설적인 게르만 영웅 함마가 동방 고딕국의 왕 에오멘릭에게서 마법의 목걸이를 탈취하여 자기의 빛나는 성으로 빼앗아 간 이후로 천하 영웅들의 보고(寶庫)에 이보다 더 훌륭한 것은 있지 못했다. 그 보물은 오래전 그 나라의 부로징 형제라는 대장장이가 여신 프레야에게 대지의 풍요로운 결실의 축복을 빌고자 국왕의 명으로 귀중한 보석을 박아 만든 것이었다.

보물은 그 뒤 다시 도난당했으며 함마는 에오멘릭의 사무친 증오를 피하여 영원한 진리를 택해 수도원에 들어가 생을 마쳤다.

후에 스웨르팅의 손자 예이츠 왕 히엘락은 그의 최후의 출정 때 이 목걸이를 하고 있었다. 그때 그는 자기의 깃발 아래서 보물을 지키고 전리품을 방어했다.

그러나 그는 자부심에 찼던 나머지 프랑크인에게 무모한 싸움을 자청했기에 운명이 그를 데리고 가버렸다. 힘센 군주는 이 귀중한 보석으로 꾸며진 보물을 달고 ― 끝없이 파도가 넘실대는 거대한 잔 ― 바다를 넘어서 그곳에서 싸우다 자기의 방패 밑에서 전사했다. 왕의 시체와 흉부갑옷과 목걸이는 프랑크인 수중에 들어갔다. 전쟁의 학살

후 전쟁터는 예이츠인의 시체로 덮였고 적병은 예이츠인의 시체를 약탈했다.

훌륭한 선물들이 하사되자 회관은 박수 소리로 울렸다. 웨알데아는 군중 앞에서 그에게 말했다.

"이 젊은 사람, 사랑하는 베오울프여. 이 목걸이와 또한 백성들의 보물인 쇠사슬 흉부갑옷을 좋은 일에 쓰십시오. 그리고 더욱 영광을 누리시고…… 당신의 힘을 발휘하여 당신의 명예를 널리 드높이십시오.

그리고 부탁이 있습니다. 나의 나이 어린아이들의 앞길을 염려하고 친절히 지도해 주십시오. 그러신다면 당신의 그 수고를 잊지 않고 보답하겠어요.

그대의 나라는 더욱 번영하십시오. 마치 저 동쪽 다도해 바다의 물결이 해안에 연이어 솟은 흑색 바위벽을 끝없이 연모하며 쉼 없이 철썩이듯, 당신은 당신의 업적으로 사람들로 하여금 원근 도처에서 오래도록 당신을 칭송하게 했어요. 저 북해에 연한 바닷가의 겹겹이 늘어선 침엽수림의 열(列)이 멀리 북해 깊숙한 곳 극지에서 불어오는 모진 바람을 막아 사람들의 집을 상하지 않게 하듯이, 당신은 당신의 업적으로 말미암아 많은 사람을 구하여 원근 도처에서 당신의 명예를 오래도록 기리게 하였어요."

얼굴에는 연로함을 감출 수 없는 잔주름이 있으나 광택 있는 드레스에 싸인 완곡한 몸매는 아직도 우아하기 이를 데 없는 왕비 웨알데아는 젊은 베오울프의 억센 양어깨에 두 손을 짚고 발을 들어 그의 목덜미에 입을 맞췄다.

다시 왕비는 베오울프와 모두를 위한 축사를 했다. 그녀의 얼굴은 약간의 음주와 분위기에 젖어 붉게 상기되어 있었다.

"오, 예이츠의 왕자시여! 그대의 삶 동안 내내 축복받으시길 기원해요. 나는 당신이 얻은 보물로 말미암아 당신의 앞날이 더욱 번영하기를 빌어요. 축복받으신 이여, 부디 행동으로 내 맏아들에게 친절하게 베풀어 주셔요. 여기 있는 모든 귀인은 상호 간에 성실하며 의리가 있고 마음씨가 상냥하고 자신의 군주에게 충성해요. 신하들은 국론을 따라 하나로 단결했고 백성들은 순종하였어요. 술을 마시고 얼굴이 붉어져도 가신들은 나의 명령대로 하였어요."

이야기를 마친 웨알데아는 주연석에서의 퇴장을 위해 용사들 시선의 중심을 벗어나 옆으로 돌아 걸음을 옮겼다.

"왕비님, 건의할 일이 있습니다."

앉아 있는 한 젊은 덴마크인 병사가 지나가는 웨알데아를 불러 세웠다. 연한 갈색의 선한 눈빛에 앳된 얼굴의 이제 갓 소년을 벗어남 직한 청년이었다.

"우리 덴마크에는 최근 십여 년간 전쟁이 한 번도 없었습니다. 있었던 것은 신의 저주를 받은 악마 그렌델의 횡포뿐이었습니다. 이제 그렌델도 퇴치되었고 악마의 호수는 평정되었습니다. 주변국은 모두 우리에게 복속해 있고 이웃 예이츠국의 국왕과 신하는 우리에게 우호적입니다. 이제 미움과 다툼의 시대는 갔고 평화와 공존의 시대입니다. 저는 아직 어립니다. 저의 어머니의 품 안으로 돌아가고 싶습니다. 고향에서 부모님의 사랑을 받으며 농사를 지으며 살고 싶습니다. 우리의 검을 녹여서 보습을 만들고 창으로 쟁기를 만들고 방패를 쪼개 삽을 만들면서 우리는 평화시대의 새로운 체제를 구축해야 하지 않겠습니까?"

웨알데아는 그 병사에게 다가와 어깨에 손을 짚으며,

"오오, 그렇지 않아요. 우리가 지금 눈에 보이는 악한 적을 무찔렀다고 해서 그것으로 악한 적이 없어지는 것이 아니에요. 쇠에 붙은 녹을 닦아냈다 해도 계속 닦지 않으면 또다시 녹이 슬듯 우리 인생에서 향상하고 생산하려는 노력이 있다면 퇴보시키고 파괴하려는 세력이 있게 마련입니다. 어둠이 있기에 밝음이 있고 죽음이 있기에 삶이 있습니다. 사(邪)가 있기에 정(正)이 있고 악이 있기에 선이 있습니다. 인간이 그중 어느 한 곳에 속하였다면 그대로 머물 수 있겠지만…… 아니 그 중 한 곳에 속하였다면 이미 인간이 아닙니다. 악마이거나 신이지요. 인간은 그 둘 사이를 오가며 방황하는 존재입니다. 인간은 그대로 있으면 어둠으로, 죽음으로, 사악함으로…… 끊임없이 이끌리어 마침내는 파멸되는 그런 존재입니다. 인간이 밝음으로, 삶으로, 선(善)과 정(正)으로 나아가 하나님과 함께하는 존재가 되기 위하여 우리는 앞으로도 부단히 싸워야 하고 악을 물리쳐야 합니다."

"우리가 이렇게 목숨을 걸고 싸움을 하고 난 뒤에도…… 또 싸움을 해야 한다면 우리의 싸움은 무슨 의미가 있을까요? 우리의 삶을 더 낫게 해주지도 않지 않습니까?"

병사는 우울한 표정으로 다시 물었다.

"우리의 싸움은 우리를 보다 높이 올려주는 것을 보장하지 않아요. 그보다는…… 우리를 더 타락하지 않도록 유지시키는 것일 뿐이에요."

인자한 왕비는 더 이상 설명하기 힘겨운 듯 병사에게 미소 지으며 뒷걸음질쳤다.

모두에게 축복을 마친 우아한 여인은 손을 가벼이 흔들며 돌아서 주연석에서 퇴장하여 처소로 돌아갔다. 그녀의 눈에는 이제껏 공식석상에서 한 번도 보이지 않았던 눈물이 고여 있었다.

흥겨운 잔치는 계속되었다.

거기에는 이제까지 있었던 중 가장 훌륭한 잔치가 베풀어졌으며 사람들은 남부 지중해 지방에서 들여온 오래 숙성된 포도주를 마셨다.

그런데 그들은 그날, 먼저까지도 많은 귀인에게 일어났던 그 무서운 재난이 되풀이될 것이라는 무시무시한 사실을 모르고 있었다.

저녁이 되어 흐로스갈 왕은 거처로 떠났다. 수많은 덴마크 사람들은 그들이 그 전에 자주 했듯이 그날 밤은 다시 회관을 지키고 있었다. 그들은 긴 걸상들을 치우고 그 자리에 침대와 베개들을 깔았다.

운이 다한, 그들 술꾼 중의 한 사람도 회관의 잠자리에 누웠다. 그들은 그들의 빛나는 전용(戰用) 나무 방패를 머리맡에 놓고 잤다. 각 용사의 머리맡 걸상에는 전쟁 때 우뚝 솟아 보이는 투구, 쇠사슬로 엮어 만든 흉부갑옷 그리고 기다란 창이 놓였다. 언제 어디서나 그들의 군주에게 어려운 일이 닥칠 것을 대비해 싸움 준비를 해 놓는 것이 그들의 습관이었다.

11 여괴의 습격

숲 속 호수에는 또 한 마리의 괴수가 있었다.

오래전 그렌델의 횡포가 널리 알려지기 전에도 사람들은 숲 속 늪지의 호수에서 인간의 모습을 닮은 커다란 두 괴물을 봤다고 한다. 하나는 남자의 형상이고 하나는 여자의 형상이었다.

남자 괴물은 먼저 침입하였던 그렌델이었으며 여자 괴물은 그의 어미로서 아직 호수에 그대로 있었다. 쓰라린 싸움이 끝나고 가증한 그 괴물이 죽은 후에도 또 하나의 복수자는 아직 살아 있는 것이었다.

옛적 카인이 질투심으로 동생 아벨을 죽여 살인자의 낙인이 찍힌 뒤 그들의 후예는 무법자가 되어 세상 사람들의 기쁨을 떠나 황무지에 살았다.

카인의 후예로부터는 여러 저주받은 악령의 족속이 태어났다. 그들은 홍수와 함께 거의 멸망했지만 물속을 소굴로 삼은 족속은 살아남았는데 바로 그렌델의 족속이었다. 이들이 사는 호수는 차갑고 무시무시한 기운이 도는 공포의 호수가 되었다.

그렌델은 해록회관에 들어가서 그를 기다리던 불침번의 용사 베오울프를 만났다. 괴물은 그를 잡아 먹이로 삼으려 했으나 뜻대로 되지 않았다. 베오울프는 인간에게 공포를 주는 흉악한 괴물과 맞닥뜨렸을 때도 자기의 범상치 않은 큰 힘 즉 신이 자기에게 주신 관대한 선물이 자기를 지켜줄 것임을 잊지 않았다. 그 힘으로 그는 괴물을 처치했고 인류의 적은 자기가 죽을 장소로 떠났다.

그렌델의 어미인 암괴물은 제 가족에게 닥친 불행을 참고 살려 하지 않았다. 그렌델이 자기의 보금자리에서 죽고 난 후 그녀는 아들의 죽음에 대한 복수를 결심했다.

이 암컷 괴물은 밤이 되자 호수 위로 몸을 드러냈다.

숲의 아름다움이 끝나고 초목의 색깔이 생명 아닌 색으로 변해가는 곳…… 그곳의 중심에 있는 이 큰 호수는 널따란 검은 잎이 둥둥 떠다녀 흑연지(黑蓮池)라 했다.

밤이면 그렌델의 어미는 이곳에서 흑악어(黑鰐魚), 흑낭패(黑狼狽), 사각흑계(四脚黑鷄), 양각사어(兩脚蛇魚) 등 측근의 갖가지 호수 괴물들이 모인 앞에서 모임을 갖기도 했다. 어찌하면 세상 사람들의 마음을 더 악하고 파괴적인 것으로 이끌까 궁리하는 것이 그들 모임의 목적이었다.

"우리의 세력이 하나님을 위협할 수 있어야 하는데 아직 미약해. 우리의 쪽으로 인간이 더욱 다가오도록 해야 하는데."

"인간이 타락한 싸움을 하게 해야 해. 인간은 싸우도록 운명 지어져 있거든. 상대와 겨룸으로써 자기의 존재감을 확인하는 불완전한 존재가 인간이야."

"인간이 우리와 싸우면 인간은 우리와 멀어지고 하나님에 가까워지지. 우리는 인간과 화해해야 해."

"인간이 저들끼리 싸우게 만들어야 해. 저들끼리의 헛된 욕심으로 서로 싸우다 파멸되어 우리에게로 떨어지도록."

"인간이 세상과 진리를 보는 시야를 좁혀야 해. 그들 중에 가까운 데서 적을 만들어 싸울 수밖에 없는 인간이 많을수록 우리는 번창할 테니까 말야."

"인간이 인간끼리 싸우도록 인간이 하나님은 물론 우리의 존재를 모르게 해야 해."

"인간이 세상의 이익에 집착하도록 만들어야 해."

그들은 바라는 바를 서로들 말하기는 했으나 실행에 옮길 수는 없었다. 아직 사탄의 새로운 지침은 내려지지 않았다. 다만 그렌델만이 직접 나서서 인간세상 파괴를 실행하고 있었는데 그것도 벽에 부딪친 것이다.

"우리가 직접 인간과 싸우는 건 역효과를 볼 수 있어."

"그래도 우리가 당한 것의 복수는 해야 해."

여자 괴물은 몸을 일으켰다. 검은 관목 수풀과 여러 괴물짐승의 물 위에 비쳐 흔들리는 그림자의 중앙에서 달빛을 받아 번쩍이는 그녀의 젖은 몸은 흑단(黑檀)으로 된 살아있는 마녀상(魔女像)이었다.

여괴(女怪)는 그렌델과 같은 물속의 괴물 족속이지만 암컷이기에 몸 전체에 덮인 털이 짧아 인간의 모습을 닮은 몸이 그대로 드러나 보였다. 기실 멀리서 밤의 그림자로만 보면 한 여인의 모습에 부족함이 없었다. 그러나 무섭게 드러난 송곳 이빨과 뾰족뾰족한 갈고리 손톱은 인간의 것이 아니었다.

괴물은 저벅저벅 발걸음을 옮겼다. 여괴의 걸음 소리는 부드러운 듯 싶으면서도 오장(五臟)을 뒤흔드는 은근한 울렁임이 있었다. 듣는 자는 속의 것을 다 토해낼 것 같은 소름 끼치는 소리였다.

어둠 속에 한때 인간 영화의 상징이었으나 지금은 인간과 반인족(反

人族)의 싸움터가 된 해록회관의 위용이 보였다. 건물 주위는 아직도 몇 군데 횃불이 켜 있어 침입자를 경계했다. 그러나 악마의 술수를 이어받은 그렌델의 족속으로서 밤에 몰래 침입하기는 그리 어려운 것이 아니었다.

오랜만에 자기들의 회관을 되찾은 기쁨과 함께 휴식의 밤을 맞은 덴마크인 용사들이었다. 그들은 즐거운 마음으로 자기들의 숙소에 각자의 자리를 잡았다.

그런데 그 중 한 사람은 그날 저녁 휴식의 대가를 모질게 치러야 했다. 그것은 그렌델이 황금회관을 점령하여 악행을 시작한 뒤로부터 범죄의 대가인 죽음이 그에게 닥쳐왔던 때까지 자주 일어났던 일이었다.

여괴는 성벽에 접근하여 몸을 바싹 갖다 댔다. 이 암괴물 역시 신의 축복과 지혜를 받지는 못했으나 괴물 족속이 한때 신과 대적했듯 그녀 또한 신에게로부터 참탈(僭奪)한 힘을 가지고 있었다. 멀리서 그림자로만 본다면 높다란 담장에 산발(散髮)한 광녀(狂女)가 기대어 무언가를 엿듣는 광경이었다. 성벽이 여염집 담벽보다 높은 만큼 여괴의 몸체 또한 인간의 것보다 컸다.

그녀의 기다란 손가락에서는 표범의 앞발에서 발톱이 나오듯 날카로운 손톱이 삐져나왔다. 그 길이는 먼저 그렌델의 것보다 길어서 그녀 자신의 손가락만큼이나 되었다.

여괴는 두 팔을 번쩍 들어 성벽을 짚었다. 기다란 쇠갈고리 같은 손톱은 성벽에 그대로 박혔다. 여괴는 박혔던 손을 빼고 다시 위로 세게 짚어 성벽에 손톱을 박으며 기어올랐다. 여괴는 몇 번의 동작 이후 꼭대기에 올라 성벽을 넘었다.

여괴는 호화로운 주연회관의 실체를 보았다. 밤이 깊어도 건물 안 곳곳 창문가의 촛불이 꺼지지 않고 빛나니 회관 색창의 오색 빛깔은 그대로 밤하늘의 허공에 투사되어 간혹 떠도는 구름을 색색으로 비추고 있었다.

여괴는 눈을 동그랗게 뜨고 입을 벌리고는 한동안 회관의 지붕을 멍하니 올려보며 서 있었다. 어스름한 북국의 밤하늘 빛 아래 그녀의 무상(無想)한 회색 얼굴과 녹청색 안광은 오히려 처연한 기분이 감돌았다.

'아아 참으로 크고 훌륭한 회관이다. 저 빼어난 금박장식의 아름다움······'

회관의 장대한 위용과 지극한 화려함은 무정하고 잔인한 괴물 족속도 보고 느끼는 것이었다.

'우리도 저런 것을 만들 수 있다면····· 우리도 똑같이 손을 가진 자들인데 왜 그러지 못할까····· 우리는 오랜 조상이 물속에 지어준 보금자리에서 그저 그대로만 살아왔고 지금은 새로 짓기는커녕 제대로 지키지도 못해 갈수록 허물어져 가고만 있는데······'

자기의 족속은 이런 축복 받은 능력이 없음을 절감하는 것이었다.

이 요사스럽고 물심의 모든 것에 주린 암컷 짐승은 마침내 질투심에 참을 수 없는 격정이 끓어올랐다. 그것은 괴물 족속의 사나운 본성이 드러나는 것이었다.

회관 가까이 다가온 여괴는 자기 키 높이에 있는 창문 하나를 그 조금 열린 틈새로 슬쩍 손을 넣어 당겨 뜯어냈다. 열린 창문으로 그녀는 고개를 들이밀었다.

그녀는 이제 심신의 즐거움을 위한 하루 동안의 모든 움직임을 마치고 벽면 곳곳에 자리한 침대에 누워 자는 여러 용사들을 보았다. 자기 아들을 큰 부상을 입혀 죽인 그들이 평화롭고 태연하게 잠들어 쉬는 모습은 여괴의 마음을 더욱 뒤틀리게 했다.

살짝 창문을 넘어 바닥에 안착한 여괴는 자세를 엎드려 소리 없이 살금살금 기었다. 그렌델보다 더욱더 소리 없고 부드러운 움직임으로 잠든 자들에게 접근하여 그 중 하나를 집어 들었다.

"으아악!"

잡힌 자는 곧바로 뜯어 먹히지는 않았고 여괴의 손아귀에 잡혀 그 기다란 손톱에 찔려 있었다. 비명소리는 모든 용사를 깨웠다.

"또 괴물이다!"

"바로 그렌델 족속의 암컷이로구나! 저마저 죽여야 완전히 퇴치가 되는 것이었는데……"

용사들은 머리맡에 놓인 검과 방패를 잡고 싸우려 했으나 역시 악마의 주술로 인해 쓸 수가 없었다.

괴물은 암컷이라 인간 여자의 힘이 남자보다 약하듯 그 힘이 조금 약했다. 그러나 마음속은 더 교활했다. 그것은 나이가 더 있어서가 아니라 그렌델의 족속은 갈수록 퇴락을 거듭하는 족속이라 그렌델의 어미는 본래 그렌델보다는 덜 우악스러웠다.

그녀는 귀인 하나를 잡고 나서 높이 걸려 있던 피묻은 그렌델의 팔을 뺏어 들었다. 그리고 자기의 늪으로 가려 얼른 돌아섰다.

"그냥 보내서는 안 된다!"

한 용사가 암괴물의 발목을 잡았다. 곧바로 다른 한 용사도 그녀의 또 다른 발목을 잡았다. 암괴물은 쿵 하고 넘어졌다. 괴물은 인간과 같은 형상으로 높이 서 있기에 걸음걸이가 인간보다 불안했다. 그녀는 그리 크지 않은 힘에도 넘어졌다.

여괴는 한 손으로는 잡힌 자의 몸을 안고 다른 손은 그렌델의 팔을 쥐고 있기에 용감히 달려든 용사들은 여괴의 일격에 의한 참혹한 죽음을 면할 수 있었다. 그러나 여괴에게 다시 악한 마음이 솟아나 두 팔에 잡은 노획물을 내던지고 자기를 붙잡은 용사들을 죽이려 한다면 그들의 머리는 한순간에 시뻘겋게 터진 석류 열매와 같이 되고 말 것이다.

동료의 위험을 그대로 보고 있을 용사들이 아니었다. 다른 두 용사가 주저앉은 여괴의 양팔을 잡아서 납치된 자를 구하고 탈취된 것을 되찾으려 했다. 네 명의 용사가 암괴물의 사지에 매달려 공격하려 했으나 무기를 쓰지 못하니 괴물의 몸에 타격을 가할 수가 없었다. 다른 용사들도 그녀를 공격할 방도가 없었다. 맨손으로 치고 발길질을 해 봐야 소용없었다.

그런 중에도 괴물은 더 많은 용사가 달려들어 자기를 잡아 누르고는 먼저 아들을 죽인 자도 덤벼올까 겁이 났다.

"까아악!"

그녀는 힘껏 일어나 몸부림쳐서 매달려 있던 자들을 떨쳐냈다. 그러면서도 두 노획물은 놓치지 않았다. 그리고 황급히 자리를 피하여 현관문을 박차고 도망쳤다.

이번에도 괴물의 도주하는 발자국은 피로 얼룩졌다. 그러나 괴물의 검붉은 피가 아니라 인간의 선홍색 피였다. 요사스러운 여자 괴물은 자기가 얻을 것을 챙기고는 더 이상의 무모한 싸움을 피하고 산발한 머리카락을 나부끼며 자기의 보금자리를 향해 성큼성큼 달렸다.

그 여인의 힘은 참으로 강했다. 마치 금환(金環)의 장식이 달리고 망치로 벼려서 만든 훌륭한 날이 붙어있으며 금고리로 장식된 피묻어 얼록진 오래된 전검(戰劍)이 맞은편의 투구 위에 붙은 산돼지 형상을 자를 때의 힘과도 같이 강한 것이었다. 하지만 그것은 여자의 힘이었다. 여자의 전력(戰力)이 남자에 못 미치듯이 그녀의 힘은 그렌델보다는 약했다.

그때 베오울프는 거기 있지 않았다. 어제 보물을 하사받은 예이츠인들에게는 별도의 숙소가 마련되어 있었다.

다음 날 아침 왕은 끔찍한 일이 다시 벌어졌음을 알게 되었다. 잡혀간 자는 애시헤레로서 그는 가신(家臣) 계급의 모든 용사들 중에서 왕이 제일 사랑하는 자였다.

흐로스갈 왕 측과 그렌델 측이 각기 지불한 생명의 거래는 좋은 것이 아니었다. 고령의 백발 용사는 수석 가신을 잃음에 마음이 몹시 아팠다. 그는 가장 오랜 친구를 잃었다. 회관에는 슬픔이 되살아났다.

아침에 베오울프는 부하 용사들과 함께 왕이 있는 곳으로 갔다. 철컹……, 철컹……, 격투에 이름난 그 용사가 동료들과 함께 마루를 걷는 소리는 회관의 온 벽이 진동할 정도였다.

그때 왕은 하나님이 어떻게 설욕전의 기회를 주실까 하며 기다리고 있었다.

"어떻습니까. 어젯밤은 그간의 소원대로 편히 쉬셨사옵니까? 지나간 밤은 평탄하였습니까?"

베오울프는 물었다.

덴마크 백성의 수호자 흐로스갈은 손을 내저었다.

"행복에 대한 안부는 묻지 마시오. 덴마크인에게 슬픔이 되돌아왔소. 애시헤레가 죽었소. 그는 이르멘라프의 형이며 나의 심복들에게는 고문의 역할을 해주는 자였고 나에게는 자문을 주는 사람이었소. 그리고 또한 나의 어깨동무이며 동반자였소. 우리는 전장에 함께 나가 숱한 적군 용사의 투구에 붙은 산돼지 형상을 검으로 자르며 전투에서 승리했소. 그는 참으로 모범적인 훌륭한 용사였소.

영혼의 방랑자인 잔인한 악마는 해록회관에서 그 용사를 죽였소. 그 끔찍한 짐승은 시체를 배불리 먹게 되어 기뻐하면서 자기 집에 돌아갔을 것이오. 그렌델은 오랫동안 내 백성을 죽였기 때문에 그대에 의해 죽었소. 그 여인은 그것을 복수했던 것이오. 그렌델은 격투에서 생명을 잃고 쓰러졌으나 지금 다른 힘센 악행자가 와서 혈육의 원수를 갚으려 하오. 이미 나와 함께 공로자들에게 보물을 나눠주는 권한이 있는 자인 애시헤레를 죽였소. 그의 죽음은 많은 신하들에게도 큰 슬픔이오. 우리의 모든 일을 잘 처리해 줬던 그 손은 이제 축 늘어져 있소."

왕은 싸우러 원정 온 자들 앞에서 슬픔을 감출 길 없었다. 베오울프는 예기치 않은 또 하나의 비극에 한동안 말이 없었다.

흐로스갈 왕은 다시,

"어찌하여야 하겠소? 그 교활한 괴물이 언제 나타날지 모르는데. 당신들이 언제까지나 우리와 함께 있는 것도 아니고." 하고 물었다.

이윽고 에치데오의 아들 베오울프는 결연히 대답했다.

"함께 가서 원수를 갚읍시다."

그의 말에 마음속으로 크게 움직인 흐로스갈 왕은 가만히 자세를 바르게 하고 정색하며 설명했다.

"이 땅의 거주민인 백성의 동정을 살펴서 내게 전하는 궁전 고문관들의 말에 의하면 오래전부터 우리의 백성들은 불모의 경계지의 늪에 사는 두 마리의 굉장히 큰 방황하는 요령(妖靈)을 보았다고 하오.

날이 궂어 온 천지에 음습한 기운이 감돌 때면 늪으로부터는 추방

자의 길을 걷는 요령들의 울음소리가 들렸다고 하오. 우우…… 하고 들리는 그 소리는 바로 정처 없이 떠돌아다니는 혼령이 거침없이 부르짖는 그것이라 하오.

때로는 강했다 때로는 약했다 때로는 높았다 때로는 낮았다…… 하며, 한동안 끊어지는 듯싶더니 다시 시작되고…… 십 리 밖에서 들리는 소리 같기도 하고 바로 옆에서 나는 소리 같기도 하다고들 했소.

그 모습을 본 자들이 확실히 분간한 바로는 둘 중 하나는 여자의 모양을 하고 있었고 다른 가련한 짐승은 남자의 모양을 하였는데 어느 사람보다도 컸다고 하오.

이 땅의 거주민은 그를 그렌델이라고 불렀소. 허나 모두들 그의 부친을 알지 못했으며 또한 그보다 먼저 태어난 형제가 있었는지도 알지 못했소.

그들은 남모르는 땅, 여우들의 은신처, 바람 센 해안가의 불쑥불쑥 솟아난 봉우리의 기슭에, 험준한 곳의 늪지에서 살고 있는데 그곳에는 산에서 내려오는 폭포가 깊고 어두운 낭떠러지로 떨어져 그 물이 지하로 흐르오.

그 호수는 여기서 몇 리 안 되는 멀지 않은 곳에 있소. 호수 주변의 나무들은 뿌리를 깊이 박아 있으면서도 모두 호수를 향하여 기울어 있고 잎사귀들은 검은색으로 되어 있어 도무지 예사로운 나무 같지가 않소. 바닥은 낙엽 대신에 여름에도 온통 희끗희끗한 서리로 덮여 있소.

그곳에는 밤마다 무시무시한 광경이 보였소. 즉 물 위에 움직이는 녹청색의 불꽃들이 보였는데 사람들은 그것을 확인할 엄두도 내지 못하고 두려움에 떨기만 하였소."

"그것은 호수 주변 괴물짐승들의 눈빛 아니겠습니까?"

베오울프는 왕의 한탄조의 음성을 진정시킬 겸 말하였다.

왕은 조용히 고개를 끄덕이고는 다시 말을 이었다.

"사람 중에 이 물의 깊이를 알 정도로 나이 많은 현인은 살아 있지 않소. 평원을 달리던 뿔이 단단한 사슴이 사냥개에 쫓겨 삼림으로 피하다가도 그곳 가까이 오게 되면 사슴은 그 호수로 피신하여 생명을 구하느니 차라리 그대로 목숨을 내주기를 원하오. 짐승들마저도 그곳, 신의 뜻을 어기는 자들의 소굴에 들어가느니 차라리 목숨을 버리고자 하는 곳이오.

그처럼 그곳은 좋은 곳이 아니오. 때때로 날씨가 궂어 무서운 폭풍우가 일어나면 호수에는 파동치는 물결이 한데 모여 시커멓고 거대한 물기둥을 이루어 솟구치는데 그것은 멀리 숲 밖에서도 보이오. 물기둥은 구름 있는 데까지 올라가서는 둥글게 퍼져 하늘을 뒤덮고 마침내 온 하늘이 어두워지며 통곡하는 천둥소리와 함께 굵은 빗방울이 되어 온 대지에 쏟아져 내리오. 사람들은 괴물의 호수에서부터 나오는 물이 비가 되어 내리는 것을 알고는 자기 혹은 자기의 자손이 괴물과 같은 형질을 이어받지나 않을까 두려워하여 그 비를 맞지 않도록 애쓰고 있소. 폭풍우가 몰아치고 호수에서 천지를 진동시키는 수마(水魔)의 포효 소리가 나면 모두들 정신없이 집안으로 피한다오.

자, 진실로 우리를 한 번 더 구출할 수 있는 사람은 그대밖에 없소. 당신 혼자에게 달려 있소. 아직도 그대는 죄악의 짐승을 찾을 수 있는 그 장소, 그 위험한 곳을 모르오. 용기가 있으면 찾아가보시오. 만약 그대가 거기서 살아 돌아온다면 내가 그전에 한 것과 같이 재물로······ 금으로 엮어서 만든 옛 보물로 그대의 격투에 보답하리라."

에치데오의 아들 베오울프는 대답하였다.

"현명하신 용사시여. 슬퍼하지 마옵소서. 우리는 슬퍼하기보다는 원수를 갚아야 합니다. 우리들 누구도 인생의 종말을 기다려야 하나, 할 수 있는 자는 죽기 전에 명성을 떨칠 일을 해야 하는 것입니다.

이 나라의 수호자시여, 일어나셔서 빨리 그렌델의 혈연자 발자국을 살피러 갑시다. 저는 전하께 약속하오니 그 여인은 땅속에나 산림이나 해저나 어디로 가든지 결코 내게서 달아나지 못할 것입니다. 오늘만, 이 모든 슬픔을 참으십시오."

그러자 고령의 왕은 벌떡 일어서더니,

"하나님께 감사드리나이다. 이 젊은 용사를 통하여 내게 말씀을 보내주시었도다."

하고 감사의 기도를 올렸다.

12 수저(水底) 격투

다음날 베오울프는 왕과 함께 암괴물의 거처로 향했다.

신하들은 흐로스갈 왕을 위하여 갈기가 땋인 말에 굴레를 씌웠다. 왕은 말을 타고 가고 창 든 보병 용사들은 걸어서 갔다.

괴물이면서도 여성의 것인 좁고 긴 발자국이 보였다. 희생물을 들고 갔기에 더욱 선명했다. 흐로스갈 왕과 함께 조국을 지켰던 신하들 중에 가장 훌륭한 그 신하의 시체를 암괴물이 업고 어둠침침한 황무지로 돌아간 자국…… 깊이 찍힌 그 여인의 발자국은 숲으로 들어가는 길에 뚜렷이 드러나 있었다.

숲을 가로질러 흐로스갈 왕과 베오울프 일행은 앞으로 나아갔다. 가는 길에 산새들이 깜짝 놀라 길을 비키고 양옆에서 재잘거렸다.

덴마크의 왕족들과 신하들 그리고 예이츠의 용사들은 행군을 계속했다. 험한 바위 절벽을 지났다. 한 번에 한 사람만 지나갈 수 있는 좁은 길도 일렬로 조심스레 통과했다. 가파르게 치솟은 봉우리가 연속한 산길을 지났다.

숲을 지나와, 흐로스갈과 함께 조국을 지켰던 신하들 중에 가장 훌륭한 그 신하의 원수를 갚기 위해 일행은 어둠침침한 황무지를 향해 전진했다. 갈수록 수풀은 녹색에서 검은색이 더해졌다. 멀리 자욱이 물안개가 보이는 그렌델의 호수 가까이 왔을 때는 나무들은 모두 검은 줄기에 검은 잎으로 되어 있었다.

습지가 펼쳐져 있었고 그 가운데 물이 보였다. 주변에는 검은 악어와 같은 많은 물괴물들이 있었다. 그들의 소굴이 이곳 호수였다.

산새의 지저귐은 어느새 끊겼다. 그보다 먼저 노루 사슴의 쫑긋거림은 그쳐진 지 오래였다.

물가 한쪽에 나무가 가지를 낮게 드리우고 회색 바위 위에 기울어 있었다. 그 밑의 물은 피로 붉게 물들어 있었다.

"여기 애시헤레의 머리가 있소!"

한 신하가 소리쳤다. 애시헤레의 목 아래까지 뜯어 먹힌 잔해가 바위 위에 버려져 있었다.

"아아, 이럴 수가!"

이미 예상한 일이었지만 군주와 신하들은 참을 수 없는 분노로 부르르 떨었다.

"이제 결전을 너 미룰 수 없다!"

"이 악마의 소굴을 도저히 그냥 둘 수 없다!"

분노로 인해 싸움을 위한 혈기가 치솟은 용사들은 다짐했다. 함께 온 군악병은 뿔나팔로 전투곡을 연주하여 싸움을 위한 노래를 불렀다.

"이곳은 신의 뜻에 어긋나는 생물의 소굴이다. 신의 뜻을 따르지 않는 생물은 우리가 응징하여야 한다."

"이제까지 그들을 응징하지 않았던 것이 우리의 죄였던지도 모른다."

덴마크의 용사들은 예이츠인 용사들과 함께 호수를 향해 나란히 전열(戰列)을 가다듬었다.

호숫가에는 다른 괴물들도 많았다. 닭과 같으면서도 네 발로 걷는 짐승이 있었는데 이 동물은 창조주가 네발짐승을 만들다가 날짐승을 만들면서 중간에 거쳐 간 실험작이었다. 그러나 모양이 좋지 않아 지상의 번성 생물로서는 부적격하여 이곳 늪지에만 그렌델과 함께 살고 있었다.

"저 나무 열매는 뭐지? 아무리 이곳 저주받은 늪지의 생물이지만 나무 열매가 검다니…… 한 번 따보자."

한 병사는 검은 나무 위의 검은 열매가 궁금했다.

창으로 그 열매를 건드려 떨어뜨리니 쉽게,

"픽!"

하며 바닥에 부딪쳐 깨졌다.

안에는 석류처럼 붉은 속이 터져 나오고 가운데 씨가 있는 곳은 노랗게 벌레 같은 것이 꿈틀거렸다.

"황심홍육흑도(黃芯紅肉黑挑)라는 거야."

"열매는 열매인데 굉장히 징그럽군……"

열매를 딴 병사와 주위의 병사들이 수군거렸다.

그때,

"쉭쉭, 샤아악, 샤아악."

나무 위에서 먹이를 먹고 있었던 몸집이 닭만 한 커다란 거미가 성난 소리를 내며 털투성이의 가늘고 긴 여덟 개의 팔을 휘두르며 나뭇가지를 흔들고 있었다.

"팔지섬모흑충(八肢纖毛黑蟲)이다."

"건드리지 않는 게 좋아."

가까이 있는 병사들은 괴물과의 싸움을 위해 힘을 모아두어야 하니 얼른 물러서 피했다.

그러나,

"쉬이익."

괴충(怪蟲)은 거미줄을 앞에서 뿜어냈다. 작살을 쏘듯이 나오는 손가락 굵기의 희뿌연 거미줄은 목표물인 병사의 앞에서 수십 갈래로 갈라졌다. 갈라진 줄은 서로 얽히고설켜 그물같이 되어 병사를 덮어쌌다.

"아앗!"

그 행위는 사뭇 두렵고 위협적인 것이었다. 인간이라도 연약한 부녀자라면 괴충의 이 공격에 당할 수밖에 없을 것이다. 하지만 좀 굵다 하더라도 거미줄은 거미줄이었다. 병사는 그물이 공격해 오자 검을 휘둘렀기 때문에 그물은 찢어지고 공격을 피할 수 있었다. 그래도 연이은 투망(投網) 공격이 염려되어 뒤로 물러섰다. 공격을 막는다 해도 거미줄을 자를 때 칼날에 묻는 끈적끈적한 액체가 더해져 날을 무디게 하면 결국 거미줄 망에 잡힐 수밖에 없는 것이었다. 그다음 괴충은 곤충을 잡아먹는 거미가 그러하듯 먹이를 녹이는 무슨 액체를 내뱉을지 모르는 것이었다.

그러자 곧이어,

"쉬식, 식식. 샤악."

나무 위에 있던 괴충은 내려오고 따라서 다른 수십 마리의 비슷한 괴충들이 나무 위와 덤불 속에서 나와 병사를 둘러쌌다.

"팍! 팍!"

병사는 칼로 내리쳤다. 더러는 한순간에 두 동강이가 되기도 했지만 괴충의 순간 동작은 의외로 민첩하여 다리 한두 개만 베는 경우도 많았다. 주위의 병사들도 달려들어 병사들은 괴충의 떼와 일대 접전을 벌였다.

병사들은 몰려온 괴충들을 모조리 쳐 죽였다. 베오울프는 호수에서의 그렌델 족속과의 싸움을 염두에 두고 이 싸움에는 참여하지 않았다.

사실 호수 주변의 생물들은 이곳의 사악한 정기를 받았기 때문에 괴이하고 부정하게 보일 뿐이지 그다지 두려운 생물들은 아니었다.

정작 무서운 것은 바로 이 저주받은 호수에서 사는 짐승인 물괴물들인 것이었다. 그리고 그 중의 수장격인 짐승이 바로 그렌델 족속이었다.

호수에는 여러 가지의 물 괴물들이 있었다. 얕은 물 속에는 작은 앞발이 달리고 사람 몸의 두 배 되는 길이의 물뱀들이 호수를 유유히 헤엄쳐 다니는 것이 보였다. 또한 바다의 항해를 위험하게 만드는 맹수류의 물괴물들이 물 건너 저쪽 절벽 아래 있는 것이 보였다.

"바다괴물이 이곳까지 와 있다니, 이곳은 바다와 물이 통하는 곳인가 보오."

"겉으로는 이어져 있지 않은데 아마 물속에서 바다와 통해 있을 것이오."

악어처럼 엎드려 있는 괴물들이 건너편 물가 절벽 앞의 편편한 바위에 모여 있었다.

"크르릉, 크르릉."

괴물들은 전투의 뿔나팔 소리가 울리는 것을 듣고 몹시 큰 소리를 지르며 뛰어내렸다. 그리고 물을 헤엄쳐 건너 이곳을 공격하러 오는 것이었다.

"저놈을 우선 잡아 봅시다!"

예이츠 사람 베오울프는 자기의 화살로 그 중의 하나를 맞췄다. 맞은 괴물은 물속에서 빠르게 헤엄칠 수가 없었다. 속도가 느려져 맞추기 쉬워진 괴물을 향해 다시 화살을 쏘았다. 견고한 화살은 괴물의 급소에 꽂혔다.

"카악!"

치명적인 상처를 입은 그 괴물은 축 늘어졌다.

그러자 사람들은 신속히 갈고리가 달린 산돼지잡이 밧줄을 던져 맞추고는 잡아당겨서 이 괴상한 천지간 생명 창조의 부산물을 호숫가로 끌어올렸다. 괴물은 아직도 눈을 번뜩이며 부르르 떨고 있었다. 사람들은 황소만 한 몸집에 검은 악어와도 같이 생겼으면서 머리에는 두 개의 뿔이 앞으로 나 있는 그 무시무시한 괴물을 쳐다봤다.

호수의 괴생물들과의 한바탕 상견례가 끝나고 베오울프는 왕에게 말했다.

"이제 물속으로 들어가 결전을 치르는 일밖에 없군요."

베오울프는 전투복을 입었다. 철갑비늘 하나하나를 철사로 엮어 만든 흉부갑옷도 호수에 들어가야 했다. 이 갑옷은 주인의 몸을 보호할 줄 알았다. 상대방의 적의를 파악하면 주인이 피하도록 느낌으로 알려 주어 화난 원수의 악한 타격이 쉽사리 주인의 가슴을 쳐서 생명을 해하지 못하게 되어 있었다.

또한 그의 머리를 보호하는 번쩍이는 투구도 이제 물속을 휘젓고 들어가야 했다. 그의 투구는 보석으로 장식되고 화려한 테로 감겨 있었다. 그것은 무기를 만드는 대장장이가 오랜 옛날에 만든 것이었다. 투구 겉면의 산돼지 형상은 너무도 단단해서 어떠한 검이나 전도(戰刀)로도 뚫을 수 없었다. 이것은 흐로스갈의 사역자(使役者)인 운휘스가 큰 싸움을 앞둔 베오울프에게 빌려 준 것이었다.

그뿐이 아니라 베오울프가 쥐고 있는 검(劍)은 옛 주인의 이름을 따서 흐룬팅의 검이라 불렸는데 그것은 옛 보물 중에서 무비(無比)한 것이었다. 그 칼은 강철로 만들어졌고 날의 양면에는 독한 산(酸)으로 줄무늬가 새겨 있었다. 패인 그 홈마다 전투에서 흘린 피가 흘러들어 가 굳어졌다. 싸움이 났을 때 손에 쥐고 용감히 적진으로 나아가는 그 누구도 저버리지 않는 검이었다.

이 검으로 훌륭한 업적을 세울 기회를 갖기는 베오울프가 처음이 아니었다. 에치라프의 아들 운훠스가 이 당대 최고 명검의 소유자였기에 그는 이 검으로 당대 최고의 업적을 세울 수 있었던 자였다. 그가 이 특권을 포기하고 자기보다 훌륭한 검술가에게 보검을 빌려준 이유는 다음과 같았다.

어제도 덴마크와 예이츠의 용사들은 술자리가 있었다. 물론 그제처럼 축하의 주연이 아니라 예이츠인들이 방문했던 첫날과 같이 싸움터에 나가야 하는 전사들을 위한 자리였다.

"운훠스, 자네가 차고 있는 그 검을 보여주게. 사람들이 그것에 대해 이야기가 많더군……"

베오울프는 술자리에서 운훠스에게 말했다. 둘은 이미 격의 없는 사이가 되어 있었다.

"어떤 이야기를 하던가?"

"뭐, 그냥, 간단히 말해서 마법의 검이라고들 하더군."

"마법은 무슨, 그냥 잘 든다는 것뿐이지."

"별도의 이름도 있다면서? 흐룬팅이라 부른다지?"

"육백 년 전에 남쪽 라인강변의 흐룬팅이라는 영주 밑에서 무사로 일한 우리 선조가 적에게 함락당할 뻔한 성을 단신으로 구하고 영주의 가족을 구출한 공으로 그 검을 상으로 받은 뒤 가보로 이어내려 오고 있다네."

운휘스는, 본래 화려하게 수놓은 장식이 있으나 오랜 세월 손때가 묻어 그저 검은 바탕에 누런 물결무늬만 칙칙하게 보이는 칼집으로부터 전가(傳家)의 보검을 꺼내 보였다.

은회색의 검은 비록 환한 광채는 나지 않지만 누가 보아도 한눈에 그것이 참으로 오랜 명검으로서 옛 보물 무엇과도 비교할 수 없는 귀중한 것임을 알 수 있었다. 검날의 빛깔은 은은하면서도 빛이 반사될 때마다 섬뜩한 기운이 감돌았다.

"솔직히 이런 보검을 가지고 다닌다는 것부터가 조금 불안할 정도지. 하지만 그렇다고 가내에 고이 모셔둔다는 것도 의미 없는 일이고……"

운휘스는 주탁(酒卓)에 놓인 보검의 날을 살며시 쓰다듬었다.

"정말 오래된 명검입니다. 이 검에 쓰러진 적만도 벌써 얼마나 되는가는 칼날에 파인 홈에 쌓여 있는 피의 두께가 말해 줍니다."

옆의 덴마크 용사들은 그 검을 이전에도 익히 보아 왔을 텐데도 눈길을 그쪽에 고정시켰다.

운휘스와 마주앉아 있는 베오울프는 말로만 듣던 그 검을 건네받아 자세히 살펴보았다.

그 칼은 진흙으로 만든 주형(鑄型)에다가 가마솥에서 시뻘겋게 녹인 쇠를 부어 넣은 후 쇠가 아직 치즈 조각처럼 말랑말랑할 때 주형을 벗기고 담금질한 강철로 만들어졌다. 쇠가 굳기 전에 주형을 떼어내는 것은 매우 어렵고 위험한 일이었으므로 최고의 대장장이가 아니면 할 수 없는 일이었다. 그 비법도 거의 비밀에 부쳐져서 대장장이가 후사(後嗣) 없이 죽으면 절전(絕傳) 되는 일이 많았다. 또 할 수 있는 자라도 일생 동안 그렇게 주조(鑄繰)할 수 있는 횟수는 극히 제한되어 있었다. 따라서 이처럼 주조한 강철검은 천하에 드문 명검의 조건을 타고나는 것이었다.

이 흐룬팅 검은 명검 중에서도 독특한 점이 있었는데 바로 날의 양면에 독한 산으로 새겨진 줄무늬였다. 그 홈에 흘러들어 간 피는 굳어 검을 이루는 일부가 되었다. 주조할 때 대장장이의 지극한 정성을 통해 그의 혼의 일부가 배어 들어간 뒤 이 검은 싸움에 나가 피를 흘리게 한 자의 혼마저 하나하나 흡수하였다. 그리하여 귀신들린 이 검은 이미 대부분 이 세상 사람이 아닌 많은 혼들로부터 엄호를 받고 있는 것이었다. 현세에서는 서로 극렬히 증오하였던 사이라도 저승에 이르러서는 서로의 업보를 깨닫고 화해하기 마련이어서 이 검에 의해 죽은 자와 이 검을 써서 죽인 자는 수백 년을 이어오며 영혼의 유대를 맺고 있으며 현재 이 검을 쓰고 있는 자로 하여금 그의 운이 다할 때까지 무용을 크게 떨치도록 돕고 있었다. 더군다나 괴이한 것은 이 검은 주인의 운이 다하기 전에 어떤 방법으로든 그의 손으로부터 떠난다는 것이었다. 그러므로 이제까지 이 검의 주인 중에 검과 헤어진 뒤 나중에 싸움에서 죽은 자는 있어도 이 검을 들고 싸움에 패하여 죽은 자는 없었다. 싸움이 났을 때 손에 쥐고 용감히 정도(征途)에 올라 적진으로 나아가는 그 누구도 이 검은 저버리지 않았다.

"이 검을 가지고 있는 이상, 나는 어떤 싸움에서도 물러서지 않는 사람이네."

검을 쓰다듬으며 보고 있는 베오울프에게 주인 운휘스는 말했다.

"그렇다면……"

베오울프는 운휘스의 잔에 포도주를 따랐다.

"싸움은 큰 싸움일수록 좋지 않겠나? 어차피 이길 수밖에 없는 싸움이라면……"

베오울프는 미소 지으며 물었다. 옆의 용사들도 웃음을 지었다.

"이긴다는 것이……"

잔을 비운 운훠스는 옆의 덴마크인 용사에게 또 한 잔을 청해 받아 마셨다.

"가만히 저절로 되는 것은 아니었지."

"물론이지. 다 자네의 용감함을 빌어 일어난 일이 아닌가?"

"그런데…… 큰 싸움이란 무엇인가. 내일 싸움을 말하는가?"

"그렇지. 내일의 싸움이야말로 자네 덴마크 나라에서나 우리 예이츠 나라에서나 역사상 유례없는 큰 싸움으로 기록될 걸세. 우리는 이제껏 이단자들에게 당하고 방어만 하지 않았나. 이단자의 소굴을 직접 찾아가서 그들을 응징한다는 것은 인간들끼리의 어떤 전투보다도 더 큰 일이라 아니할 수 없을 것이네."

"내일 싸움은…… 우리 모두 진군하는 거지?"

"몰라서 묻나? 오늘 낮에 왕께서도 당신도 출정하신다고 다짐하시지 않았나?"

"나도 내일 괴물의 호수까지 물러서지 않고 전진하겠네."

"그건 내일 진군하는 병사 누구나 마찬가지네."

베오울프가 말하자 주위의 어린 병사들은 웃었다. 운훠스는 이미 술에 취하여 자기의 전공(戰功)에 어울리지 않는 말을 하고 있는 것이었다.

베오울프는 다시 운훠스를 향하여,

"내일 나는 그곳에 가는 것으로 그치지 않고 그 호수 속으로 들어

가겠네. 자네는 괴물의 소굴에 나와 함께 들어갈 용의는 없나?" 하고
단정적으로 물었다.

운훠스는 흠칫 놀라면서 부르르 떨었다. 그것은 옆의 덴마크 병사
들에게 그가 겁쟁이라는 느낌을 주기에 충분한 것이었다.

"그 물…… 속으로 말인가?"

"그렇네."

운훠스는 주위를 둘러보았다. 혹시 누구 다른 사람 없는가 하고.

베오울프는 마땅치 않은 표정으로 운훠스를 노려보았다. 자네 말고
다른 누가 감히 그곳에 갈 수 있겠느냐 하는 것이었다.

운훠스도 다른 사람의 눈치를 본다는 것이 무의미함을 알았다. 그
는 한동안 난처해하다가,

"나, 나는 헤엄을 칠 줄 모르네. 더군다나 잠수는. 바다 괴물과 싸
움할 때도 바닷가에서 괴물의 출현을 기다리고 있다가 바다에 띄운 뗏
목에서 했지. 대신 내 검을 자네가 쓰지 않겠나? 그리고 내가 가지고
있는 모든 좋은 전구(戰具)를 자네에게 빌려주겠네."

하며 흐룬팅 검을 집어 칼집에 넣고는 손잡이를 베오울프 쪽으로
하여 건네주었다.

아무리 괴물의 소굴이 겁이 난다 하더라도 명예를 목숨보다 소중히
여기는 용사로서는 보통 때라면 이렇게 할 수 없었을 것이다. 이미 그
렌델을 죽인 힘센 베오울프가 함께 가는데 그렇게 무모하기만 한 싸움
도 아니라고 할 수 있었다.

그러나 그는 포도주에 취해서 자기는 어떤 싸움에서도 물러서지 않
겠노라고 말한 평소의 다짐을 기억 못 했다. 취중에 그는 아이 같은 겁
쟁이가 되었다. 무서운 피의 파도가 일렁이는 호수에 들어가 괴물과

싸운다는 것이 심히 두려웠다.

취기가 심하여 한없이 작은 사람이 되고만 용사 운훠스는 마침내 베오울프에게 태연히 무기를 건넨 것이었다. 그는 죽을 뻔한 자기 생명을 구한 것이 전혀 아니었다. 그는 무용을 자랑할 큰 영광의 기회를 잃었다.

싸움에 앞서 겁을 내고 물러서는 수치스러운 일은 베오울프가 싸움에 나갈 때는 일어나지 않았다. 호수에 들어가기로 결심한 후에도 그는 안색이 조금도 변하지 않고 실행을 준비했다.

에치데오의 아들 베오울프는 왕에게 유언과 같은 말을 하였다.

"고명하신 헤알프데인의 아드님이시며 현명하신 국왕이시여. 용사들에게 금을 나눠주시는 군주시여. 이제 나는 출정 준비가 되었으니 우리의 했던 말을 모두 기억해 주십시오.

이제 나는 저 암괴물을 찾아 물속으로 들어가 싸움을 자청함으로써 이제껏 쌓았던 명성을 더하거나 죽음을 얻거나 할 것입니다.

청컨대 대왕께서는 내가 죽으면 저의 부하들에게 그들의 보호자로서 앞길을 돌봐 주시옵소서. 만일 내가 전하를 위하여 생명을 잃게 된다면 전하께서 항시 저 대신 저의 부하들에게 아버지의 역할을 해 주실 것을 명심해 두소서. 만일 내가 격투에서 쓰러진다면, 만일 싸움이 나를 데리고 간다면 전하가 저의 동료 신하들의 보호자가 되어 주십시오."

베오울프는 거듭 강조했다.

"또한 사랑하는 흐로스갈 왕이시여. 전하께서 저에게 하사하신 보물을 히엘락 왕에게 보내 주십시오. 예이츠 국민의 영주이시며 흐레델의 아들이신 그분께서 그 황금 보물을 보시면 인색하지 않은 훌륭한

황금의 분배자를 제가 만났음을 아시게 될 것이며 또한 제가 그 하사
품을 갖고 있는 동안은 그것을 소중히 여겼다는 것을 아시게 될 것입
니다.

그리고 전하께서는 유명한 운휘스로 하여금 그의 옛 가보인 훌륭한
물결무늬가 새겨지고 칼날이 단단한 이 검을 가지고 가게 하십시오.
저는 이 흐룬팅 검으로 명성을 떨치거나 죽음을 맞을 것입니다."

왕과 모든 용사들은 비장한 심정으로 그의 말을 묵묵히 들었다.

베오울프는 수백 사람 아름의 호수 둘레를 돌아가며 살펴보았다.
주변은 모두 정강이 높이의 흑싸리 관목에 둘러싸여 있었다. 어느 곳
에 그렌델 일가가 들락거린 흔적이 있나 찾아서 그리로 들어가려 했
다. 물속 격투에서는 그렌델의 족속보다 인간이 한층 불리할 것이 분
명하다. 침입하고 탈출하는 데 용이한 지점을 찾아 적을 신속히 처치
하고 나와야 할 것이다.

베오울프는 관목의 가지가 꺾이고 주변보다 땅이 꺼져 있는 곳에
멈춰 섰다. 괴물들은 호수에서 나올 때 단숨에 튀어 올라 물 밖으로
내딛곤 하여 진흙 위의 발자국은 좀처럼 보이지 않았다.

이때 물속 구역을 삼백 년 동안 지킨 몹시 굶주리고 욕심 많은 무
시무시한 여인은 물 위로부터 느껴지는 진동으로 벌써 자기를 찾는 외
부 침입자를 알아차렸다.

그녀의 거처는 거대한 소라껍데기와 같이 울퉁불퉁한 붉은 바위굴
이었다. 밖의 물은 흘러들어 가지 않고 안은 공기로 차 있어 그렌델 족
속이 거할 수 있었다. 그곳은 침상과 식탁이 있는 등 인간의 살림살이
와 비슷했다. 모든 것은 노아 시절의 대홍수 이전에 만들어진 것으로
서 카인의 자손이며 동철(銅鐵)로 각양(各樣)의 날카로운 기계를 만드

는 자 두발가인의 후예가 만든 것이었다.

카인의 자손 일부는 홍수 이전에 이처럼 물속에 집을 짓고 들어가 살았다. 하늘을 보기 두려운 그들의 본성 때문이었다.

홍수 후에 뭍의 인간이 거의 멸망한 뒤에도 물속에 사는 카인의 족속은 살아남았다. 그러나 그들은 인간으로서 해야 할 지속적인 노력을 않고 선조가 만든 물속의 편안한 생활공간에서 나태한 삶을 계속하였다.

그리하여 대를 이어갈수록 타락에 타락을 거듭하여 지금 그들의 후손 그렌델 족속은 그 마음이 짐승의 위치로까지 내려오게 된 것이다.

왕의 신하를 잡아온 여자 괴물은 시체의 나머지를 식탁에서 먹고 있었다. 이제까지 밖에서 보인 것은 어둠 속의 모습이었으나 실내의 불빛에 드러난 그녀는 온몸이 옅은 회색 털로 덮이고 짙은 회색의 머리털이 말갈기처럼 목등에서 허리까지 수북이 나 있었다. 얼굴은 북국의 여인들보다는 둥글넓적하여 보통 마녀들에 흔한 길쭉한 얼굴과는 달랐다. 연회색 안면에는 녹청색의 큰 눈이 껌뻑이는데 그 눈빛은 항상 무언가에 놀란 듯했다. 코와 입은 식사를 하느라고 온통 피로 덮여 있었다. 음식을 씹느라고 입을 움직일 때마다 삭도 같은 앞니와 창끝 같은 송곳니가 피범벅과 함께 보여 그녀가 속한 족속을 나타내주고 있었다.

바깥의 낌새를 눈치채고 그녀는 입가에 묻은 피를 닦고 자리에서 일어섰다.

피를 닦고 나니 그녀의 얼굴이 더 잘 드러나 보였다. 순탄한 코의 형태선과 도톰한 붉은 입술은 오히려 순한 인간 처녀의 모습에 가까웠다. 얼굴의 윤곽을 이루는 아래턱은 사뭇 부드럽고 완만한 대칭선을 그리고 있어 악마의 족속에 어울리지 않았다. 어찌해서 이런 여인이 악의 종족에 태어났는가 하는 동정심이 들 정도였다.

그녀는 자리를 떠나 출구 쪽으로 갔다. 출구는 그녀의 키만 한 지름의 둥글게 뚫린 창이었다. 마치 어항과 같이 밖의 물고기와 호수괴물들의 오가는 모습이 보였다. 그렇다고 그 사이에 유리가 있는 것은 아니었다. 집 속 공기와 바깥의 물이 마법에 의해 맞서고 있기에 물이 들어오지 않는 것이었다.

그녀는 그대로 물 쪽으로 걸음을 옮겼다. 물의 세계로 들어간 그녀는 사뿐 바닥에 내려섰다. 검은 수초가 무성한 물밑 숲을 몇 발짝 걷더니 그녀는 팔을 들고 다리를 굽혀 자세를 내리다 팔짝 뛰어올랐다. 한 번에 그녀는 수면 가까이 올라왔다. 몸을 눕히고 다시 슬금슬금 헤엄쳐 베오울프가 있는 물밑으로 접근했다.

푸아아!

갑자기 물 위에는 큰 물결이 치솟았다. 곧이어 길쭉하며 털이 난 큰 손이 튀어나왔다. 여인은 베오울프에게 손을 뻗어 그 용사의 발목을 무섭도록 강하게 붙잡고 그대로 물속에 빠뜨렸다.

보고 있던 왕과 용사들은 모두 놀랐으나 이미 물속 싸움을 자청한 베오울프는 별일이 아니었다. 잠수에 자신 있는 용사들은 몇 있었으나 물속에서의 싸움 더구나 인간의 힘을 능가하는 괴물과 격투를 벌인다는 것은 모두들 엄두를 내지 못했다.

여성괴수는 용사를 있는 힘을 다해 움켜잡았다. 잡는다기보다 그의 몸을 주물러 으깨버리겠다는 일념이었다. 갑작스런 상황에서 민첩했던 용사도 전혀 무기를 쓸 수 없었다.

하지만 그녀의 흉측한 악력(握力)은 그의 건장한 몸을 해치지 못했다. 철갑으로 만들어진 갑옷이 외부의 충격으로부터 그를 보호했기 때문에 그 여인의 악의의 손가락은 갑옷을 뚫지 못했다.

'애들아, 우리의 소굴에 들어온 침입자를 처단해라!'

여괴는 물속의 모든 괴물 족속에게 알렸다. 주위에 다니던 많은 사나운 물고기와 괴물들이 몰려들었다.

많은 괴물들이 물속에서 베오울프를 공격했다. 물개의 몸에 범의 대가리를 가진 물범, 여덟 개의 다리에 쇠스랑 같은 발톱을 가진 문어, 창끝과 같은 코와 톱날과 같은 지느러미를 가진 상어 등 가지가지 괴이한 물짐승들이 전투용 이빨로 갑옷을 물어뜯었다.

그러나 그들 뜻대로는 되지 않았다. 그의 갑옷이 그의 몸을 보호했고 공격하는 괴물들은 갑옷의 조각 사이의 급소를 노릴 만큼 교활하지는 못했다. 여괴에게 잡힌 중에도 베오울프는 자기 목을 물려고 달려드는 여러 물괴물을 손으로 잡아 목을 비틀어 죽였다.

괴물들은 슬슬 피해 달아났다. 물속에서는 여괴와 베오울프 둘만의 대결이 시작되었다.

여괴는 베오울프를 죽이려고 가슴으로 끌어안았다. 물속에서는 힘껏 후려쳐도 위력이 없음을 그녀도 알기 때문이었다.

베오울프는 그녀의 품에 안긴 순간 불룩한 두 가슴 사이에서 야릇하게 따스한 체온을 느꼈다. 회색의 젖무덤 가운데 검붉은 젖꼭지도 보였다. 괴물임에도 여성을 느낀다는 것은 다분히 싸움의 의지에 방해가 되었다. 이 때문에 그는 칼을 뽑아들 순간적 기회를 놓쳤다.

그녀는 베오울프를 끌어안은 팔에 힘을 더해 압박했다. 다시 그녀는 다른 쪽 손으로 목을 조르기 시작했다. 어차피 물속이라 지금도 숨쉬고 있지는 않지만 목을 잡히고 움직이지 못하게 되면 그대로 죽고 마는 것이었다.

베오울프는 순간적인 감각의 방해를 떨쳐버리고,

"퍽!"

발로 힘껏 그녀의 배를 찼다.

암컷의 힘은 그다지 강하지 못했다. 명치 급소를 맞은 그녀는 벌렁 뒤로 자빠졌다. 베오울프는 그 반동으로 띄워졌다. 힘을 더해 헤엄쳐 올라 물 위로 머리를 내밀어 심호흡을 하고는 허리에 찬 흐룬팅 검을 빼어들었다. 그리고 두 팔을 앞으로 뻗쳐 물속 여괴를 향해 진격해 들어갔다.

지상에서 그렌델 족속은 악마의 주문으로 무기를 못 쓰게 했었다. 주문이 들린 무기는 무거워져서 사람이 들지 못했다. 그러나 물속에서는 그렇지 않았다.

베오울프가 사뿐히 그녀 앞에 내려서자 그 사이 일어난 여괴는 두 손을 들어 열 개의 길고 붉은 손톱을 드러내고는 찍어 누를 기세로 내리쳤다.

그러나 물속에서의 움직임은 지상에서 적의 날랜 동작도 능히 피하곤 했던 그에게 두려운 것이 못 되었다. 베오울프는 옆으로 비켜나가 검으로 여괴의 옆구리를 찔렀다.

칼은 푹 들어가는가 싶더니 다시 튕겨 나왔다. 물속에서는 베오울프 역시 지상에서와 같은 힘찬 공격을 못했다. 더군다나 상대는 물속 괴물이라 인간과 반대로 물속에서는 피부가 질겨져 웬만해서 상하지 않는 것이었다.

"캬아악!"

암괴물은 다시 달려들었다. 물속에서도 눈을 크게 뜨고 행동할 수 있다는 것은 괴물의 커다란 유리함이었다. 회색 얼굴에 녹청색의 눈과 붉은 입술, 벌린 입안의 붉은 혀가 정면으로 보였다.

베오울프는 몸을 낮췄다. 다가오는 그녀의 가랑이를 통과하고는 돌아서 등에 올라타서 검으로 암괴물의 머리를 내리쳤다. 피는 나오지 않지만 그녀는 타격을 받은 듯 휘청거리다 이윽고 쓰러졌다.

다시 베오울프는 검을 들고 모로 쓰러진 그녀의 옆 가슴을 찔렀다.

그런데 여괴는 암컷인 탓에 원래도 털이 짧았고 게다가 물속이라 털이 몸에 찰싹 붙어 있어서 여자의 몸매가 그대로 드러나 보였다.

베오울프는 검으로 찌르는 찰나 이 괴물이 여자의 형상을 가지고 있음에 주춤했다.

용사로서 연약한 여자를 보호해야 한다는 것은 그의 소년기 때부터 몸에 밴 것으로서 여느 용사에게도 요구되는 미덕이었다. 물론 지금 앞에 있는 이 생물은 인간의 여자가 아닌 사악한 괴물이라는 것을 곧 떠올렸지만 한순간 한순간이 크나큰 결과를 낳는 긴박한 싸움의 현장에서 그것은 큰 방해로 작용했다.

그리하여 베오울프는 상대가 쓰러져 있어 힘껏 내리 찔러 치명상을 줄 기회였음에도 조금 깊이밖에는 이 여괴의 몸을 찌르지 못했던 것이었다.

"꺄아악!"

비명이 물속을 진동시켰다. 여괴는 상처를 움켜쥐고 몸을 돌려 자기의 거처 쪽으로 피해 도망갔다. 여인의 피가 번져 물속은 온통 붉게 변하였다. 한 치 앞도 보이지 않는 물속은 기이한 비명 소리만이 가득했다. 베오울프는 다시 정신을 가다듬고 수초(水艸)를 밟고 가는 여괴의 발소리를 추격했다.

물 깊숙이 있는 자기의 붉은 동굴로 암컷 괴물은 들어갔다. 베오울프도 따라 들어갔다. 그는 여괴를 잡아 없애야 한다는 일념에 그곳이 어떤 위험한 곳일까 하는 생각은 전혀 안중에 없었다.

"음, 여기가 어디지?"

갑자기 그는 자연스레 숨을 쉴 수 있음을 알았다. 기실 그렇잖아도 더 이상 숨을 참기 어려운 지경이었으니 다행이기도 했으나 뜻밖의 일이기에 놀랍기도 했다.

그때 용사는 자기가 어떤 전관(戰館)에 들어왔음을 알았다. 거기에는 어떤 물도 그를 둘러싸지 않고 있었다. 그 동굴 안은 튼튼히 조립된 지붕과 벽으로 덮여 있어서 물이 들어오지 않았다. 방안에는 오히려 등잔 위의 불꽃이 찬란히 빛나고 있었다.

거기에는 물속에 사는 저주받은 암괴물…… 힘센 호수의 여인이 들어와 있었다. 여인은 상처를 입고 바닥에 엎드려 있었다.

베오울프는 두 손으로 검을 들어 그 여인의 목을 힘껏 쳤다. 물결무늬로 장식된 그 귀한 검은 그 여인의 머리 위에서 한 차례 전투의 노래를 부르듯 바람을 갈랐다.

"텅!"

"아니, 이럴 수가……"

이곳의 손님 베오울프가 내리친 검은 여인을 베지 못했고 그녀의 목덜미에서 미끄러져 바닥을 찍고 말았다.

역시 인간의 검은 공기 중에서는 악마의 주문을 이기지 못했다. 이제 이 검으로는 전혀 그녀의 목숨을 빼앗을 수 없을 것이다. 어서 이 여자를 처치하고 돌아가야 할 다급한 왕자 베오울프에게 이 보검은 쓸모가 없었다.

여러 영웅들의 손에 쥐어져 많은 격투를 겪으면서 이 검은 운이 다한 용사의 투구와 갑옷을 자르곤 했지만 이 귀한 보물이 자기 앞의 다 차려진 제물 앞에서 명성을 떨치지 못한 것은 이번이 처음이었다.

그러나 히엘락 왕의 혈연자 베오울프는 조금도 용기를 버리지 않았다. 이제껏 쌓아올린 명성을 잃지 말아야 한다는 마음가짐도 잊지 않았다.

"챙그렁."

화가 난 용사는 칼자루가 화려한 장식물로 덮이고 칼날에 아름답고도 위압적인 물결무늬가 새겨진 그 귀중한 검을 옆으로 내던졌다. 칼날이 단단한 강철인 그 검은 바닥에 떨어졌다.

그가 이제 믿을 것은 자기의 힘뿐이었다. 이제부터 그는 자기의 강한 악력에만 의존하여 싸움을 이겨야 한다. 싸움에서 영원한 명예를 얻으려 한다면 목숨을 염려해서는 아니 되느니라.

예이츠인은 몸싸움을 두려워 않고 그렌델의 모친의 어깨를 잡았다. 성난 그는 엎드려 있던 그녀의 가슴 밑으로 들어가 뭇 인간의 불구대천의 원수를 번쩍 들어 내던졌다.

"쿵!"

울리는 소리는 둔탁했으나 바깥으로 소리가 새 나가지 않고 반사되어 반향은 오랫동안 울렸다.

"끼아악!"

땅에 떨어진 여인은 고통에 소리 질렀다. 떨어진 높이는 얼마 안 되었으나 베오울프의 강한 힘으로 워낙 거세게 내리쳐졌고 그녀 스스로의 무게도 있었기에 충격은 컸다.

다시 그녀는 상처로 기진맥진한 상태를 벗어나 기운을 차리고는 덤벼들 자세를 취하였다. 그녀는 벌떡 일어서 두 손을 들었다. 웅크린 두 손의 길고 날카로운 빨간 손톱이 금방이라도 상대방의 내장을 후려낼 듯 섬뜩했다.

"꺄악!"

그 여인은 신속히 자신의 무서운 악력으로써 보복하려고 달려들어 두 손으로 용사를 번갈아 후려쳤다. 그러자 마귀의 호수에 찾아온 용사들 중에 가장 힘센 그는 기운을 뺏기고 비틀거리며 넘어졌다.

여인은 자기 소굴에 온 그 손님 위에 재빨리 올라탔다. 그리고 그녀의 길고 빨갛게 빛나는 단검과 같은 손톱을 들어 아들의 원수를 갚으려 했다.

"카아악!"

보이지 않는 무엇을 움켜쥔 듯 웅크린 그녀 손끝의 칼날이 위에서 아래로 내리찍었다.

그러나,

"부드득!"

철사로 촘촘히 철갑비늘을 엮어 만든 튼튼한 갑옷이 베오울프의 어깨에 덮여 그의 생명을 보호하면서 칼날과 같은 그녀의 손톱이 찔러 들어오는 것을 막았다.

만일 그 튼튼한 전투용 철갑비늘 흉부갑옷이 그에게 도움이 되지 못하고 또한 거룩하신 하나님께서 그가 격투에서 이기도록 해 주시지 않았다면 예이츠의 영웅이었으며 에치데오의 아들인 자는 깊은 땅 밑으로 죽음의 여행을 떠나야 했을 것이다.

그리하여 그가 다시 일어섰을 때 세상의 지배자이신 거룩한 하나님께서는 그 결과를 올바르게 결정하셨느니라!

여인은 잠시 정신을 차리고 베오울프를 공격했지만 가슴의 상처에서는 그대로 피가 흘러나오고 있었다. 그녀는 손톱 공격이 실패하자 손의 아픔과 상처의 아픔이 겹쳐 다시 고통스러워하며 바닥에 주저앉았다.

여인은 마지막 힘을 다해 벌떡 일어나 자기 거처의 높은 벽에 걸려 있던 검은색 큰 검을 들었다. 그렌델은 칼을 쓸 줄 모르나 그의 어미까지는 어렴풋이 도구를 쓸 줄 아는 능력이 남아 있었다.

여인이 가진 검은 거대하여 자루까지 합치면 사람의 키만 하고 너비도 사람의 허리만 하였다. 한 번 휘두르면 사람의 몸통은 단번에 두 토막이 날 것이었다.

"휘잉!"

여인은 두 손으로 그 검을 위에서 아래로 내리찍었다. 그 속도는 매우 빨라 자칫하면 베오울프도 한순간에 도마 위 생선처럼 동강 날 뻔했다.

그러나 용맹스러운 그가 이 무서운 공격을 피하자 상황은 또 뒤집어졌다. 칼은 바닥에 꽂혀 움직이지 않았던 것이다. 상처의 고통을 받는 여인은 곧바로 공격을 하지 못했고 칼자루를 놓고 힘없이 주저앉을 뿐이었다.

베오울프는 재빨리 괴물의 소유였던 커다란 보검을 집어 들었다. 지상의 사람들 중에 가장 힘센 그로서 박혀 있던 칼을 뽑기는 그다지 어렵지 않았다. 이 검은 괴물 족속의 주문에 아랑곳 않고 쓸 수 있었다.

빼앗은 흑색 검을 들이밀며 베오울프는 여인을 향해 몸을 날렸다. 잠시 쓰러져 있던 여인은 몸을 일으켜 피하려 했으나 마침내 커다란 검에 배를 깊이 찔렸다.

여인은 바닥에 다시 쓰러졌다. 피는 순식간에 뿜어 나와 베오울프는 눈앞이 잘 보이지 않을 정도였다. 먼저보다 훨씬 큰 상처였다. 실내의 벽과 바닥은 피투성이가 되었다.

그때 그는 벽에 걸려 있는 여러 무구(武具)를 곁눈으로 보았다. 오래 전에 전승(戰勝)의 쾌락을 누린 바 있었고 카인의 후예인 거인들이 만든 것으로서 칼날이 지극히 단단하며 옛 싸움꾼들의 자랑거리였다. 놀라운 것은 그 가장 훌륭한 무기들이 지금의 검들과 다른 것은 모양이 훌륭하고 장식이 화려하다는 것이 아니라 바로 여느 사람이 전쟁에서 사용한 것보다 강하고 크다는 것이었다. 베오울프는 지금 괴물 족속의 조상 거인이 만든 검을 들고 싸우고 있었다.

덴마크를 위해 싸우는 사납고 무서운 용사는 칼자루를 다시 꼭 잡았다. 성난 그는 자신이 사는 것을 단념하고 암괴물의 생명을 끝장내려 다가갔다. 옆으로 쓰러진 그 여인의 목덜미를 내리치려고 검을 높이 들어 심호흡을 했다.

그 순간,

"우르르……"

천장이 무너져 내리는 것이었다. 베오울프는 무너진 돌덩어리에 머리를 맞았다. 투구를 쓰고 있어 별 탈은 없었으나 충격을 받아 검을 놓쳤다.

"카악!"

그 여자는 다시 일어나 자기를 죽이려 드는 용사를 증오 어린 눈으로 노려봤다.

'이 지독한 인간의 자식아. 어서 썩 물러가지 못하겠느냐! 우리 악마의 족속도 우리 나름대로의 삶을 누릴 권리가 있단 말이다!'

절규하는 그녀의 녹청색 눈의 흰자위는 붉게 충혈되었다. 그 위 쌍

꺼풀과 속눈썹도 떨리고 있었다. 크게 벌린 입속에는 빛나는 서슬의 치열(齒列)이 부르르 떨리며 광채를 냈다.

싸움의 와중에 베오울프는 동굴의 안쪽을 등지고 있었다. 교활한 암 괴물은 떨어진 커다란 돌 하나를 있는 힘을 다하여 앞으로 던졌다. 베오울프는 재빨리 몸을 낮춰 피했다. 그 사이 천장에서 또 돌무더기가 떨어져 여인과 베오울프의 사이에 쌓였다.

여인은 굴의 입구 쪽으로 기어서 도망갔다. 베오울프는 앞에 쌓인 돌무더기를 넘어 쫓아갔다. 여인은 밖으로 나가 물속의 세계로 갔다.

이곳 암괴물의 거처 입구의 바로 옆에는 또 다른 작은 다른 굴이 있었다. 여인은 그곳으로 기어들어갔다.

베오울프가 따라 들어가려 할 찰나,

"콰르르."

그 굴은 무너져 내려 입구는 단단히 막혔다. 그곳으로부터는 피가 솟아나오고 있었다.

여괴는 더 이상 인간 세상에서 활동할 능력을 잃고 그녀의 영혼은 저 먼 곳 악마의 본거지를 향해 떠날 채비를 하였다.

물속 깊은 곳 적진에서 아무도 보아주는 이 없이 외로운 사투를 한 용사 베오울프는 드디어 승리의 감격을 갖게 되었다.

베오울프는 괴물의 거처에 다시 들어와 그동안 싸우느라 보지 못했던 이곳저곳을 둘러보았다. 입구 반대편에서 바깥으로 공기가 통하여 베오울프는 그곳의 오래된 여러 보물을 둘러볼 여유를 가졌다.

오래된 보물마다 빛이 반짝였다. 마치 하늘에서 태양의 촛불이 밝게 빛나는 것처럼 빛이 내부에서 비쳤다. 벽에 걸린 등잔이 활활 타오르고 있었다.

구석의 침상에는 그렌델이 죽어 있었다. 먼저 해록회관의 격투에서 받은 상처로 싸울 의욕을 잃고 침상에 누운 뒤 목숨을 잃은 것이었다. 떼어진 한쪽 팔은 그의 어미가 가져와 다시 그 자리에 갖다 놓았지만 소용없는 일이었다. 털투성이 괴물은 눈을 감고 입을 벌리고 마른 시체로 죽어 있었다.

베오울프는 바닥에 있던 자기의 검을 주워 그렌델의 목을 베려고 했다. 그러나 흐룬팅 검으로는 역시 괴물을 벨 수가 없었다. 그래서 다시 거인족의 오래된 작품인 흑색 보검을 집어 그렌델의 머리를 베기로 했다.

성이 난 히엘락의 신하는 먼저의 격전 장소로 가서 흑검의 자루를 꼭 잡고 돌아왔다. 그는 그렌델의 시체 위에서 단단한 검날을 쳐들었다.

본래 괴물 족속의 것이었던 그 검은 용사에게 쓸모없는 것이 아니었다.

그는 그렌델이 수차에 걸쳐 서쪽 덴마크인에게 행한 수많은 행패를 얼른 보복하고 싶었다. 그렌델은 흐로스갈의 부하들을 자고 있을 때 죽였다. 덴마크 백성 중 열다섯 명의 남자를 자고 있을 때 먹어치웠고, 또한 그만큼의 다른 사람들을 밖으로 채갔다. 그것은 참으로 끔찍스러운 악행이었다.

마침내 사나운 투사는 그렌델에게 보복했다. 그 시체는 죽은 후에 베오울프의 일격, 강한 검의 타격을 받자 쩍- 하니 벌어졌다. 그렇게 그는 그렌델의 머리를 잘랐다.

바깥의 시간은 많이 흘렀다.

흐로스갈과 함께 호수를 쳐다보고 있던 현인들은 파동치는 물결이 흐려지고 물 위에 피가 번져 나오는 것을 보았다. 결국 호수의 사악하고 교활한 암괴물이 자기 몸을 돌보지 않던 이 용사를 해하고 만 것이 아닐까 근심에 싸였다.

저녁이 되어 호숫가에 어둠이 깔렸다. 기다리던 자들은 초조했다.

백발용사의 측근 신하들은 왕에게 궁성으로 돌아가기를 권했다. 그들은 물속으로 들어간 용감한 자에 대하여 말하기를,

"예이츠인의 병사들은 저들의 두목이 승리하여 다시금 유명한 왕을 찾아보러 오리라 기대하지 않는다고 합니다." 했다. 이는 호수의 암괴물이 그를 죽였다고들 생각했기 때문이었다.

"아아, 결국 우리는 또다시 악마로부터의 시련을 받아야만 한다는 것인가……"

흐로스갈 왕은 탄식하고는 마지막 결의를 했다.

"내일 왕국의 모든 군사를 끌고 와서 과인과 함께 모두 이곳에 빠져 죽는 한이 있어도 이단자와의 싸움을 결판 내리라."

시간이 늦어 덴마크인들은 그들이 앉아 있었던 호수의 벼랑을 떠났다. 용사들의 군주 흐로스갈도 궁성으로 돌아갔다.

그러나 예이츠 출신 외국인들은 비탄에 잠긴 채 앉아 호수를 지켜보고 있었다. 그들은 자기들의 군주를 다시 보기 원했지만 기대하지는 않았다.

"아앗, 검이 사라진다."

물속의 베오울프는 자기가 쥐고 있는 거인족의 흑검(黑劍)이 흐물흐물 줄어드는 것을 보았다. 그 전검(戰劍)은 싸움에서 흘린 그 여인의 피로 말미암아 싸움의 고드름이 되어 줄어들고 있었다.

계절과 시간을 주관하시는 하나님이 서리의 묶음을 푸시고 얼음물의 차꼬를 녹이실 때처럼 그 검은 마치 얼음과 같이 녹는 것이었다. 그것은 참으로 놀라운 일이었다.

예이츠인의 왕자 베오울프는 비록 그렌델의 소굴에서 많은 것들을 보았지만 그렌델의 머리와 보석으로 꾸며진 칼자루 외에는 다른 귀중한 물건들을 가지고 나오지 않았다. 무엇보다도 전승의 노획물로서 사람들에게 보이며 자랑하고 싶었던, 카인의 후예인 거인족 대장장이가 만든 흑색의 커다랗고 훌륭한 검은 어느새 완전히 녹아버리고 말았다. 저네들의 혼이 밴 물건마저도 저네들과 운명을 같이할 정도로 그 괴물 족속의 피는 뜨거웠으며 그 외령(外靈)의 심성은 너무나 유독했다.

격투에서 원수를 처치한 후 베오울프는 헤엄쳐 물 위로 올라왔다.

최후까지 남아 있던 그 외령이 그녀의 남은 생을 포기하고 이 덧없는 세상을 멀리했을 때 물결치는 그 넓은 호수는 완전히 정화되었다.

"푸우―."

한바탕 커다란 물의 소용돌이가 일었다. 그중에 베오울프가 나타났다. 용감한 해인(海人)의 보호자는 싸움을 이기고 호숫가로 헤엄쳐 나오는 것이었다.

그는 자기가 가지고 온 노획물, 그 큰 짐을 갖게 되어 기뻐하고 있었다. 그의 양손에는 가지고 들어간 흐룬팅 검 외에, 인간 세상에서는 볼 수 없을 만한 커다란 보검의 자루와 그렌델의 머리가 있었다.

"드디어 괴물을 격퇴하였다!"

"주군 만세!"

모두들 기뻐했다.

베오울프는 모두가 감탄의 눈으로 바라보고 있는 그 큰 짐들을 내려놓았다.

"예이츠인의 전투 사상 이렇게 훌륭한 전리품은 없었습니다."

그의 신하들은 모두 가까이 와서 말하며 하나님께 감사했다. 다시금 그를 건강한 모습으로 만나볼 수 있음을 기뻐했다. 그들은 베오울프의 투구와 갑옷을 벗겨주었다.

이들 대담한 용사들은 그렌델의 머리를 그 호수의 절벽에서 들어 올렸다. 이 일은 매우 힘들어 혼자서는 옮기지 못하고 여러 사람이 함께 들어 옮겼다.

격투의 피로 물든, 하늘 아래 저주받은 호수는 잔잔해졌다. 거기서 그들은 기쁜 마음으로 먼저 지나왔던 바로 그 길로 돌아갔다.

그렌델의 머리를 창대에 꽂은 채 힘들게 운반하며 이들 열네 명의 용감하고 대담한 예이츠 용사들은 회관에 도착했다.

회관의 분위기는 조용했다. 그러면서도 덴마크인들은 앞으로 그 힘든 괴물과의 싸움을 어떻게 해야 할지 곳곳에 모여 숙의하고 있었다.

그리하여 명성을 떨치게 된 용사 베오울프는 흐로스갈에게 인사하려고 왕의 접견실로 들어갔다. 그가 당당히 걸어 들어오는 소리는 이제까지 들리던 그의 어떤 발걸음보다 더욱 크게 회관의 마루를 울렸다.

쿵쿵하며 들리는 발걸음 소리에 흐로스갈 왕은 아직까지 실낱같은 희망을 버리지 않으며 고대하던 기적이 왔음을 직감하였다.

"용사를 맞이하라!"

왕의 주위에 모여 있던 열 명의 신하는 두 줄로 도열해 왕의 앞에 용사가 걸어 들어올 길을 만들어 주었다. 갑옷이 아닌 예복 차림의 베오울프는 그 가운데 성큼성큼 들어왔다.

"우리는 진실로, 위대한 용사는 하나님이 보호하심을 믿게 되었소."

흐로스갈 왕은 그를 보자 떨리는 목소리와 경외의 눈빛으로 맞이하였다. 그의 손에 들고 있는 노획물도 왕과 신하들에게 경이의 대상이었다.

"괴물의 거처는 파괴되었습니다. 암괴물도 사라졌습니다. 이제 더 이상 이곳 사람을 괴롭힐 호수의 괴물은 없습니다."

베오울프는 외쳤다.

"모든 이들을 대청으로 모이도록 해라."

왕은 지시했다.

해방의 기쁨을 누리는 연회가 다시 벌어졌다. 베오울프는 그렌델의 머리를 손에 잡고 많은 사람들이 술을 마시고 있는 회관으로 가지고 들어갔다. 그것은 귀인들에게서나 또한 그들과 함께 있던 여인 웨알데아에게도 끔찍스럽고 놀랄 만한 구경거리였다. 웨알데아는 기쁨과 놀라움 그리고 섬뜩함이 더해진 야릇한 표정으로 악명 높았던 괴물의 모습을 가까이서 보았다.

"악마를 물리친 이여! 그대와 같은 용사를 낳음이야말로 여인이 누릴 가장 큰 영광이로다!"

그녀는 다시금 베오울프를 축복했다.

둘러서 있는 모든 사람들도 놀라움과 두려움 그리고 기쁨으로 그 기괴한 전리품을 쳐다보고 있었다.

13 평화와 공존의 시대

에치데오의 아들 베오울프는 궁중에서 말했다.

"덴마크의 군주 헤알프데인의 아드님이시여. 보시옵소서. 저희들은 영광스러운 업적의 증거로 전하께서 여기 보시는 호수의 노획물을 기꺼이 전하께 드리려고 가지고 왔습니다. 저는 호수의 격투에서 간신히 살아남았으며 또한 겨우 그 일을 성취했습니다. 만일 하나님께서 저를 보호하시지 않았더라면 저의 격투는 속히 끝나고 말았을 것입니다. 저는 격투에서 흐룬팅 검으로는 아무것도…… 비록 그 검은 훌륭한 무기였지만…… 성취할 수 없었습니다.

그러나 인류의 주관자 하나님께서는 제가 그곳 벽에 걸려 있었던 아름답고 큰 고검을 사용할 수 있도록 해주셨습니다. 그리하여 '하나님께서는 친구 없는 자를 인도하시니라' 하는 말처럼 저는 그 외로운 물속의 결투에서 그 무기를 손에 들고 기회가 주어졌을 때 그 집주인을 죽였습니다.

그러자 물결무늬가 새겨진 흑색의 보검은 그들의 몹시 뜨거운 선혈이 솟아오르자 그 피에 젖어서 타 버렸습니다. 저는 원수들로부터 그 칼자루를 빼앗아 왔습니다. 저는 정당하게 그들의 악행, 덴마크인에 대한 살해를 보복했습니다.

그러므로 저는 전하께 약속하노니 이제부터 전하는 해록회관에서 전하의 모든 용사들과 함께 걱정 없이 주무시게 될 것이며 또한 덴마크의 군주이신 전하께서는 예전처럼 회관 저쪽에서 닥쳐오는 귀인들의 살해를 염려하실 필요가 없을 것입니다."

그리고 베오울프는 황금의 칼자루, 거인들의 옛 작품을 노장(老將)인 그 백발의 영도자 손에 쥐어 주었다. 숙련된 대장장이들의 작품인 그 칼자루는 그 주인인 악마들이 죽은 후에 덴마크 군주의 소유가 되었다. 적개심에 불타 살인의 죄를 범한 자가 하나님의 원수로서 이 세상을 떠나고 또한 그 모친도 떠난 후 그 칼자루는 스칸디나비아 일대에서 널리 보물을 나눠주는, 대양을 둘러싼 모든 왕 중에서 가장 훌륭한 왕의 소유가 되었다.

흐로스갈은 옛 유물인 그 칼자루를 바라보았다. 거기에는 홍수로 쏟아져 나오는 물이 거인들의 족속을 멸망시켰을 때 일어난 옛 투쟁의 기록이 적혀 있었다.

그들 옛 거인족은 몹시 외람되게 굴었다. 그리하여 영원하신 주님으로부터 멀어졌다. 우주의 지배자께서는 그들에게 홍수로써 최후의 복수를 하셨다.

빛나는 황금의 칼자루에는 꼬불꼬불한 뱀의 모습들이 그려져 있었고 이 가장 훌륭한 검이 누구를 위해 맨 처음 만들어졌는지가 상형문자로 새겨져 있었다.

그때 헤알프데인의 아들인 그 현인은 말했다. 모두들 조용했다.

"진실로 백성을 위하여 참되고 올바른 일을 행하며 지나간 옛일들을 모두 기억하는 자…… 즉 이 땅의 고령의 수호자는 말하기를 이 귀인 베오울프는 태생이 훌륭한 사람이라고 할 것이니라! 내 친구 베오울프여. 그대의 명예는 방방곡곡 모든 나라 사람에게 널리 떨쳤느니라. 그대는 지금 가지고 있는 이 모든 것 즉 체력과 정신력을 꾸준히 간직하시오. 얼마 전에 우리 둘이 말한 바와 같이 나는 우리들의 우호 관계를 지키겠소. 그대는 오랫동안 그대의 백성에게는 위로가 되고 용사들에게는 조력이 될 것이오.

그러나 과거 헤레모드는 명예로운 에치윌라의 후손인 덴마크인들에게 그렇지 못하였소. 그는 성장하여 덴마크 백성의 기쁨이 되지 못하고 도리어 그들을 학살하여 멸망시키었소. 그는 성이 나면 자기의 술친구들과 어릴 적부터의 어깨동무들을 죽였소. 마침내 이 악명 높은 왕은 가까이하기에 두려운 자가 되어 사람들의 기쁨을 떠나 홀로 되고 말았소.

위대하신 하나님께서 그로 하여금 힘과 권세를 누구보다도 더 누릴 수 있도록 해주셨고 그를 모든 사람들보다 높이셨으나 그의 마음속에는 피에 굶주린 생각이 떠올랐소. 그는 명예의 금고리 선물을 함께 용감히 싸운 덴마크인들에게 나눠주지 않았소. 그리하여 그는 투쟁의 고통과 영구한 쓰라림을 겪으며 쓸쓸히 살아야만 했소. 그대는 이것을 교훈 삼아 아낌없이 주는 미덕을 배울지어다. 나는 나이가 많은 현인으로서 그대를 위해 이 이야기를 하오.

하나님은 세상 모든 것의 주권을 갖고 계시오. 전능하신 하나님께서 당신의 관대한 마음에서 어떻게 온 인류에게 각자의 능력과 처지에 따라 지혜와 토지와 또는 직위를 부여해주시는지를 인간의 입으로 말하기란 너무도 경탄스러운 일이오.

때로 하나님은 고귀한 가문의 사람에게 축복의 사명을 내려 주시어 고국에서 사람들의 성시를 통치할 수 있는 세속의 기쁨을 주시기도 하오. 그리하여 영토 넓은 왕국을 그에게 속하게 하시었소. 성시는 번성하였고 통치자는 자기의 어리석음으로 인해 성시가 멸망하리라고까지는 차마 생각지 못했소. 그는 부유하게 살았으며 병이나 고령이 그를 조금도 방해하지 못했으며 슬픔이 그의 마음을 괴롭히지 못했소. 또한 사람들 간의 불화로 말미암아 일어나는 검의 싸움과 그 결과로 인한 미움의 복수는 그의 땅 어디에서나 일어나지 않았소. 세상은 태평성대고 모든 일들은 그의 뜻대로 되었소. 그리하여 그는 어려움을 전혀 몰랐소.

그러다가 그의 마음속에는 큰 교만심이 자라나서 그것이 번창하게 되었소. 그때 그에게 파수꾼이 되어야 할 그의 영혼의 감시원은 졸고 있었소.

사람은 누구나 선하지만 악의 감염에 의해 악해지는 것이오. 병든 자가 병마를 탓할 수 없듯이 마음이 허약한 자가 악마를 탓할 수 없소. 신체가 건강한 자는 무서운 돌림병이 번져도 이겨낼 수 있듯이 마음이 강건한 자는 악마의 유혹을 이길 수 있는 것이오.

그의 영혼이 악에게 점령된 뒤로 그는 많은 죄 없는 친구들을 죽였으며 많은 재물을 자기 혼자만이 가졌소. 늘어가는 세상 사람의 증오로 인해 마음의 갈등이 더해지고 자신의 양심에서도 가책이 일어나 참기 힘든 번뇌에 얽매이게 된 그는 어느 날 망명지의 처소에서 의자에 기댄 채로 깊은 잠이 들었소.

그때 사악하게 활을 쏘는 살인자가 바로 가까이 왔소. 그리하여 날카로운 화살은 악령의 불가사의한 명령에 의해 그의 갑옷을 관통하여 가슴을 찔렀소. 그는 홀로 있었기에 자신을 보호할 수 없었소.

그는 소유하던 보물이 자기에게 적은 것 같아 너무도 더 많은 보물을 탐내었으며 금으로 엮어서 만든 고리를 신하들에게 선물로 나눠주지를 않았소. 그러나 그 모든 막대한 보물은 그의 영혼이 세상에서 거둬지고 난 후에는 그에게 아무 소용이 없었소. 그는 자기의 사명을 망각하고 신하에 대한 도리를 지키지 아니하였소. 세상 영광의 소유주이신 하나님께서 전에 그에게 부여하신 영광의 참 의미를 망각하였소.

신에게서 많은 것을 부여받은 자는 많은 것을 베풀어 행해야 하오. 다섯 달란트를 받은 자가 힘써 그것을 남기어 베풀지 않고 묻어버린다면 그 죄악은 한 달란트를 받아 땅에 묻은 자보다 더 큰 것이고 더 큰 징벌을 받게 되는 법이오.

마침내 그의 영혼이 빌린 몸은 차갑고 매정한 창날의 침입에 의해 힘을 잃고 그는 쓰러져 죽게 되었소. 그가 죽은 뒤 그의 인생을 슬퍼하여 우는 자는 많았으나 그의 죽음을 아쉬워하는 자는 없었소.

그리고는 다른 사람이 그의 자리를 차지하게 됐소. 타지에서 들어와 새로 왕에 옹립된 자는 자기가 가지게 된 옛 보물들 중에서도 귀중한 것들을 충실한 신하들에게 아낌없이 나눠주었고 전혀 그것들이 없어질까 봐 벌벌 떨며 걱정하지를 않았소.

사람들 중에서 가장 훌륭한 나의 사랑하는 베오울프여! 이 같은 사악함으로부터 그대 자신을 경계하고 그대를 위하여 더 나은 것을 얻기 위하여, 즉 영원한 보람을 위하여, 충정 있는 나의 권고를 받아들이시오.

유명한 용사여 거만하지 않도록 조심하오! 그대에게 걸맞은 그 자부심을 진정시키시오. 지금 그대의 힘의 영광은 일시적이니라. 인간이 빌려 받은 육체의 능력은 덧없는 것이니 얼마 안 가서 병이나 검에 의해 위협받게 될 것이로다. 불의 포옹 또는 홍수의 물결, 검객의 습격,

공중에 휘둘려지는 창, 만약 그것을 피한다 하더라도 결국에는 무서운 노령이 그대의 힘을 빼앗아 갈 것이며 또한 그대의 밝은 시력이 쇠약해져서 어두워지게 될 것이오.

용사여! 죽음이 곧 그대를 정복할 것이로다.

과인은 이제까지 덴마크를 오십 년 동안이나 다스렸으며 또한 전쟁에서 창과 검으로 이 세상 도처의 많은 나라를 평정하고 우리의 백성을 보호하였기에 나는 천하의 누구도 적으로 여기지 않소.

그러다 옛 원수 그렌델이 나의 침략자가 된 후 내 땅에는 운이 역전하여 기쁨 후의 슬픔이 닥쳐왔소. 그렌델 때문에 태평성세의 나라가 우환에 가득 차게 된 뒤로 과인은 고통과 절망의 나날을 보내야만 했소. 과인 하나가 목숨을 버려 이 우환을 벗어날 수만 있다면 얼마나 좋을까 생각한 적이 한두 번이 아니었소. 위대하신 옛 군주들의 용감한 희생 위에 이루고 닦여진 이 나라가 과인의 대에 이르러 신의 저주받은 족속에 의해 멸망하는 것이 아닌가 하는 두려움이 항상 나를 고통스럽게 했소. 대대로 내려온 종묘사직의 단절은 조상 앞에 죽음으로도 책임질 수 없는 대죄가 될 것이니 어찌 이보다 더한 괴로움이 있겠소.

그러나 오랜 싸움 끝에 살아생전 내 눈으로 그의 피투성이 머리를 쳐다볼 수 있게 해 주신 데 대해 영원한 주님이신 창조주께 감사를 드리오. 싸움에서 이름을 떨친 이여! 이젠 그대 자리에 돌아가서 기쁜 축연을 즐기오. 아침이 되면 우리 양인은 매우 많은 보물을 나눠 갖게 될 것이오. 대단히 많은 보물이 우리들 양자에 분배될 것이오."

예이츠인은 현인이 시킨 대로 기쁜 마음으로 자기 자리를 찾아갔다.

회관에 둘러앉아 있는 용사들을 위해서 훌륭한 축연은 계속되었다.

밤의 장막이 용사들의 회관 위에 어둡게 내렸다. 고참병들은 모두들 일어났다. 백발이 된 고령의 덴마크 왕은 자기 침소에 가기를 원했다. 창을 들고 싸우는 용사 예이츠인 베오울프도 퍽 쉬고 싶어 했다. 흐로스갈 왕의 한 가신이 서둘러 나서서 먼 나라에서 와 출정에 시달린 그에게 길을 안내했다. 그 가신은 용사의 모든 - 그 당시 외국 해인들이 가졌어야 하는 - 필요한 것을 정중히 시중들었다.

그리하여 마음이 관대한 그 영웅은 휴식을 가졌다. 그 건물의 박공은 우뚝 솟아 있었고 천장은 높았으며 금으로 장식되었다. 그 손님은 검은 까마귀가 명랑하게 기쁨의 해돋이를 알릴 때까지 안내된 숙소에서 잤다.

밝은 빛은 밤의 그림자 위를 서둘러 올라왔다. 용사들도 서둘러 일어나 그들의 장구(裝具)를 챙겼다. 용사들은 자기의 고국에 돌아가기를 열망했다. 손님 베오울프는 거기서 먼 곳에 있는 자기의 배를 찾아가 보고 싶어 했다.

"베오울프, 자네는 진정 이 시대 최고의 용사네. 자네의 앞길에 무궁한 영광이 있기를 믿어 의심치 않네."

운휘스도 먼 나라 손님들과 함께 잠을 깨어 그들을 배웅하러 나왔다. 그는 이제 베오울프를 자기보다 용맹한 자로서 선망의 눈길로 대하고 있었다.

베오울프는 한때 자기의 것이 되었던 귀중한 검 흐룬팅을 가리키며 부하에게 "이것을 에치라프의 아들 운휘스에게 갖다 주라."고 하였다.

베오울프는 그에게 다가가 "보검을 빌려준 것에 대해 감사하네. 싸움의 동반자인 그 검은 매우 훌륭하였으며 격투할 때 강한 힘을 보태

주었네." 하였으니 비록 실제로는 크게 유용하게는 쓰지 못하였다 하더라도 빌려준 자에게는 최대의 예의를 표한 것이었다. 그는 전혀 그 칼날을 말로써 흠잡지 않았다. 그는 도량이 큰 사람이었다.

용사들은 서로 악수를 나누며 정중히 인사했다.

그리고 예이츠인 용사들은 떠나고 싶어서 모두들 전의를 입고 갈 준비를 했다.

덴마크인들로부터 존경받는 그 귀인은 그들의 왕이 앉아 있는 높은 왕좌에 가까이 갔다. 싸움에 용감한 베오울프는 왕에게 인사드렸다.

"먼 곳에서 온 저희 항해자들은 이제 우리의 히엘락 왕을 찾아가고 싶다는 것을 말씀드립니다. 우리들은 이곳에서 즐거운 대접을 받았고 전하께서는 저희를 잘 대접해 주시었습니다.

만약 제가 어떻게 해서든지 여태껏 한 것 이상의 무용의 업적을 세워서 이 세상에서 전하의 총애를 더 많이 받을 수 있다면 용사들의 군주시여! 저는 당장 그 일을 준비하겠습니다. 만일 전하의 이웃들이 이제까지도 간혹 그래 왔던 것처럼 전하의 나라를 공포에 밀어 넣는다는 것을 넓은 바다 저편에서 듣는다면 저는 전하를 돕기 위해 천 명의 용사들과 영웅들을 데리고 오겠습니다.

예이츠의 군주시며 백성의 수호자이신 히엘락 왕께서는 비록 나이는 젊지마는 저를 언행으로 도우시는 분이니 사람의 필요가 전하에게 있게 될 때는 제가 전하를 예우하며 돕기 위해 창과 원군을 이끌고 올 수 있도록 허락해 주실 것으로 저는 압니다. 만일 왕의 아들 흐레드릭 본인께서 예이츠의 궁전에 오시려고 마음먹으신다면 그분은 거기서 많은 친구를 만나볼 수 있을 것입니다. 용맹을 자랑하는 호걸들끼리는 멀리 있더라도 서로들 방문하여 사나이들의 우정을 쌓고 견문을 넓히는 것이 좋은 일입니다."

왕은 감탄하며 대답했다.

"현명하신 하나님께서 그대의 마음속에 이 말을 불어넣어 주신 것이오. 이제까지 젊은 사람 중에 이렇게 훌륭한 말을 하는 자가 없었소. 그대는 용감하고 현명하고 말하는 데 분별이 있소.

만약 창검이 휘둘러지는 싸움이나 병이나 상처가 그대의 군주를 빼앗아 가고 그대가 살아남게 된다면 예이츠 사람들은 그대가 그들의 왕이며 용사들과 보물의 수호자로서 그대보다 나은 사람을 택할 수 없으리라고 나는 생각하오.

사랑하는 베오울프여 그대의 고귀한 심성은 오랫동안 나를 몹시 기쁘게 할 것이오. 그대는 덴마크와 예이츠 양 국민 간에 상호 평화가 유지되게끔 했으며 또한 그들이 예전에 행하였던 양국 간의 전쟁이나 적대 행위를 그치게 했소. 또한 내가 이 넓은 왕국을 다스리는 한 사람들은 서로 나누어 가질 보물을 가지고 물새들이 몸을 적시며 뛰노는 저 넓은 바다를 건너 서로 방문하게 될 것이오.

그리하여 높이 솟은 선수가 고리와 같이 휘어진 배는 바다를 건너 선물과 우정의 증거품들을 가지고 오가게 될 것이오. 나는 그대의 백성이 친구와 원수를 구분하는 마음이 확고부동하며 또한 오래된 전통을 지키며 모든 일에 비난할 점이 없음도 알고 있소."

귀인들의 수호자인 헤알프데인의 혈연자 흐로스갈은 회관 안에서 베오울프에게 열두 가지의 보물을 선사했다.

그것은 동방에서 온 열두 보물로서 자(子), 축(丑), 인(寅), 묘(卯), 진(辰), 사(巳), 오(午), 미(未), 신(申), 유(酉), 술(戌), 해(亥)라고 하는, 금으로 만든 십이지(十二支) 신상(神像)이었다.

그리고는 베오울프가 보물을 가지고 그의 사랑하는 백성에게 무사히 돌아간 뒤 속히 다시금 찾아오라고 당부했다.

덴마크 백성의 고귀한 군주는 가장 훌륭한 군장에게 입 맞추고는 그의 목을 껴안았다.

"이제 양국의 우호는 자손만대 계속될 것이며 양국 간에는 평화와 공존의 시대가 올 것이다."

고령의 왕은 눈물로 그들을 보내었다. 백발 아래 흰 눈썹 밑의 감길 듯한 눈에서는 눈물이 떨어졌다.

고령의 현인으로서는 앞날이 예측되는 것이 있었다. 그것은 용감한 그들이 후에 살아서 다시 만날 수 있으리라는 것과 없으리라는 두 가능성 중에 못 만나리라는 가능성이 훨씬 크다는 것이었다. 그 사람이 그토록 소중했기에 왕은 가슴에 부풀어 오르는 감정을 억누를 수 없었다.

용사들은 이 해록회관에서 다시 만나 밤을 새워 술잔을 부딪치고 기울이며 진한 우정을 즐기길 기대했다. 그러나 고령의 왕은 그것이 이루어지기 어려움을 알았다. 이제 헤어지면 아마 다시는 볼 수 없을 사랑하는 자에 대한 숨은 정이 피로 용솟음치고 있었으나 늙은 왕은 그 마음을 끈으로 묶어두었다.

금으로 찬란히 단장한 용사 베오울프는 왕에게로부터 떠나, 하사받은 보물에 몹시 기뻐하면서 잔디밭을 걸어갔다. 그리고 함께 하는 용사들과 성문을 나서서 바다의 여행자가 기다리고 있는 해변을 향해 나아갔다.

닻에 묶여 있는 배는 주인을 기다리고 있었다. 그동안 파수병들은 용사들의 배를 잘 관리해 주었다. 홀로 기다리며 차가운 서리를 맞은 것 외에는 배는 이곳에 왔을 때의 그 모습 그대로였고 바다로의 출발은 순조로웠다.

용사들은 고국으로 가는 항해 도중에 대화를 나누며 흐로스갈 왕이 준 선물의 견고함과 아름다움과 오래됨을 칭찬하였다. 받은 만큼 아낌없이 베푸는 그는 모든 점에 있어서 책망할 것 없는 훌륭한 왕이었다.

세월은 흘렀다. 덴마크에는 평화가 온 지 다시 수년이 더 흘렀다.

그리고 마침내 고령(高齡)이 현명했던 그들의 왕에게서 힘의 기쁨을 빼앗아 갔다.

왕은 그의 뒤를 이을 왕자가 곁에서 지켜보고 사랑하는 왕비가 머리맡에 기대어 눈물짓는 가운데 지극히 평온하게 이 세상 사람으로서의 긴 여정을 마쳤다. 온 국민은 예전의 관습대로 그를 배 위에 장사지내 먼 바다로 보냈다.

그렇게, 인간의 삶을 유지하기 위한 투쟁사의 한 장은 막을 내렸다.

2부

베오울프와 화룡

14 돌아온 용사

　매우 힘차고 씩씩한 젊은 용사들의 한 무리가 바닷가로 왔다.

　빛나고 튼튼한 쇠고리로 촘촘히 엮은 흉부 갑옷을 입은 그들은 마치 그들의 존재를 일부러 알리려는 듯 철컥, 철컥, 갑옷에서 나는 쇳소리와 절그럭, 절그럭, 숲을 벗어나 해변으로 이어지는 자갈밭을 밟는 소리를 크게 내며 성큼성큼 걷고 있었다.

　해안의 경비원은 그들을 보기 전에 그 소리부터 듣고 고개를 돌렸다. 그는 먼저 그들이 왔을 때처럼 이제 그 용사들이 돌아가는 것을 보게 되었다.

　"오오, 바로 그 용사들이다. 저네들은 임무를 마치고 고향으로 돌아가고자 이리로 오고 있구나."

　가파른 절벽 위 초소에 있던 경비원은 일어섰다. 용사들의 무리와 그는 눈이 마주쳤다. 거사를 치르고 돌아가는 귀한 손님들을 한갓 멀리서의 손짓으로 보냄은 무례하기 이를 데 없음이라. 경비원은 초소 안쪽의 마구간에서 군마를 끌어내 올라타고 뒤편의 완만한 경사지를 돌아내려 용사들의 무리를 향해 말을 달렸다.

　베오울프의 일행은 다가오는 환송객을 맞이하러 정지했다.

　경비원은 가까이 다가와 말에서 내렸다. 이미 그들의 업적을 들은 바 있는 그는 말했다.

"빛나는 갑옷의 용사들이여. 당신들은 이제 배를 타고 가서 당신들의 사랑하는 예이츠 백성에게 환영받을 것입니다. 당대의 가장 용맹스러운 자들의 귀향길이 순항하도록 신의 가호를 비는 바입니다."

바닷가의 고운 모래 위에는 자기의 소중한 주인들을 기다리며 말없이 정박해 있던 큰 배가 있었다. 뱃머리에 번쩍이는 고리가 달린 그 배에는 갑옷과 말과 보물이 하나하나 실려 올라갔다. 흐로스갈 왕이 하사한 숱한 보물의 더미는 그 배의 돛대를 감아 올라가 해풍에 펄럭이는 포(布)의 바로 아래까지 높이 쌓였다.

"우리 일행을 맞이할 때 보였던 그대의 굳센 기개를 기억하오. 떠나는 우리를 위해 축복해주는 그대 앞길의 영광을 기리고자 한 물건을 건네겠소."

베오울프는 고국에서 가져온, 칼자루에 금대(金帶)가 감겨 있는 검을 해안 경비원에게 주었다.

"오, 이런 훌륭한 보검을…… 이 몸이 살아 있는 한 앞으로 길이 귀국(貴國)의 훌륭한 용사들을 기억할 것입니다."

경비원은 감사히 받았다.

타국의 용장(勇將)에게서 받은 그 보물 덕분에 이후 그는 주연석(酒宴席)에서 지금까지 보다 더한 존경과 우러름을 받을 수 있었고 그 검은 그의 집안에서 대대로 가보로 전해 내려졌다.

베오울프와 그의 용사들은 배에 올랐다. 배가 바다를 다닐 때 걸치는 해의(海衣)인 범포(帆布)가 다시금 노끈으로 돛대에 굳게 묶였다.

검고 깊은 바다를 긴 노로 휘저으며 일행은 덴마크 땅을 떠났다.

바다를 다니는 목조(木造)의 항해자는 물결에 따라 기우뚱거리며 삐

걱거렸다. 바람은 세게 불면서 이리저리 방향을 바꿨다. 돛은 부드득 부드득 소리와 함께 이리 펄럭 저리 펄럭하며 돛대를 기울이고 배를 흔들었다.

그러나 어지러이 부는 바람도 파도에 떠가는 자의 앞길을 방해하지는 못했다. 인간이 지은 과묵한 바다의 생물은 모진 비바람과 파도의 심술에 아랑곳없이 자신의 임무를 수행하며 전진했다.

선수에서 후미까지를 든든히 버티고 있는 용골(龍骨)은 오랫동안 바닷물에 담갔다가 말리며 굳힌 참나무의 심재(心材)로 만들어져 단단하기 이를 데 없었다. 그것은 이제까지의 많은 항해 중에 그 배를 위협했던 어떠한 타력(打力)도 견뎌냈던 것이었다.

높이 솟은 목에는 희뿌연 거품을 겹겹이 두르고 배는 오르내리는 바다 물결에 떠서 나아갔다. 마침내 그들은 예이츠의 땅…… 그들이 태어나서부터 익히 보아온 해안의 가파른 바위 절벽과 침엽수림을 보았다. 마지막까지 배는 전진하여 육지에 도착했다.

"아아, 그들이 온다. 이단자를 정벌하러 갔다는 바로 그들이……"

예이츠 항구의 경비원은 속히 해안으로 갔다. 예이츠인의 사랑하는 용사들이 멀리 떠나고서부터 그리워했던 그는 그들이 수평선 멀리 보일 때부터 줄곧 바다를 바라보고 있었다.

고국에 돌아오는 용사들을 어서 상륙시키고자 분주히 돛을 밀어댄 바람의 힘을 받아 사장(沙場)을 긁으며 파고들어 온 큰 배는 모래가 자갈로 변하는 지점에 이르러 멈췄다.

"어서 오소서. 우리 군주의 혈연자시여. 이단의 괴수를 무찌르고 무사히 돌아오셨사옵니까? 진심으로 축하드리옵니다."

서둘러 달려와 말에서 내린 세 명의 경비병으로부터 일행은 조촐한 환영 인사를 받았다. 그들의 귀국 일시는 예정된 것이 아니었기에 고국은 미처 그들의 공로에 걸맞은 환영 준비를 할 수 없었다.

개선의 일행은 육지에 올랐다.

항해에서 돌아온 자들은 쉼 없이 출렁이는 파도의 힘이 혹 이 아름답고 폭이 넓은 나무배를 모래 해안에서 몰아낼까 염려되었다. 해안에 가까운 불뚝 솟은 바위를 찾아 그곳에 닻줄을 단단히 묶었다. 묶인 닻줄을 매듭짓는 일은 가장 힘센 용사 베오울프가 직접 마무리 지었다.

"자, 이제 보물들을 배에서 내리자."

베오울프는 귀인들의 보물과 장식품 그리고 판금(板金) 들을 육지로 운반해 올리도록 했다.

말과 마차를 먼저 내리도록 했다. 여덟 필의 말이 끄는 마차에 보물을 가득 싣고 그들은 거기서 멀지 않은 곳에 저들 군주의 성이 보이는 길을 따라 함께 걸었다.

용사들에게 보물을 나눠주시는 자, 흐레델의 아들 히엘락의 거처는 해안에서 보이는 높은 곳에 자리해 있었다.

깎아지른 회색의 바위 절벽 위에 우뚝 서 있는 왕궁의 뾰족뾰족한 지붕에는 푸른 하늘에 떠도는 분홍빛 새털구름의 오라기가 걸칠 듯이 다가와 맴돌고 있었다. 그 아래 장대하고 중후한 화강석의 궁성은 하늘을 날아 떠가는 듯 보였다.

성벽은 뉘엿거리는 석양을 받아 누른 금빛으로 번쩍였다. 지붕 아래 군데군데 나 있는 파수창(把守窓)은 웅대한 성벽에 비하여는 매우 작아 보였다. 닫혀 있는 창유리에는 발간 석양이 충혈된 눈빛처럼 반사되고 있었다. 성벽 모서리마다 돌출한 굵은 원주탑(圓柱塔)에도 망보는 창이 있었으며 그 위에는 빨간 원추(圓錐)의 지붕이 치솟고 있었다.

인간이 다다를 수 있는 가장 높은 이곳, 하늘을 우러르는 그 건물에서, 예이츠의 수호자이며 스웨덴 왕 온겐데오의 살해자인, 천하에 이름 높은 그 왕은, 그의 친구 예이츠인 용사들과 함께 거(居)하고 있었다.

여행을 같이한 동료들과 함께 베오울프는 그 높은 곳을 향해 갔다. 세상을 비추는 거대한 촛불인 태양은 그때 바다 위에 떠서 넓은 모래벌판 위 갑옷 입은 용사들의 걸음을 빛으로 떠밀어 재촉했다.

베오울프 일행을 맞이했던 파수병들은 서둘러 말을 달려 먼저 궁성으로 올라갔다. 당신의 전우 베오울프가 전쟁에서 성한 몸으로 이곳으로 돌아온다는 사실이 급히 히엘락 왕에게 전해졌다.

"전하 기뻐하소서! 전하의 혈연자이며 예이츠의 으뜸 용사인 베오울프가 덴마크 국민을 괴롭혔던 괴물을 퇴치하고 지금 돌아오고 있사옵니다!"

"오! 오늘 드디어 과인은 한시름을 덜게 되었도다! 어서 성문을 활짝 열어젖히고 현관에서 이곳까지의 길목에는 화초를 진열하고 모든 부정한 물품은 거두도록 하여라."

위대한 왕의 명령대로 회관 내부는 그 도보 용사들을 맞이하기 위해 얼른 깨끗이 치워졌다.

왕에게 용사의 개선을 보고한 파수병들은 다시 언덕을 달려 내려왔다. 해변이 널리 보이는 곳에서 그들은 이리로 오고 있는 용사의 일행에게 큰 소리로 외쳤다.

"우리의 훌륭한 젊은 전왕(戰王) 히엘락왕께서는 이 성내에서 승전의 포상으로 금고리를 배부하실 준비를 하고 계십니다!"

걸어오던 용사들은 잠시 멈춰 파수병의 전언을 듣고,

"왕이 기다리신다니 어서 걸음을 서두릅시다."하며 걸음을 빨리했다.

그들은 곧 언덕을 올라 궁성 앞에 다다랐다. 궁성의 문지기들과 개선용사들은 반가운 악수를 나누었다.

정문에서 현관까지는 우거진 정원수 아래 열 걸음 남짓한 돌포장길이었다. 예이츠의 궁성은 암봉(岩峰) 위의 높은 건물로서 안마당은 그리 넓지 않았다. 왕의 거실은 그 중에도 높은 곳에 위치해 있었다. 용사들은 꽃 넝쿨이 덮이고 물결무늬의 부조(浮彫)가 음각(陰刻)된 대리석의 현관을 들어와서 흑요석(黑曜石)이 넓게 깔린 대청을 가로질렀다. 다시 나선형의 놋쇠 계단을 세 바퀴 돌아서 황금의 도료를 바닥에 칠한 방에 들어온 그들은 이제껏 잠시도 잊지 않았던 저들의 군주 앞에 자랑스러운 몸가짐으로 정렬할 수 있었다.

"왕의 혈연자이며 충성스러운 신하 베오울프는 원정에서 이기고 무사히 돌아와 전승의 군주께 전과(戰果)를 보고 드리옵니다."

격투에서 무사히 돌아온 자는 격식을 갖춘 힘 있는 연설로 마음 씀이 큰 자신의 군주에게 인사했다.

"나의 사랑하는 조카이며 예이츠 왕국의 대들보인 용사 베오울프여 어서 오라!"

개선용사는 군주와의 대면을 위해 어전에 한쪽 무릎을 꿇어앉았다.

금빛 왕복에 물결 모양 금판 왕관을 쓴 삼십 대의 중년 삼촌과 쇠사슬 흉부갑옷 차림의 이십대 청년 조카의 대좌. 용감한 두 친족 중에 손위 되는 위엄 있는 군주 히엘락의 곁에는 그가 최근 맞이한 젊은 왕후 히드가 자리해 있었다.

히엘락 왕은 전 왕비가 딸 하나만을 남기고 병사한 뒤 얼마간을 지존의 몸으로서 홀로 지내었다. 그러다 두 해 전 자국 내 변방의 귀인가 문에서 십육 세의 아름다운 처녀 히드를 왕비로 맞이했다. 히드는 왕자 헤아드레드를 낳았다. 전 왕비의 소생인 공주는 스웨덴과의 전투에서 공을 세운 용사 에오폴의 아내로 주었다.

히드는 아직 순결한 처녀티가 가시지 않은 매우 젊은 여인이었지만 그녀의 사려는 현명하고 몸가짐은 세련되었다. 왕비로 간택된 후에도 그녀는 왕실의 부귀영화를 누리기보다는 항시 백성의 안위를 함께 걱정하는 겸허한 마음으로 살아왔다. 북쪽 스웨덴국경 지역의 영주 해레드의 딸인 그녀는 수수한 변성(邊城)에서 자라나 이곳 호화로운 궁궐에서 산 지가 몇 년 안 되는 만큼 새로이 손에 잡히는 각양각색의 귀중한 보물을 적잖이 탐낼 만도 했지만 그녀는 전승의 예이츠인에게 선물을 주는 데 있어 전혀 아끼거나 인색하지 않았다.

높은 회관에서 혼자 전우를 기다리던 히엘락 왕은 그동안의 일을 알고 싶어 견딜 수 없었다. 그는 자기 동지 베오울프에게 그대들 예이츠인 용사들의 여행길은 어떠했느냐고 정중히 물었다.

"사랑하는 베오울프여. 그대가 갑자기 멀리 덴마크의 해록회관에서 격투하려고 바다를 건너간 후 그 여정 중에 별일은 없었소? 그대는 그 유명한 군주 흐로스갈의 걱정을 조금이라도 덜어 주었소? 나는 이제껏 그 일 때문에 근심 속에 지내 왔소.

나는 나의 사랑하는 사람이 자진해서 떠맡은 일이 성공하리라고 확신하지는 않았소. 나는 그대가 공연히 그 잔인한 악마에게 싸움을 걸지 말고 덴마크인들로 하여금 그렌델과의 싸움을 결말짓게 내버려두자고 강하게 권고했었소. 그러나 그대의 용기에 찬 결심을 말릴 수는 없었소. 지금 나는 그대를 성한 모습으로 다시 보게 해 주신 하나님께 감사를 드리오."

　반가운 자들을 맞이한 왕은 상견례를 마친 뒤 함께 놋쇠 계단을 딛고 대청으로 내려와 주연을 베풀었다. 그곳에서 왕은 용사들이 바친 보물 그리고 왕실에 보관되어 있는 보물 중에서 용사들 각각에게 합당한 것을 골라 나누어주었다. 보물을 받은 용사들은 그것을 걸어보고 차(茶)보고 입어보고 만져보면서 서로들 맥주잔을 부딪치고 기울였다. 히엘락 왕의 회관은 저녁 늦게까지 사나이들의 우렁찬 목소리로 가득했다.

　승리의 용사들을 위한 연회장에는 한 고귀한 작부(酌婦)가 있었다. 바로 예이츠 국왕의 아내 히드였다. 해레드의 딸 히드는 술잔을 들고 회관을 두루 다니면서 친절하게 사람들을 접대하며 독한 술을 가득 따른 잔을 용사들의 손에 쥐여 줬다. 술잔을 주고받을 때마다 젊은 왕비의 섬섬옥수는 용사의 굵은 손마디에 천연스레 와 닿아 서로의 감촉을 교환했다. 짙푸른 눈과 예리한 콧날, 창백한 뺨 아래 모난 아래턱 선이 일견 싸늘해 보이는 그녀였지만 오히려 그런 모습의 그녀가 살짝살짝 지어주는 미소는 한결 청량한 자극을 주는 위로가 될 수 있었다.

　여신과 같은 젊은 왕비의 온화하면서 싱그러운 숨결은 싸움의 원정길에 지친 용사들의 가슴을 평정(平靜)해주었다. 그녀의 고귀한 아름다움은 마주하는 병사만의 것이 아니었다. 그녀는 뒷모습도 아름다웠다. 전투에 나갔던 무명의 용사 하나하나에게 공손히 허리 숙여 술을 따르는 그녀의 푸른 옷자락에 덮인 허리선도 아름다웠다. 옷자락 아래 드러난 종아리의 흰 살결로부터는 생명의 온기가 번져 나와 주연석의 분위기를 따스하게 순화하고 있었다.

15 잔인한 공주와 사악한 검사

이렇듯 국모의 덕은 군주가 백성의 신망을 얻기 위하여 더없이 중요한 것이니라.

하지만 예전에 훌륭한 백성 앵글족의 공주 모드리스는 젊었을 때 무시무시한 악행을 저지르곤 했다.

그날도 앵글족 궁실의 연회장은 화기(和氣)가 넘치고 있었다.

국왕은 나라에서 가장 큰 배를 타고 지난 한 달 동안 바다 건너 대륙 각지를 돌아다니며 자국의 산물과 타국의 산물을 교환하는 무역을 하고 돌아왔다.

자기네로서는 대단찮아 보이는 물품인 양가죽, 사슴가죽, 고래 힘줄 등을 귀중한 옥향목, 삼십 년 된 포도주, 올리브유 등과 바꾸곤 했고 특히 신 나는 것은 자기네들의 오래된 질그릇과 토기 등을 남방의 고고학자와 흥정하여 로마의 황금 술잔들과 바꾼 것이었다.

"내년부터는 저기 서쪽 벌판에 있는 우리의 오래된 돌무덤을 외국 사람들에게 구경시키고 그 대신 그들의 보물을 받는다고 하신다네."

"그들에게 받는 구경 값도 그렇거니와 우리나라에서 묵고 갈 동안 숙박료나 식사료 등으로 우리 백성에게 남기고 갈 물건도 적지 않을 거야."

"국왕 전하께서는 국방뿐만 아니라 나라 경제 운영에도 능하신 분이다."

"암. 친히 우리 백성의 이익을 위하여 외국에 나가서 장사를 해 오시는 분은 천하의 훌륭한 군주들 중에도 드물 것이야."

신하들의 국왕에 대한 칭송은 자자했으며 또한 진심에서 우러나오는 것이었다.

"국왕 전하 입장입니다."

연회장에 모인 수십 명의 귀인들은 일어섰다. 그들은 저들의 수호자인 국왕을 한 달 만에 다시 보는 기쁨에 상기되어 있었다.

짙고 긴 머리를 어깨까지 늘어뜨리고 만면에 미소를 띤 국왕은 흰 옷에 붉은 망토를 걸친 평상복으로 등장했다. 그의 뒤에는 왕이 가진 가장 귀중한 재산…… 너무나도 아름다운 공주 모드리스가 있었다.

"우리의 국부(國富)를 위하여 힘쓰고 돌아오신 국왕 전하를 환영합니다."

누가 선창하지도 않았는데 모두들 입을 모아 국왕을 칭송하며 맞이했다.

"허허, 내가 무슨…… 그냥 심심해서 한 번 외유하고 온 것뿐인데. 자, 여러분 모두 앉아 마음껏 마시고 즐깁시다."

국왕은 챙이 넓은 붉은 모자 아래 얼굴 가득히 호쾌한 웃음을 짓고는 텁수룩한 수염을 쓰다듬며 벽면 중앙에 그를 위하여 마련된 자리에 앉았다.

곧이어 모드리스 공주도 부왕 곁에 멈춰 섰다.

그런데 공주는 자리에 앉지 않고 당황해 하며 앞을 응시하는 것이었다.

그다음,

"아아악!"

실내를 뒤흔드는 날카로운 비명이 공주에게서 튀어나왔다.

공주는 얼굴이 붉어지고 푸른 안광이 튀며 부들부들 떨었다.

"무…… 무엇이냐?"

앉아 있는 국왕은 놀라 고개를 돌려 올려보며 물었다. 왕과 공주를 수행해온 궁중 신하들도 심히 당황하였다.

"무엇이옵니까? 공주마마."

공주 곁에 있던 왕실 경호무사 소드만이 허리에 찬 칼자루를 손으로 덮으며 허리를 숙였다.

"저…… 저기."

공주는 계속 부들부들 떨며 손가락을 들어 앞에 자리해 있는 신하 중 하나를 가리켰다.

"어떤 일이옵니까? 공주마마."

소드만은 다시 공주에게 물었다. 그동안 왕은 굳은 표정으로 있었다.

"저자가 나를 뚫어지게 쳐다보고 있어요!"

소드만은 공주가 가리킨 곳을 돌아보았다.

소드만은 남부 지중해 연안 무어족 출신의 검사(劍士)로서 왕의 지중해 여행 중에 만나 용병으로 들어온 지 십 년이 되었다. 상대의 어떤 공격도 견뎌낼 단단한 체격, 그리고 가무잡잡한 얼굴에 번뜩이는 가느다란 뱁새눈은 몹시 매서웠다. 그는 자기 몸을 아끼지 않는 충성심으로 국왕의 신임을 받아 두 해 전부터는 이제 성숙한 처녀가 된 공주 모드리스의 경호를 맡아 했다.

그는 공주의 경호를 자기 몸보다, 아니 공주의 옷깃이 상하는 것을 자기의 목숨이 위협받는 것보다 더 큰 일로 생각할 만큼 공주를 위해 충성을 바쳤다.

공주 모드리스 또한 자기 몸을 물방울에 비친 흰 구름이 바람에 꺼질까 염려하듯 했다. 그녀는 자기의 옷깃 조차에도 원치 않는 접촉을 꺼림은 물론 부왕 이외 누구도 감히 자기를 쳐다볼 수 없게 했다.

계속 그녀는 궁내가 떠나갈 만한 칼날 같은 목소리로,

"저자는 나에게 음욕(淫慾)을 품고 있다!"

하며 한 신하를 가리켰다.

소드만은 벌떡 일어섰다. 그리고 쿵쿵 발소리를 내며 가리켜진 신하, 설리반에게 다가왔다. 눈이 마주치기 무섭게 소드만은 그의 두 손을 낚아채 붙잡았다.

"공주님께 부정한 마음을 품는 자는 누구도 용서할 수 없다!"

소드만은 설리반을 연회장 문가의 병사들에게 넘기며 무언가 복잡한 내용의 지시를 하고는 돌아왔다.

연회는 계속되었다. 밤이 깊어 연회가 끝날 때까지 신하 중 어떤 대담한 자도 감히 공주를 쳐다보거나 다른 뜻을 물을 엄두를 내지 못했다.

결박된 설리반은 두 호송원이 궁궐 밖으로 압송하여 어느 조그만 네모진 단층 건물 앞에 멈췄다. 건물의 퇴색한 흰빛은 달빛을 받아 주변보다 환히 두드러져 보였다. 정면에서 곧바로 지하로 내려가는 계단 끝에 문이 있고 옆면의 지상에 나 있는 조그만 쇠 쪽문은 녹슨 자물쇠로 잠겨 있었다.

그들은 설리반을 지하의 취조실로 끌고 가서 대기 중인 간수들에게 넘겼다.

"설리반 대신님, 이게 어찌 된 일이옵니까?"

젊은 간수 하나가 설리반의 뜻밖의 입실에 말을 건넸다.

"나는 여기 올 만한 죄를 짓지 않았습니다. 결코 공주님께 불경한 마음을 품은 적이 없습니다. 내 말을 좀 들어주십시오. 왜 이렇게 급하게 나를 가두려 하는지 모르겠습니다."

설리반은 그들에게 사정했다. 검사 소드만은 지극히 의도적인 트집을 잡아 자기를 이곳으로 보냈지만 다른 사람들은 상식이 통할까 싶어서였다.

"그런 것은 우리 소관이 아니오. 우리의 일은 단지 맡겨진 죄인을 다루는 것뿐이오."

간수장으로 보이는 마른 얼굴의 구레나룻 무성한 사내는 무표정하게 답했다.

설리반은 의자에 뒷짐 지도록 묶여 취조를 위한 탁자 앞에 앉혀졌다.

"언제부터 공주마마에게 음심(淫心)을 품고 지내왔느냐?"

맞은편의 간수장이 물었다.

"음심이라니 당치 않습니다. 저는 공주마마께 어떠한 부적절한 행위를 시도한 적이 없습니다. 설사 제가 공주님에 대하여 헛된 꿈을 꾸었다 해도 그것은 하나님께는 죄가 될지언정 인간 세상에서 흠 잡힐 일은 아닙니다. 그건 전적으로 제 양심의 문제입니다."

설리반은 조용히 대답했다.

"이곳이 어떤 곳인지 아직 모르나 보군."

간수장은 옆에 서 있는 자에게 고개를 살짝 돌리고 턱을 들어 신호했다. 곧 그자가 설리반을 주먹으로 후려쳤다.

"어서 바른대로 대지 못할까?"

정해진 양식을 따르는 그들의 취조는 계속됐다.

"네가 공주마마를 처음 뵌 때가 언제였지?"

간수장은 다시 물었다.

"지난해 봄 서쪽 솔즈베리 지방 병합을 축하하는 연회에 참석했는데 그때 첫 외출을 한 공주마마를 처음 보았습니다."

"그때 공주님은 참석자들에게 숙녀로서의 성장을 알리는 인사만 끝내고 곧 퇴장하셨는데 어떻게 공주님을 잊지 않게 되었나?"

"……"

"말해. 공주님을 보고 어떤 마음이 들었어?"

옆에 서 있는 자도 거들었다.

"네가 공주님을 일방적으로 짝사랑하고 흠모했다는 것은 다 알아!"

그들의 눈치가 험악해지자 설리반은 서둘러 답했다.

"별다른 마음은 안 들었습니다. 그저 우리 군주의 친족으로서의 존경과 흠모가 있었을 뿐입니다."

설리반이 그들의 추궁을 부인하자,

"퍽!"

서 있는 자는 손바닥으로 후려쳤다.

"거짓말 마라, 이 자식아. 그때 네놈의 눈길이 심상치 않았다는 것은 거기 있는 모든 사람들이 다 알고 있단 말이다."

"솔직히 얘기해 이놈아. 첫눈에 네놈은 공주님을 마음에 두고 있었지?"

그들은 한마디씩 내뱉으며 설리반을 다그쳤다.

"말…… 말하겠습니다."

"그래 어서 말해."

간수장은 슬쩍 웃으며 짐짓 점잖게 손짓했다.

"공주님을 처음 만난 순간 가슴이 울렁거렸습니다."

"그건 말 안 해도 우리가 다 알아! 공주님과 무엇을 하고 싶어 했지?"

"대…… 대화하고 싶었습……"

"퍽!"

이번에는 기다란 물푸레나무 창대로 후려쳤다.

"더 솔직히 얘기해."

설리반은 체념한 듯 눈빛이 풀어졌다.

"너의 마음을 그대로 솔직히 얘기하란 말야. 그러기만 하면 돼. 네가 뭐 공주님을 해치려는 게 아니라는 건 알고 있으니까 염려 말고."

간수장이 고개를 들이밀고 나직이 자백을 권하자 설리반은 다소 차분해졌다. 그리고 입을 열었다.

"공주님에게 내 마음을 말하고 싶었습니다."

"그렇지. 그리고……"

간수장은 신이 난 듯 깃털 펜으로 수입품 파피루스 종이에 기록했다.

"그래서 만약에 말야, 만약에 네 상상대로 된다면 너는 공주님과 어떤 자리를 갖고 싶니?"

"그게 가능합니까?"

"왜? 가능할 수도 있지."

"만약 그렇다면 공주님과 하룻밤이라도 함께 있고 싶은 마음이 생겨나겠습니다."

"밤새도록 함께 있어서 어찌한다는 것이지? 그냥 자는 것 말고 말이야."

간수장의 표정은 사뭇 긴장하고 흥분해 있었다.

"그 이상 아무것도 없습니다."

"그게 말이 돼?"

잠자코 있던 간수장은 한동안 입을 다물고 있다 다시 열고는

"그럼 물어보자. 만약에 어떤 외진 곳에 네가 공주님을 혼자 모시고 있는데 어떤 비적(匪賊)이나 적군이 쳐들어온다고 하자. 그럴 때 너는 공주님을 버리고 도망할 거냐?" 하고 물었다.

설리반은 고개를 설레 저으며,

"그…… 그럴 리가요…… 저는 왕실을 위해 목숨을 바칠 각오가 돼 있습니다."

"그래? 그렇다면 어떻게 할 거냐?"

"예?"

설리반은 어리둥절했다.

"그런 상황이 되면 공주님을 지키기를 포기하겠느냐고?"

"절대 그렇지 않습니다. 제가 죽는 한이 있더라도 공주님을 지키겠습니다."

설리반은 힘주어 답했다.

"죽더라도?"

"예."

"그럼……"

간수장은 회심의 미소를 짓고는,

"죽어도 공주님을 포기하지 못하겠단 말이지?"

"예……"

"알았다."

간수장은 가볍게 고개를 끄덕이고는 일어서 안쪽 벽에 쳐진 휘장을

헤치고 들어갔다.

잠시 후 휘장이 열리고 간수장이 다시 나왔다. 책으로 묶인 서류철을 들고 있었다. 간수장은 책을 탁자 위에 놓았다. 표지에는 왕국신하신상명부(王國臣下身上名簿)라고 적혀 있었다.

밖에서 끼이익 하고 문 여는 소리가 났다. 쿵쿵 돌계단을 밟고 내려오는 소리가 들렸다. 연회장을 나온 소드만이 그들 앞에 나타났다.

소드만은 취기가 있는 얼굴로 검을 허리에 찬 채 다가와

"내가 물었던 것은 조사해 봤는가?"

간수장에게 물었다.

간수장은 서류철을 뒤적여 보이며 "이자의 가족이나 친척 중에 우려할만한 자는 별로 없습니다. 가족들은 무학(無學)이고 친척 중에도 농사꾼이나 양치기들뿐이지 변변한 지방 관리 하나 없습니다." 했다.

소드만은 엷은 미소를 지으며 고개를 끄덕였다.

"이 자의 자백을 다 들었다. 이미 많은 사람들 앞에서 공주님께 음흉한 눈길을 보낸 행위가 명백히 범죄를 증명하는데 더 이상 이자에게 무슨 변명이 필요하겠는가? 내일이면 이 자의 범죄에 대한 대가가 주어질 것이니 오늘 밤은 여기 두도록 해라."

소드만은 계단을 올라 돌아갔다.

간수장은 다시 안쪽 벽에 있는 휘장을 걷었다. 다른 한 간수가 손에 양피지를 들고 나왔다.

"다 받아 적었지?"

"물론이죠."

"자 그럼 여기 손도장을……"

간수장은 글을 설리반에게 보였다. 그가 방금까지 한 말이 낱낱이

기록돼 있었다.

"맞지?"

"예……"

설리반은 자기가 한 말이 그대로 적혀 있는 것을 보고는 별 도리 없이 수긍했다.

"그럼 여기 손도장을 찍어."

그들은 설리반의 손에 잉크를 발라 찍었다. 그리고 묶어둔 채로 놔두고 밖으로 나갔다.

이렇게 왕의 성실한 신하는 어두운 지하 감옥에 끌려가 호위검사의 하수인들에게 상상할 수 없는 모욕과 고통을 당했다.

그리고 다음 날 아침 그는 기가 막히는 최후를 맞이해야 했다.

"끼이익!"

아직 날이 채 밝기도 전에 녹슨 쇠문을 열고 병사 셋이 내려왔다.

그 중 하나는 번뜩이는 넓은 은백색 날에 물결무늬가 희번들하게 그려진 검을 빼든 채 다가왔다.

"무…… 무엇이오?"

깨어난 설리반은 물었으나 병사들은 아무 말도 없었다. 가운데의 칼 든 자는 그대로 설리반을 찔렀다.

한때 국왕과 나라를 위해 충성을 바쳤던 신하는 한순간의 방심으로 어처구니없는 죽음을 당했다. 명예를 중히 여기는 자로서 이보다 더 참담한 일이 있을까.

"설리반은 옥에 갇혀서도 끝내 공주님을 포기하지 못하다 결국 자살하고 말았다."

설리반이 지방 농가 출신에 자수성가한 자로서 그의 가족에는 이

책략을 간파할만한 식자(識者)가 없음을 어젯밤 조사해 알아낸 소드만은 아침에 안심하고 설리반을 죽이고 계획대로 사건을 발표할 수 있었다.

성 밖에서 방문(榜文)을 본 백성들은 한마디씩 했다.

"공주님께서 그렇게도 아름다우신가?"

"얼마나 아름다우셨으면 앞길이 창창한 젊은 관리가 또 상사병을 못 견뎌 자살했겠어?"

"공주님을 포기했더라면 무사할 수 있었을 텐데."

"죽어도 공주님을 포기하지 못하겠다고 서약서까지 썼대."

"이번이 벌써 세 번째가 아닌가?"

이러한 사건이 일어날수록 모드리스 공주는 사내의 혼을 빼앗는 절세무비(絕世無比)의 미인으로 명성이 높아갔다. 소드만 또한 궁중에서 그 위세가 강해졌다.

그러나 아무리 그녀가 무비의 절세미인이라 할지라도 있지도 않은 가상의 모욕을 당했다는 이유로 선량한 신하의 목숨을 빼앗는 것은 고귀한 왕족에 속한 여인으로서 할 것이 아니었다.

그런 중에도 공주의 호위검사 소드만은 항시

"공주님의 아름다움을 탐내는 자들이 많습니다. 공주마마를 쳐다보는 자는 공주님께 음욕을 품은 자입니다. 그러한 자는 소인이 미연에 처치하여 공주마마의 옥체를 안전히 모시는 데 몸바치겠습니다."하며 공주의 경계심을 더욱 강화시키고 있었다.

그에게는 암암리에 보물의 상납이 행해졌다. 그의 앞에서는 왕실의 모든 신하는 공손히 조아리지 않으면 안 되었다. 왜냐하면 그의 눈 밖에 난 신하가 있으면 소드만은

"공주님, 요즘 그자의 행동이 심상치 않습니다. 아무래도 공주님을 탐내고 있는 것 같으니 조심하셔야겠습니다."

하고 특별히 일러바치니 그다음부터 공주는 왕실 모임에서 소드만이 일러준 신하의 태도를 유심히 살피는 것이었다. 그러다 그의 눈길이 자기에로 향하면 공주는 그날 기분에 따라 한바탕 큰소리를 질렀다. 왕실 모임에서 공주의 기분에 따라 그녀의 노리개인 젊은 신하들은 목숨이 오가는 것이었다.

후에 대륙에서 온 헤밍의 혈연자 오파가 이 같은 짓을 멈추게 했다. 모드리스의 부왕인 앵겔 국왕의 초청을 받은 그는 파도를 건너 이곳 타국의 연회장에서 공주 모드리스의 아름다움을 보았다.

"저이가 바로 그 유명한 모드리스 공주로군. 가까이 가서 모습을 좀 봐야겠다. 얼마나 아름답기에 그녀를 연모하다 죽은 신하마저 있다는지…… 함께 가세나."

왕자 오파는 곁의 수행 무사에게 말했다.

"아닙니다. 왕자님 혼자 가십시오. 저는 도저히 저 여인 가까이에는 가지 못하겠습니다."

"왜인가, 자네도 상사병이 걸릴까 두려워서인가?"

"그, 그렇지 않습니다. 처자식이 있는 제게 당치 않은 말씀…… 하지만 왕자님께서는 저 공주에 관한 흉흉한 소문을 들으셨습니까?"

"흉흉하다니? 그저 천하 어느 여인보다 아름다운 자라는 칭송만이 자자할 뿐인데."

"아닙니다. 그것은 왕실 간의 이야기일 뿐입니다. 저는 백성들 간에 떠도는 이야기를 들었습니다. 저 여자는 신하 중에 자기의 얼굴을 쳐다본 자가 있으면 자기에게 음욕을 품었다고 몰아 죽이곤 한답니다."

"그럴 리가. 아무리 여자가 자존심이 세다 하더라도⋯⋯"

"믿지 못할 일이니까 더욱 무섭습니다. 건전한 상식으로는 상상도 못할 일을 저지른다는 말이니까요. 그렇게 신하를 죽여 놓고는 궁중의 사람들은 죽은 자의 가족에게 그가 공주를 연모하는 마음을 이기지 못해 자살했다고 둘러댑니다. 처음 몇 사람은 그렇게 넘어갔습니다만 후에 죽은 남편이나 형제의 평소 성품을 믿고 있던 가족들이 의문을 품고 수소문해서 알게 되었답니다. 그러나 감히 왕실 쪽에 항의하지는 못하고 이곳 백성들 간에 암암리에 널리 퍼져 저희의 귀에도 들어오게 된 것입니다."

오파 왕자는 표정이 굳어졌다. 짙은 눈썹을 움직이며 부하의 말을 경청한 그는,

"그럼 그대는 여기 가만히 있소. 내 한 번 그녀가 어떤 여인인지를 알아보리라."

하고 모드리스가 그녀의 부왕 곁에 거만하게 서 있는 곳 가까이 갔다.

연회석상의 왕과 공주는 초청된 손님이 다가오는 것을 보았다. 그 외국인의 위풍당당한 용모와 차림은 그들에게도 적이 위압감을 주었다. 흰색 예복 위의 넓고 듬직한 어깨가 다른 사람들의 얼굴 높이에서 으쓱거렸다. 윤기나는 황발(黃髮) 아래 부리부리한 황갈색 눈 그리고 굵은 얼굴선이 돋보였다.

"오, 오파 왕자여 어서 오시오."

옥좌의 왕은 반갑게 맞이하여 오른쪽에 서 있는 공주에게 자리를 비켜 달라 손짓했다. 모드리스 공주도 가만히 뒷걸음쳐서 타국서 온

연회의 손님을 무안하게 하지 않았다.

오파는 한 무릎을 꿇고 자세를 내렸다. 가지고 있는 흰 바탕에 금빛 물결 수 놓인 칼집의 보검을 두 손으로 받들어 왕에게 바치는 자세를 취했다.

"아름다운 공주님께 청혼하옵니다."

이미 왕과의 묵계가 되어 있는지라 왕은 쾌히 웃으면서

"그대가 저 공주의 마음을 잡을 수만 있다면 과인은 상관 않겠노라."

하고 보검을 받아들이고는 다시 내주었다.

모드리스는 오파의 앞으로 다가갔다. 그녀는 손을 가까이 내밀어 오파가 그녀의 손을 붙잡고 손등에 입맞춤을 허용했다.

"당신께 조건이 있어요."

모드리스는 빛나는 검은 눈동자를 깜빡이며 야무진 턱을 움직여 짧게 한마디 했다.

"말하십시오. 인간으로서, 용사로서 할 수 있는 것이라면, 또 당신을 위한 것이라면 할 수 있습니다."

오파는 짐짓 무덤덤했다.

모드리스는 허리를 굽혀 오파에게 고개를 들이대고,

"당신이 이리로 오기 전에 함께 대화하던 자가 있었지요? 그자가 나를 손가락질하며 흉보는 것을 멀리서도 알 수 있었어요. 기분 나쁜 눈초리로 나를 쳐다본 그 신하를 죽여주세요." 하고 속삭였다.

'과연 그 말이 거짓이 아니었구나!'

오파는 마음속에 조그만 소용돌이가 일었다. 도대체 이런 여인을 아내로 맞아들여야 할 것인가.

오파는 몸을 일으켜 모드리스를 보았다. 비로소 정면으로 본 그녀는 뭇 남자들이 그녀를 연모하다 죽었다는 거짓 소문이 믿어질 정도로 상대를 얼어붙게 하는 미모를 가지고 있었다. 쏘아보는 크고 빛나는 검은 눈동자, 대리석의 조각 같은 콧날, 피를 머금은 듯 붉은 입술을 여유 만만히 다문 그 얼굴은 무표정하면서도 상대를 걷잡을 수 없이 빠져들게 하는 것이었다.

오파는 마음을 가라앉히고 모드리스를 향해 차분히 말했다.

"당신의 아름다움은 정말 천하에 견줄 수 없소. 혹 여신이 질투할까 보아 곁에서 지키고 싶은 마음이 일어나게 하오. 그러나 당신의 아름다움은 보이기 때문에 존재하는 것이고 또한 그 목적으로 있는 것이오."

"그럴 수도 있겠죠. 하지만 그것은 오직 내가 마음을 허락할 수 있는 사람만을 위한 것입니다."

모드리스는 움직이지 않을 것 같았던 붉은 입술을 움직여 그 속의 희고 가지런한 잇바디를 흘긋 보이며 답했다. 습하면서도 서늘한 공기가 그녀로부터 나와서 오파의 목덜미를 어루만졌다.

"당신이 공주인 이유는 무엇인지 아십니까?"

낮고 진지한 목소리로 오파는 물었다.

"그야 부친이 왕이시니까 그렇지요."

모드리스는 짧고 가볍게 답했다. 오파는 정색을 하고 설득조로 말하기 시작했다.

"부친께서는 당신을 믿고 따르는 신하와 백성이 있기에 군주이십니다. 당신 또한 당신을 흠모하는 많은 사람이 있기에 공주의 위치에 있습니다. 그들이 아니라면 당신은 여염집 처녀와 다를 것이 없습니다."

"그럼 그들이 하자는 대로 따르란 말인가요?"

"그들이 뭘 하자 합니까?"

"나를 자꾸 쳐다보잖아요?"

"쳐다보는 게 그리도 싫습니까?"

"내 호위검사 소드만에 의하면 나를 쳐다보는 자들은 기회를 보아 무슨 짓을 할지 모르는 자들이라고 하더이다. 그래서 그런 자가 있으면 남김없이 알려 달라고 그랬어요."

"허……"

오파는 어처구니가 없었다.

옆에는 모드리스의 부왕이 옥좌에 걸친 팔목에 턱을 괴고 그들의 이야기를 듣고 있었다.

"전하께서는 공주의 마음을 어찌 생각하시옵니까?"

오파는 모드리스의 부친인 앵겔 국왕에게 물었다.

"모르겠소. 나도 포기했으니까. 그런데 그대에게로 간다고 공주의 버릇이 달라질까?"

부왕은 되물었다.

오파는

"북해의 빙산도 대륙의 밝은 태양 아래서는 녹는 법입니다."

하고는 다시 공주를 향했다.

"아무리 그대가 자신을 아낀다 하더라도 그렇게 할 것까지는 없지 않겠소? 저들이 그대를 쳐다본다 한들 어떻겠소? 그대에게 해가 가해지는 것은 아니지 않소? 그들이 당신을 연모한들 또 어떻소? 그들은 당신에게 어떤 수고도 요구하지 않소."

"나에게 청혼한 입장에서 다른 남자가 나를 탐냈다는 것이 화가 나지 않나요?"

"탐내기는 무슨 탐을 냈다는 것이오? 다른 남자들이 선망했던 여인과 혼인한다면 오히려 즐거운 일이 아니오?"

오파는 모드리스와 대화를 나누며 그녀의 모진 마음을 힐책하였다. 그녀의 과도한 정조관념에 대해서도 참을성 있게 설득하였다.

한참의 대화 후 그녀도 바로 자신의 마음을 사로잡았던 천하 호남의 뜻인지라 생각을 누그러뜨리게 되었다.

"당신의 뜻을 알겠어요. 앞으로는 당신이 허락하는 한 다른 신하와 백성들의 앙망(仰望)을 막지 않도록 할게요."

"그럼, 내가 다시 데리러 올 때까지 이곳의 백성들에게 달라진 그대를 보이도록 해야 합니다. 이곳을 떠나기 전에 잔인한 공주라는 오명으로부터 벗어나도록 해야 할 것입니다."

오파는 모드리스 공주의 손등에 다시 입을 맞추고 헤어졌다. 연회는 국왕과 공주가 퇴장하고 난 뒤에도 얼마간 계속되었다. 그곳에 모인 각국의 남자들은 술잔을 모두 비웠다.

연회를 끝내고 오파의 일행은 저들의 숙소로 돌아가려 회관을 나갔다. 오파는 부하 일행을 먼저 보내고 이국의 땅에서 혼자 조용한 시간을 갖고자 궁궐 뜰에 남았다.

밤바람은 서늘했다. 은은한 초승달 빛 아래 군데군데 여인의 모습을 한 석상이 세워져 있고 아담한 꽃나무가 조그만 못(池)을 사이에 두고 이쪽저쪽에 줄줄이 서 있었다. 정원의 고즈넉함 속에 타국의 젊은 왕자의 마음은 이곳에서 얻은 여인에 대한 앞으로의 기대와 설렘으로 들떠 있었다. 그는 상당히 좋은 기분으로 밤의 정원을 거닐었다.

"휘익!"

뒤에서 바람을 가르는 소리가 들려 왔다.

순간 오파는 몸을 던져 옆으로 피했다. 이는 그가 이미 참가한 숱한 전투에서 전후좌우로 공격하는 적으로부터 자신을 보호하던 그 감각에 의해서였다.

갑자기 피하면서 그는 왼쪽으로 넘어졌다. 그러나 동시에 허리에서 검을 빼들고 대응 자세를 취했다.

고개를 들자 바로 앞에는 먼저 일차 공격에 실패한 자가 다시 검을 높이 쳐들고 내리치려 하고 있었다. 그것은 실로 한순간에 벌어진 일이었다.

"휘익!"

"챙!"

세차게 내리치는 검은 아래쪽에서 밀어치는 오파의 검에 의해 퉁겨 나갔다.

오파는 일어나 자세를 가다듬었다.

"너…… 넌 누구냐!"

그러나 그자는 다시 검을 주워 공격을 계속했다.

오파는 정식으로 대결할 수밖에 없었다. 평화로운 궁궐 뜰에는 때 아닌 쇳소리가 연거푸 울렸다. 맞부딪치는 검날은 달빛을 받아 차갑게 번뜩였다. 빨간 불티가 튀며 몇 합을 맞교환한 뒤 서로의 위치가 바뀌었다. 오파가 달빛을 등지게 되었다. 그러자 괴한의 얼굴이 보였다.

바로 공주의 호위검사 소드만이었다.

"너는 공주의 호위검사가 아니냐? 내게 무슨 원한이 있느냐? 내게 바라는 것이 있느냐?"

오파는 물었으나 소드만은 계속 검을 휘두르기만 했다.

그러나 아무리 무용을 자랑했던 소드만도 천하의 으뜸 용사로 이름 높은 오파의 검술과 힘에는 당해내지 못했다.

소드만의 검을 내리치는 속도가 느려지자 오파는 틈을 타서 소드만을 피하여 옆에서 그의 팔목에 상처를 냈다. 다시 소드만의 다리를 찔러 그가 검을 떨어뜨리고 오파의 앞에 주저앉게 했다.

"이제 말해라. 무슨 이유로 나를 죽이려는 거냐? 내게 원하는 것이 무엇이냐?"

오파는 검에 묻은 피를 옷소매에 닦았다.

"내가 해줄 수 있는 것이라면 살려주겠다."

다시 오파가 말하자 입을 굳게 닫았던 소드만은 눈을 치켜뜨면서,

"공주님에게 접근하지 말아 주시오." 했다.

"그건 공주와 나와의 일이 아니냐? 내가 모르는 문제라도 있는가? 공주가 비록 아름답지만 내게 좋은 상대가 아니라고 생각되면 물러설 수 있다."

"공주님을 편케 해 드리는 것이 나의 임무요."

"공주는 혼인을 못할 이유가 있느냐?"

소드만은 더 이상 아무 대답이 없었다.

오파는 어리둥절하다가 이윽고 조금 알아차린 듯 슬쩍 고개를 끄덕였다. 입가에는 가벼운 쓴웃음이 떠올랐다.

"그래, 공주로부터 내가 떠나면 문제가 없다는 말이지?"

"그렇소."

"그래도 가끔 연회석상에서라도 공주님을 찾아 얼굴을 뵙고 싶은데……"

오파는 웃으며 말했다.

"안 되오. 그것은 공주님께 음욕을 품는 것이라 용납 못 하오."

"얼굴 보는 것이 뭐가 어떻다고?"

"……"

"그렇다면 예전에 그 십여 명의 신하를 공주를 쳐다봤다는 이유로 죽였던 자도 바로……"

"……"

"네놈은 그냥 둘 수 없다!"

오파는 칼집에 넣었던 검을 다시 뺐다. 그리고 양손으로 칼자루를 쥐었다.

"휘익!"

서늘한 밤바람을 수직으로 가르는 소리와,

"처억!"

단단한 껍질 속의 물기 있는 것이 갈라지는 소리가 났다.

사악한 검사는 바다 건너 타국에서 온 용사에 의해 두 쪽으로 갈라져 죽음을 맞았다.

이 이야기는 그 뒤로도 주연석에서 사람들이 술을 마시면서 덧붙여 말하기에 좋은 안줏거리가 되었다.

오파는 그 길로 곧장 바다를 건너 자기의 본국으로 돌아갔다.

석 달 후 그가 공주 모드리스를 찾아 다시 왔을 때는 모드리스는 잔인한 행각을 그치고 조신(操身)한 처녀로 변해 있었다.

한때 자신을 연모했던 자들에게 잔인했던 그 여인은 금으로 성장(盛裝)하여 부친의 분부에 따라 누르스름한 바다를 건너 오파의 회관에 가서 그 젊은 용사이자 용감한 두목에게 시집갔다.

그 후로 그녀는 일체 백성에게 해를 끼치거나 불화를 초래하는 소행을 하지 않았다고 한다. 그 여인은 그곳의 왕후로서 아낌없이 주는 선심으로 유명하게 되었으며 사는 동안 뜻있는 인생을 보냈고 용사들의 두목 오파를 – 듣기로는 대양(大洋) 가운데의 모든 사람들 중에 가장 훌륭한 그를 – 지극히 사랑했다고 한다.

용사 오파는 선물에 후하고 싸움에 용감해서 널리 존경을 받아 나라를 지혜롭게 다스렸다. 영웅들의 도움으로 그의 나라는 번창하였으며 그에게서는 헤밍의 혈연자이며 갈문드의 손자인 싸움에 용감한 에오멜이 태어났다.

그때 에치데오의 아들 베오울프는 원정의 경과를 묻는 왕에게 이렇게 대답했다.

"히엘락 군주시여. 그렌델이 전승의 덴마크인에게 많은 슬픔과 한없는 불행을 안겨준 바로 그 해록회관에서 일어났던 큰 싸움, 저와 그렌델 양자 간에 어떤 격투가 있었는지는 많은 사람들에게 잘 알려져 있습니다. 저는 모든 원수를 갚았습니다. 그렌델과 그의 친족은 저주받은 족속 중에 죄악에 얽매인 채로 가장 오래 산 자들입니다. 그들에게 그날 밤의 싸움은 하나도 자랑할 것이 없었습니다.

거기 금환(金環)의 회관에서 나는 먼저 흐로스갈 왕께 인사드렸습니다. 이름 높은 헤알프데인의 아들께서는 제 의도를 아시자 곧 자기 아들들 곁에 제가 앉을 자리를 마련해 줬습니다. 사람들은 기뻐했습니다. 저는 이 세상의 둥근 천장 아래 궁전의 신하들이 그렇게도 즐거워하며 술을 마시는 것을, 회관에 앉은 사람들의 그보다 큰 주연의 기쁨을 여태껏 보지 못했습니다.

거기에는 여신으로 착각할 만큼 우아하고 고귀한 왕후 웨알데아가 있었습니다. 유명한 왕후이며 백성의 평화를 이룩하는 그 여인은 회관을 두루 다니면서 젊은 사람들을 격려했습니다. 그 여인은 자기 자리에 돌아가기 전에 용사들에게 금환을 주곤 하였습니다. 흐로스갈 왕의 딸도 그 자리에 있었습니다. 그녀는 입에서 술을 토하는 해마의 형상으로 아름답게 꾸민 유리 술잔을 손에 들고는 자기의 맡은바 본분을 다하여 모든 용사에게 달콤한 술을 따랐습니다. 아름다운 공주는 이름난 장수이며 고참병인 귀인들의 앞에 일일이 술잔을 올렸습니다. 저는 그 여인이 장식용 유리구슬이 점점이 박힌 술잔을 영웅들에게 드릴 때 회관에 앉아 있는 사람들이 그 여인을 프레아와루라고 부르는 것을 들었습니다. 황금으로 몸치장한 그 젊은 여인은 프로다의 영준한 아들 잉겔드에게 정혼한 몸이었습니다."

"그곳 헤아소바드는 덴마크의 적국이 아니오?"

히엘락 왕은 당연한 말이지만 이제까지 베오울프의 이야기를 경청하고 있었음을 나타내고자 물었다.

"그렇습니다. 비록 두 나라의 화평을 위하여 정혼하였다고는 하지만 앞날이 심히 염려됩니다."

베오울프는 고귀하고 순결한 젊은 여인 프레아와루가 적국의 왕자에게 정혼 되어 있는 사실을 전하면서 그 여인의 운명을 동정하고 그 일이 앞으로 어떻게 전개될지 몹시 걱정하는 것이었다.

16 대(代)를 이은 원한(怨恨)

과연 훗날 우려한 결과는 나타나고야 말았다.

이 정략결혼은 ― 평화를 위한 것이긴 하였지만 ― 덴마크의 군주이며 그 나라의 수호자가 직접 결정한 것이었다. 그는 자기의 딸인 그 여인을 통하여 양국 간의 원한과 분쟁을 수습하려고 했었다.

그러나 맞이한 신부가 아무리 훌륭하다고 하더라도 복수의 열망으로 사납게 떨며 날 끝이 번뜩이는 창을 저들의 군주가 바람 들이치는 창가에 그대로 세워둔다는 것은 드문 일이었다. 더군다나 그 화해를 주선한 노왕은 이미 세상을 떠난 뒤였다.

헤아소바드의 왕자 잉겔드는 그 여인 프레아와루를 맞이하여 저들의 궁궐 회관으로 인도했다. 덴마크의 귀인들과 고참병들도 자국의 공주와 동행하여 그곳에서 접대를 받았다.

이때

"아니 저이가 차고 있는 것은 바로……"

"저 갑옷도 많이 보았던 것이다."

헤아소바드 사람들의 사이에는 수군거림이 일어났다.

모욕감과 불쾌감을 그들은 받고 있었다. 덴마크인들의 몸에는 예전에 헤아소바드인들의 것이었던 가보들이 번쩍였다. 전투에서 동지들과 함께 생명을 잃을 때까지 가보의 주인이 가지고 있었던 것들이었다.

덴마크인들은 오래전 그것을 빼앗은 저네들의 선조에게서 물려받은 예리한 환장식(環裝飾) 보검들을 허리에 차고 있었다.

덴마크인이 차고 있는 보검을 본 사람 중에는 옛 친구들의 전사 광경을 기억하는 한 고령의 헤아소바드 용사가 있었다.

분노와 슬픔에 잠긴 그는 주연석에서 한 젊은 용사에게 말했다. 그것은 그의 마음을 시험해 보고 또한 적개심을 불러일으키기 위함이었다.

"내 친구여, 그대는 그대 부친께서 최후로 투구를 쓰시고 나갔을 때 들고 간 그 귀중한 보검을 식별할 수 있는가?"

"그걸 왜 새삼 물으십니까? 어릴 때부터 부친께서 저에게 자랑하시곤 하셨던…… 검푸른 칼집에는 금박의 물결무늬가 그려 있었고 굳게 잡은 부친의 악력으로 검은색 자루가 희번쩍하게 윤이 났던…… 그날 아버지께서 전투에 나가 돌아오지 않으신 뒤 그 검의 모습도 아버지의 기억과 함께 저의 뇌리에 남아 있습니다."

"당연히 부친께서는 그날 운명하신 것이지. 그 전장에서 덴마크인들이 자네의 부친 위더길드를 죽이고 또한 함께 했던 많은 우리 편 용사들이 죽은 후 사나운 덴마크인들은 전쟁터를 점령했던 것이네. 지금 그 살해자들 중의 어떤 아들이 그 장식된 무기를 뽐내고 살육의 유산을 자랑하면서 이 회관 안에 있다네. 그대가 당연히 가졌어야 할 그 보검을 지금 원수의 아들이 차고 있소."

"그…… 그렇단 말입니까?"

"그렇다니까. 바로 저 여인 왼편에 있는 덴마크인 호위무사를 보게나. 저 차고 있는 검의 칼집은 그대가 말하는 그것과 같지 않은가?"

노인은 연회장 안벽에 길게 있는 주석(主席) 쪽을 가리켰다. 헤아소바드 왕자의 일행과 덴마크 공주의 일행이 모여서서 인사를 나누고 있었다.

"맞아. 맞습니다. 바로 어릴 때 보았던, 바로 그것입니다!"

젊은 용사는 자리에서 일어서려 했다.

"지금은 우리가 너무 멀리 있소. 다시 기회를 봅시다."

노령의 용사는 젊은 용사를 손짓하여 제지하고는 다시 가만히 그를 이끌어내 연회장의 밖을 돌아 덴마크인이 모여 있는 곳 가까이 갔다.

잉겔드는 측근 무사들을 프레아와루의 일행에게 소개하였다. 서로의 일행은 환담을 주고받으며 나란히 벽을 등지고 주석에 일렬로 앉았다.

원한에 사무친 두 사람은 그곳에서 멀지 않은 곳에 서서 대화를 주고받았다.

"저자는 저 검의 내력을 알고 있을까요?"

"아마도 그의 부친은 자기의 무용을 자랑하며 물려줬겠지."

"저자는 그저 자랑스럽게 가지고 다니겠군요."

"저자의 집안에서는 그렇게 여기겠지만 자네의 부친은 얼마나 원통하시겠나. 십여대 째 내려온 가보를 적에게 패하여 빼앗기고…… 아마 저승에서도 조상들 앞에서 고개를 들지 못하실 걸세."

"아버지께서는 싸움에 최선을 다하셨지만 역부족으로 패하신 것이 아닙니까?"

"자네 부친 한 분으로만 보면 그렇다 할 수도 있겠지. 하지만 최선을 다한다는 것은 한 대에 끝나는 일이 아니네. 후대에 이르러도 그것을 회복하지 못한다면 계속해서 조상께 죄를 짓는 것이 되네."

늙은 용사는 할 수 있는 모든 말로 원한이 서린 지난 일을 일깨우며 젊은 용사를 부추겼다. 그의 말을 듣는 젊은 용사의 눈초리에는 점차 분노의 빛이 더해갔다. 저 앞에서 보검을 차고 천연덕스레 웃으며 술잔을 기울이는 원수의 아들은 그를 조롱하는 듯했다.

주석과 그 주위에는 양국의 여러 신하와 용사들이 오가며 술잔을 주고받으며 담소하고 있었다.

두 사람은 대화를 멈췄다. 젊은 용사는 늙은 용사에게 눈짓으로 무언의 비장한 암시를 주고는 주석에 가까이 갔다.

마침 보검을 찬 프레아와루의 호위무사는 자리에서 일어섰다. 그가 연회석에서 조금 떨어진 곳으로 걸어나갈 때 분노에 찬 젊은이는 그를 따라가고 있었다.

잠시 후,

"아악!"

연회를 즐기고 있던 양국의 귀인들은 예기치 않은 참혹한 비명에 놀랐다. 선왕의 유지에 따라 타국에서 값비싼 대가를 얻기 위해 멀리 공주를 수행해 왔던 자, 여인의 신하는 자기 아버지의 소행 때문에 검에 찔려 피투성이가 된 채 목숨을 잃었다.

"이, 이럴 수가 있나!"

덴마크인 호위대장은 분노했다.

"우리도 예기치 못했소. 이런 일이 일어날 줄이야……"

헤아소바드의 고위 신하는 말했다. 잉겔드와 프레아와루는 아무 말도 못 하고 있었다.

"당신들이 책임이 없다면 어서 그자를 잡아 목을 치시오."

덴마크인 호위대장은 말했다.

그러나 벌써 덴마크인을 죽인 자는 사라졌다. 도망친 자는 그 나라의 지리를 잘 알기에 그 후로도 무사히 달아날 수 있었다.

범인을 잡지 못하자 분개한 덴마크인 수행원들은 모두 곧장 돌아가기로 했다. 다만 가련한 여인 프레아와루는 이미 헤아소바드의 용사 잉겔드의 아내가 되어있기에 그대로 있어야 했다.

양국 간에 맺어졌던 귀인들의 서약은 깨지고 말았다. 덴마크인은 더 이상 헤아소바드인을 믿지 않았다.

또한 헤아소바드의 잉겔드에게도 그동안 숨어 있었던 사무친 원한, 친족과 친구들의 죽음에서 비롯된 적개심이 다시 솟아올랐다. 어린 시절부터 기억나는 그 숱한 죽음에 대한 쓰라린 기억이 혈류에 끓어오르자 원수들의 혈연자인 처에 대한 애정도 식었다.

"헤아소바드인과 덴마크인의 동맹은 성실하지 못하며 또한 그들의 우정은 굳지 않습니다. 그들의 평화는 심히 불안한 상태입니다."

베오울프는 원정길에 알아본 주변국의 정세까지도 왕에게 성실히 보고하는 것이었다. 그는 다시 말을 이었다.

"저는 다시 그렌델에 관한 이야기를 하겠습니다. 보물의 분배자시여. 전하께서는 우리의 싸움이 어떤 것이었는가. 어떤 가공할 적을 만나 싸운 싸움이었는지를 잘 아실 것입니다. 낮 동안 하늘의 거대한 보석같이 빛나던 태양이 땅 위로 미끄러져 내려 지평선 아래 숨어 어스름한 저녁이 되면 괴물 그렌델은 번번이 나타나 인간을 해치는 무서운 짐승입니다.

그날도 그렌델은 외국에서 우리가 와서 회관을 지키고 있는 것을 알고는 더욱 성이 나서 우리를 습격했습니다. 그것은 저와 함께 한 용사 혼드지오에게는 치명적인 격투였으며 운이 다한 그에게는 무서운 해악이었습니다. 그리하여 무장한 그 용사가 맨 먼저 쓰러졌습니다. 그렌델은 용감했던 그 젊은 용사에게 식인마로 나타나서 우리가 사랑하는 그 사람을 통째로 삼켜 버렸습니다. 살해자는 입에서 피를 뚝뚝 흘리고 그의 송곳 같은 이빨은 피로 물들었습니다. 그 살해자는 마치 인간세상의 파괴를 결심한 듯 절대로 황금회관을 빈손으로 떠나지 않으려는 것이었습니다.

신으로부터 참탈한 포악한 힘을 가진 그는 저를 보고 재빠르게 손을 내밀어 붙잡았습니다. 놀랍도록 큰 가방이 교묘하게 만들어진 가죽띠로 묶여서 그의 몸에 걸려 있었습니다. 그것은 악마의 기술에 의해 용의 가죽으로 만들어진 것이었습니다. 잔악한 악행자는 저를 포식물이 된 많은 사람들처럼 그 속에 넣으려 했습니다. 그러나 내가 몸을 곧추세우고 그의 힘에 대항했기 때문에 그럴 수 없었습니다.

백성의 원수가 저지른 모든 악행을 제가 어떻게 보복했는지 여기서 말하기는 너무 깁니다. 저의 군주시여, 거기서 이룬 업적으로 저는 전하의 나라 예이츠의 명성을 떨쳤습니다. 그는 달아나서 잠시 동안은 더 생명을 연장할 수 있었습니다. 그러나 그는 자기의 오른팔을 해록회관에 남겨 됐습니다. 결국 그는 참담한 심정으로 호수의 물속에 들어갔습니다.

다음 날 아침 연회석에서 덴마크 군주께서는 유혈의 싸움에 대한 보답으로 판금과 많은 보물을 후하게 주셨습니다. 거기서 우리는 서로 이야기도 하고 노래도 불렀습니다. 견문이 넓으신 고령의 덴마크 왕께서는 연주와 노래에 능한 신하와 함께 지나간 옛날의 이야기를 하셨습니다. 싸움에 용감하신 왕의 궁중에서는 기쁨의 목판인 하프를 타는 소리가 들렸고 거기에 은은한 목관의 소리도 어우러졌습니다. 때로는 슬픈 신화가 사람들의 심금을 울렸고 때로는 마음이 관대하신 그

왕께서 친히 옛 괴담을 올바르게 전하셨습니다. 고령에 얽매이신, 연세가 많으신 그 전왕(戰王)께서는 다시금 당신의 청년 시절의 전투력을 상기해 보며 그 상실을 애석해하셨습니다. 그분은 지나간 여러 가지 일을 말씀하실 때 마음속이 터지는 양하였습니다.

이렇게 저희들은 회관에서 종일 즐기다가 마침내 또다시 밤이 닥쳐 왔습니다.

그때 이번에는 비탄에 잠긴 그렌델의 모친이 신속히 복수 준비를 하고 그 회관으로 왔습니다. 예이츠인들과의 싸움에서 그 여인의 아들 이 죽자 원수를 갚으려고 찾아온 것입니다.

무서운 그 여인은 한 사람을 흉포하게 죽였습니다. 거기서 현명한 고령의 고문관 애시헤레의 생명이 그의 몸에서 떠나갔습니다.

다음 날 아침 덴마크인들은 사랑하는 그이를 화장용 장작더미에 올 려놓아 불에 태울 수도 없었습니다. 그 여인이 시체를 자기 품에 껴안 고 산의 폭포 밑으로 가지고 갔기 때문이었습니다.

그의 죽음은 국왕 흐로스갈에게 일어난 슬픔 중에 가장 쓰라린 것 이었습니다. 그리하여 마음이 아픈 군주께서는 당신의 이름을 걸고 생 명을 다해 제게 애원하기를 격동하는 물속에 생명의 위험을 무릅쓰고 들어가서 찬란한 무용의 업적을 세워 달라 했습니다. 그분은 저에게 합당한 보수를 약속했습니다.

그리하여 저는 그 괴물의 소굴로 갔습니다. 파동 치는 물속에 사는 끔찍하고 무서운 호소(湖沼)의 지배자를 찾았습니다.

거기서 저와 그 암괴물은 상당 시간 싸웠습니다. 물은 피로 들끓었 습니다. 그 여인을 처치한 후 저는 그 전관에서 강한 칼로 그렌델의 머 리를 잘랐습니다. 저는 거기서 간신히 살아 나왔습니다. 저는 그곳에

서도 아직 죽을 때가 되지 않았던 것입니다. 그리하여 귀인들의 수호
자이신 헤알프데인의 아들께서는 저에게 다시금 많은 보물을 주셨습
니다.

이렇게 보물을 베풀기에 인색하지 않은 그 백성의 군주께서는 올바
르게 살았습니다. 저는 저의 힘의 반례(返禮)로 받은 그 보수를 조금도
사양하지 않았습니다. 헤알프데인의 아들께서는 제가 원하는 모든 보
물을 저에게 주셨습니다.

히엘락 왕이시여! 저는 이것들을 가지고 와서 저의 정성의 표시로
전하께 바치겠습니다. 저의 모든 기쁨은 전하께 달려 있습니다. 저에게
가까운 친척이라고는 히엘락 전하 외에는 없습니다."

그는 거대한 산저기(山猪旗), 우뚝 솟은 투구, 오래된 은(銀) 갑옷,
화려한 금수검(金繡劍)을 가져오라 했다. 동료들이 그것들을 들여오자
그는 말했다.

"현명하신 왕 흐로스갈께서 이 전의를 제게 주셨습니다. 부탁하시
기를 먼저 전하께 당신의 선물에 대하여 말하라고 하셨습니다. 이전
한때 덴마크의 군주이셨던 헤오로갈 왕께서 오랫동안 간직하셨던 것
이라고 합니다.

그런데 헤오로갈 왕께서는 그 귀중한 쇠사슬 갑옷을 용감한 자기의
아들 헤오로웨알드에게 주지 아니하셨습니다. 그의 아들은 나무랄 것
없이 충성했는데도 말입니다. 헤오로갈 왕이 동생에게 왕위를 양보하
고 홀연 왕궁을 떠나신 뒤 귀중한 전의는 흐로스갈 왕이 보관하고 계
시다가 그분 또한 당신의 자식에게 물려주지 아니하시고 외국에서 온
제게 주신 것입니다. 전하께서는 이제 이 모든 것을 선용(善用)하실 수
있을 것입니다."

듣기로는 이 많은 보물 다음에는 네 필의 준마가 나란히 따라나왔다고 한다. 베오울프는 히엘락 왕에게 말과 보물을 선사했다.

조카는 자기의 외삼촌인 싸움에 용감한 왕 히엘락에게 대단히 충성스러웠다. 두 사람은 서로를 위하여 전심(專心)하는 사이였다.

"우리 히드 왕후에게도 무엇이 있어야 할 터인데. 전부 사내들이 좋아하는 전검이나 갑옷들만 있고……"

히엘락 왕은 곁에서 지켜보는 히드 왕후를 곁눈질하며 베오울프에게 웃어 보였다.

"그런 문제라면 전혀 걱정할 것이 없사옵니다. 전하."

베오울프는 쌓여 있는 보물 더미에서 가슴팍만 한 붉은 상자를 들어 왕과 왕후의 앞에 놓았다.

"왕후께서 친히 열어 보시기를 청하나이다."

베오울프는 상자에 걸린 자물쇠를 풀었다.

히드는 상자 앞에 두 무릎을 꿇고 다소곳이 앉아 두 손으로 뚜껑을 열었다. 그러자 천장의 현등(懸燈)으로부터 내리비친 촛불 빛이 상자 안의 보물에 반사되어 눈을 부시게 했다.

거기에는 덴마크의 왕비 웨알데아가 베오울프에게 준 놀랄 만큼 훌륭한 보물이 있었다. 그것은 여태껏 지상에서 누구도 듣도 보도 못한 것이었다. 이제까지 덴마크 왕실에 비치되었던 것으로서 태양이 빛나는 듯 세공된 주먹 크기의 다이아몬드에 황금의 테를 두른 금사슬 목걸이였다. 천하의 황금시장에서 어떤 거상(巨商)도 만져보지 못한 제일 큰 것이었다.

"어마, 이런 보물은 처음 봐요. 마치 북두칠성 중의 하나를 빼다가 놓은 것 같군요."

황홀한 표정으로 보물을 바라보는 히드 왕비의 아름다운 얼굴은 입이 헤벌어져 있었다. 그녀 눈의 푸른 광채와 황금의 누런 광채는 서로 경쟁하듯 빛났다.

"어서 집어 드십시오. 왕후 마마."

베오울프는 재촉했다.

히드는 두 손으로 목걸이의 금사슬을 집었다.

이후 그 여인의 가슴은 그 보물로 단장되었다. 왕후가 야회장에서 가슴이 파인 짙푸른 드레스를 입고 나올 때마다 양 가슴의 부드럽고 온화한 자연미와 그 사이의 모나고 섬세한 인공미는 훌륭한 대조를 이뤘다.

"그리고 빛나는 안장이 달린 세 마리의 순한 말도 있습니다."

베오울프는 자기가 받은 여덟 마리의 말 중에 네 마리와 세 마리를 각각 왕과 왕후에게 바치고 한 마리를 자기가 쓴 것이었다.

이와 같이 에치데오의 아들 베오울프는 몸가짐이 단정했다. 그는 싸움에서나 선행에서도 이름났으며 물욕을 버리고 오직 명예를 위하여 힘썼다. 그의 마음은 사납지 않았으며 절대로 술에 취해서 자기 수하를 해치지 않았다. 그 용사는 하나님이 주신 큰 선물인 뛰어난 용맹과 힘을 누구보다도 조심스러운 몸가짐으로 관리했다.

그러나 예전 어릴 적에 그는 한동안 홀대받은 적이 있었다.

그가 여덟 살 때였다.

왕실 가족 여럿은 봄날 궁궐의 뜰을 산책했다. 그런데 어른들을 따라 뛰어가는 비슷한 연배의 사촌 형제 왕자들보다 베오울프는 뒤처져 있었다.

"왜 천천히 오느냐?"

흐레델 국왕의 공주인 어머니가 돌아보며 물었다.

"발밑에 개미들이 보여요. 깔려 죽을 것 같아서."

왕실의 어른 아이 할 것 없이 모두 웃었다.

"왜 그렇게 있니?"

베오울프가 앉아서 한 곳을 유심히 바라보는 것을 보고 어머니는 다가갔다.

어린이 베오울프는 대답을 않고 잠깐 올려다보고는 곧 먼저의 자세로 돌아갔다.

어머니는 베오울프의 시선이 머무는 곳을 보았다. 잔디밭 안에 개미집의 구멍이 나 있었다.

어린이 베오울프는 손가락으로 한 곳을 가리키고 다시 고개를 들어 어머니를 보면서

"얘네들 하는 것을 좀 봐요. 둘이서 앞발을 마주 대고 있지요? 요기 있는 얘가 먹이를 찾았다고 가서 알려주는 거예요. 그래서 다른 애들이 따라나오잖아요? 얘네도 밟혀 죽으면 아플 건데 피해 가야 하잖아요?"

어머니는 묵묵히 베오울프의 말을 들었다.

"자, 얘네들 가는 곳을 따라가 봐요."

베오울프는 개미의 열을 따라가서 나무줄기의 자기 키보다 조금 높은 곳을 가리켰다. 거기의 옴폭 들어간 자리에는 죽은 잠자리가 있었고, 그 위에 개미들이 덮여 있었다.

"잠깐 기다려 봐요. 얘네들이 이걸 들고 나올 테니까요."

모자는 잠자코 지켜봤다. 잠자리는 곧 들려서 끌려 나왔다.

"어때요, 재밌지요?"

"무슨 그런 걸 구경하니?"

어머니는 웃으며 말했다.

"별 시시한 걸 다 신경 쓰네."

되돌아온 왕실 사촌 형제들은 이 광경을 보고 비웃었다.

이와 같이 개미 한 마리도 죽이길 꺼려하는 그의 성품이 일견 나약해 보여 예이츠의 아들들은 그를 용감하다고 생각하지 않았으며 예이츠의 군주도 잔치에서 많은 선물을 그에게 주려고 하지 않았다. 그들은 그 공주의 아들이 대단히 나태하고 약한 왕자라고 생각들 했었다.

그러나 공주는 아들을 그렇게 보이도록 놔두지는 않았다.

"어머니, 여자가 남자보다 더 아이들을 사랑하고 인정도 많은 것 같은데요."

"그건 여자는 직접 뱃속으로 자식을 낳았기 때문이지. 생명을 사랑으로 돌보는 것이 여자란다."

"그럼 남자는 뭘 하지요?"

"대신 남자는 생(生)을 통해 의(義)를 성취해야 한단다."

그 어린이는 남자로 자라면서 누구보다도 심신의 연마에 힘썼다. 그에 대한 모든 걱정은 그가 성장해가면서 바뀌어 갔다.

히엘락은 시종들에게 명했다.

"금으로 장식된 가보를 가져오라."

들어온 것은 검은 바탕에 금빛 수가 놓인 칼집의 오래된 보검이었다. 자루는 오랫동안 쥐었던 자들의 손에 눌려 번들번들 윤을 내고 있었다.

그 당시 예이츠인의 검 중에 이 보물보다 더 훌륭한 것은 없었다.

히엘락 왕은 양손으로 칼집을 들고 일어서 앞으로 나아가, 꿇어앉아 있는 베오울프의 무릎에 올려놓았다.

"황공하옵니다. 이 보검을 가지고 이 나라를 수호하는 데 몸바치겠습니다."

베오울프는 역시 두 손으로 칼집을 잡고 받으며 충성을 맹세하여 왕의 친절에 화답했다.

예이츠의 국왕은 나라의 명예를 드높인 그에게 더욱 많은 상을 주었다. 그에게는 수천 가구가 사는 영지와 그에 딸린 중앙 회관을 주고 또한 그곳에서 왕좌와 같은 자리에 앉아 다스릴 권한도 주었다. 예이츠 땅의 모든 밭과 집은 조상 대대로 다스려온 고향이었기에 두 사람은 함께 기업(基業)을 상속받았다. 다만 히엘락 왕의 계급이 더 높으므로 더 넓은 국토를 다스렸다.

17 성난 용의 습격

후에 전쟁에서 히엘락 왕이 죽고 아들 헤아드레드가 예이츠의 왕이 되었다. 이후 사나운 스웨덴의 전사들이 헤레릭의 조카 헤아드레드를 그 자신의 나라 예이츠에서 맹렬히 공격해 전검으로 찔러 죽인 후 다시 예이츠 왕족의 혈연자 베오울프가 왕국을 통치하게 되었다.

그 넓은 왕국이 베오울프의 수중에 들어간 후 그는 왕국을 오십 년 동안 잘 다스리고 있었다. 그때 이미 그는 나이 많은 왕이며 그 나라의 고령의 수호자였다.

예이츠 동쪽 해변에는 인적이 드물고 풀이 무성한 황야의 고지가 있었다.

이곳에는 거칠게 쌓아올린 거대한 석조무덤이 있는데 지금은 너무도 오래되어 하나의 가파른 돌 언덕으로만 보였다.

그 중턱에는 동굴이 하나 있는데 입구는 사람 대여섯이 한 번에 들어갈 만큼 큰 것이었다. 하지만 사람이나 동물의 드나듦이 없이 오랫동안 수풀에 가려 눈에 띄지 않았다.

그 돌무덤의 반대편 입구는 해안의 깎아지른 절벽 위의 궁형(弓形) 석조대문이었다. 그 앞에 가려면 해안 바위절벽의 중턱에 가로질러 나 있는 갈라진 바위틈을 딛고 올라가야 했다.

그곳은 바닷가 모래밭에서는 너무도 멀리 보여 많은 사람들은 그곳에 석조 대문이 있는 것도 몰랐고 옛적부터 그곳에 올라가려는 자도 없었다.

달도 어두운 한밤중이었다.

미미한 밤하늘 빛 아래 쓸쓸한 황야에는 드문드문 서 있는 나무와 울퉁불퉁한 돌 언덕들이 만드는 그림자들뿐이었다.

"화악!"

그 돌 언덕의 중턱 동굴 입구로부터 길고 시뻘건 화염이 나타났다.

쏘아대듯 길게 내뿜는 그 화염은 번갯불처럼 주변을 밝힐 만큼 큰 것이었다.

다시 훅훅 그 화염은 일어났다 사라지기를 반복했다. 때로는 둥그런 불덩어리가 내뱉듯이 던져져 밤하늘의 검푸른 허공에서 떠돌며 춤추다 사라지기도 했다.

이윽고,

"크르르르."

생소히 들리는 괴물의 성난 울음소리가 났다.

그다음 집채만 한 기다란 몸의 화룡(火龍)이 그곳으로부터 튀어나왔다.

용은 육중하고 긴 몸을 가볍게 하늘을 향해 세웠다. 그리고는 거의 보이지 않게 접고 있던 날개를 폈다.

촤악! 그 날개는 박쥐와 같이 기다란 가락뼈 사이에 피막이 걸쳐 있는 것이었다. 네 발을 가진 그 용은 등에 붙은 그 큰 날개를 가볍게 휘휘 저었다. 주변의 큰 풀과 싸리나무들이 바람에 밀려 쓰러졌다.

용은 한 덩어리의 불을 내뱉다가 들이 삼키기를 호흡하듯이 예사롭게 반복했다. 용이 불을 토하면 붉은 비늘로 덮인 몸이 빛을 받아 어두운 밤하늘 중에 환히 번쩍였다. 이따금 불이 잠잠해질 때는 커다란 두 눈의 황색 눈동자가 공포의 빛을 내고 있었다.

해안의 가파른 석벽 안에서 오래된 보고를 지키던 용은 어두운 밤에 성을 내며 동굴을 나왔다. 주변에 살던 짐승들은 물론 멀리서 그 광경을 본 수많은 인간 백성들도 모두 이 예기치 않은 재난의 조짐에 경악했다.

그때부터 용은 주변의 모든 살아 있는 자들을 공포로 통치하기 시작했다.

이 용의 정체는 무엇일까.

그 옛날 천지가 창조된 후 낙원 동산은 온갖 피조물로 가득했다. 거기서 하나님은 인간에게 땅에서 뭇 생물을 다스리는 권세를 주셨다.

그러면서도 하나님은 인간에게 지켜야 할 본분을 정하셨으니 인간은 낙원에 있는 모든 것을 다 소유하고 즐기되 동산 가운데의 선악과를 따먹지 말라는 분부를 받았다.

그러나 하나님의 뜻을 거스르는 생물 뱀은 인간을 유혹하여 하나님의 뜻을 어기도록 했다.

뱀은 그 뒤로도 계속 인간의 어긋남을 부추기는 악마의 화신으로서 땅 위에 살았다.

길이가 오십 척이 넘는 이 커다란 용은 하나님을 거스르는 이교도 생물인 뱀의 일종이었다.

뱀의 족속은 땅 위에 편안히 누워 사는 생활을 오랫동안 계속해 왔다. 그들은 먹을 때에도 잘 때에도 떠날 때에도 항시 몸을 지면에 뉘이고 살았다. 그들에게는 일어서는 것은 물론이고 사지를 딛고 땅 위를 걷기조차 성가신 일이었다.

생명의 본분을 망각하고 편안함만을 추구하며 살아가는 뱀들에게는 창세 이래로 창조주의 뜻을 거역하는 생물이라는 오명이 씌워졌다. 그들에게는 끊임없이 인간의 저주가 가해졌다. 인간들은 세상의 창조 질서를 말하는 뭇 이야기 속에서 뱀을 가장 저주받고 부정한 짐승으로 다루었다.

계속되는 인간의 저주를 더 이상 참을 수 없었던 뱀들은 어느 날 저녁 남쪽의 사막지대에서 모임을 가졌다.

그들은 모두 심각하게 앞으로 그들 족속의 대책을 논의했다.

"우리가 이런 식으로만 계속 살아가다간 결국 인간들에게 지게 된다."

"그래, 이렇게 사지가 없고 몸이 길어도 항상 누워 다니면서 모든 것을 다 할 수 있으니까 편하기는 하지만 이런 몸으로는 인간과 싸워 이길 수가 없어."

"우리도 어떻게 몸을 바꿔서 인간을 이길 수 있도록 하자."

"어떻게 바꾼단 말야? 난 걸어 다니는 건 싫어."

"그래도 이대로는 우리가 인간을 이길 수 없단 말야."

"어차피 변화는 있어야 해. 하지만 어떻게 변화하느냐가 문제야. 우리가 그렇다고 귀찮게 인간을 따라갈 수는 없지."

"그래, 우리는 편하면서도 인간보다 더 강해질 방법을 찾아야 해."

"그러면 우리의 신인 사탄에게 부탁해 보자."

뱀들은 사막에서 머리를 맞대고 빙 둘러앉았다. 그리고 가운데 모여 있는 머리를 쳐들어 그들의 신 사탄을 불렀다.

사막의 저녁은 춥고 바람이 셌다. 검푸른 하늘 아래 울룩불룩한 사구(砂丘)의 그림자는 길게 늘어져 사막은 햇빛 반 그림자 반으로 흑과 황의 무늬가 겹겹이 이어졌다. 빛을 받아 누렇게 번쩍이는 곳마다 그 많은 오래된 뱀들이 옆으로 기어오면서 생긴 얼룩무늬 자국이 줄줄이 파여 있었다.

그러자 사탄의 응답이 왔다. 그들이 모여 있는 곳에서 조금 위쪽에 있는 바위 뒤편에서 목소리가 들려왔다.

"나의 정신의 충실한 전파자인 뱀들아. 어쩐 일로 나를 부르는 것이냐?"

바위 뒤편에는 넓고 검은 그림자가 땅에 내려앉듯이 깔렸다. 소리가 날 때마다 그림자는 떨렸다.

뱀들은 대답했다.

"우리의 힘을 더 강하게 해 주십사고 부탁하옵니다."

"너희들의 힘은 강하지 않느냐. 지금 이 세상에 어느 생물이 너희만큼 강하느냐. 어느 생물이 너희만 한 생명력이 있느냐? 한 번 먹으면 몇 달을 먹지 않고 가만히 있어도 살 수 있는 자들이 너희 말고 무엇이냐? 너희는 움직일 때 그 폭이 크지 않아서 먹은 양분을 다른 어떤 생물보다 아끼고 있다. 너희는 항상 배를 땅에 대고 다니니 지쳐 쓰러질 염려도 없다. 너희는 기어가면서도 항상 휴식을 겸한다. 너희가 싸울 때 적의 몸을 감으면 상대는 꼼짝 못 하고 굴복하니 사지로 공격하는 것보다 훨씬 힘을 덜 들이고 이기는 것이다. 그러니 너희야말로 가장 강한 생물이 아니더냐?"

사탄은 말했지만 뱀들은 수긍하지 않고 다시 저들의 사정을 호소했다.

"그렇지 않습니다. 우리들의 가죽은 너무 약해서 짐승의 발톱이나 인간의 창칼에 찔리면 이내 죽게 됩니다."

사탄은 듣고는, 온천지가 흔들리게 껄껄 웃으며,

"좋아 그러면 너희들의 가죽을 붉고 단단한 비늘로 덮어주마." 했다.

그러자 거기 모인 백여 마리의 뱀들은 모두 붉고 단단한 갑주와 같은 비늘로 몸을 둘러싸게 되었다.

그러나 뱀들은 그것에 만족하지 않았다. 단단한 갑주는 오직 수비에만 쓰일 뿐 상대를 죽여 후환을 없애는 공격에는 쓰일 수 없었다.

뱀들은 다시 사탄에게 요구했다.

"우리는 물건을 집을 때 입으로만 뭅니다. 그래서 여러 물건을 집고 싶어도 못합니다. 우리에게도 물건을 집을 수 있는 팔을 주십시오. 그래야 적을 더 효과적으로 공격할 수 있습니다."

사탄은 듣고 나서 다시 큰소리로 껄껄 웃었다.

"먼저는 편히 쉬는 데 귀찮다고 없애버렸던 것이 이젠 아쉬워지는 모양이로구나. 그렇다면 너희에게 큰 구슬도 붙잡을 수 있는 단단한 가락톱이 달린 사지를 줄 테니 앞발을 팔로 삼아서 마음대로 가지고 싶은 것을 집도록 하라."

그러자 뱀들에게는 짧지만 굵은 네 발이 돋았다.

그러나 뱀들은 여전히 만족하지 않았다.

"우리는 세상에 있는 어느 생물보다 강해야 합니다."

이 말에 사탄은 낮은 바람 소리를 낸 다음 조용히 그들에게 타일렀다.

"그 정도면 가장 강하지 않느냐? 사자(獅子)나 호자(虎子)도 너희를 이기지 못할 것이다."

"그 짐승들을 말하는 것이 아닙니다. 바로 하나님의 형상을 딴 인간들입니다."

뱀들은 대꾸했다.

"허허, 인간이 사자보다 강하단 말이냐?"

"그렇습니다. 그들은 검을 쓸 줄 알아 사자보다 강한 이빨을 가진 것이나 마찬가지고 창을 쓸 줄 알아 사자보다 강한 발톱을 가진 것이나 마찬가지입니다. 또 활을 쏠 줄 알아서 멀리 있는 적을 독수리보다 강하게 공격합니다."

"그럼 너희도 그런 능력을 가질 수 있도록 해 주랴? 인간처럼 창과 칼을 쓰고 활을 쏠 줄 아는 능력을 말이다."

그러자 뱀들은 고개를 설레설레 저었다.

"무슨 말씀을…… 우리는 그런 것을 배우고 익히는 노력이라면 질색입니다."

"하기야 너희가 그런 걸 노력한다면 우리 사탄의 편도 아니지. 너희를 강하게 해 주되 너희 삶은 편하게 해 줘야지. 허허허."

다시 사탄은 물었다.

"그럼 인간이 쓰는 무기 중에 가장 무서운 것이 무엇이더냐?"

조금 있다 한 뱀이 대답했다.

"불화살입니다. 그것을 맞으면 재가 되어 버립니다. 짐승들이 가장 무서워하는 것이 불인데 인간은 그것을 마음대로 부리고 있습니다."

"너희에게 보여 줄 것이 있다."

사탄의 그림자가 깔린 곳 위에는 거대한 유리 거울 같은 것이 떴다. 그 안에는 길고 뻣뻣한 모양의 괴조(怪鳥)들이 뇌성벽력(雷聲霹靂)을 내며 곧게 날면서 땅으로 불을 뿜는 광경이 보였다. 괴조의 불세례를 받은 땅은 불바다가 되어 잿더미의 밭이 되었다.

어리둥절해 있는 뱀들 앞에서 그 장면은 이내 사라지고 사탄은 나직한 소리로 뱀들에게 설명했다.

"으음…… 그래 봐야 지금의 불화살은 대단한 것은 못 되지. 바람이 세게 불면 그것도 별 무소용이거든. 그런데 인간이 그렇게 지혜를 키워서 자기네를 강하게 했다지만…… 난 나대로의 계획이 있단다. 앞으로 그들의 지혜를 역이용해서 나의 뜻을 세상에 더 펼칠 수 있도록 그들의 무기를 더욱 강하게 하려고 하거든…… 앞으로는 인간은 더욱더 강한 무기를 가지게 될 것이란다. 그래서 인간이 마음만 먹으면 세상이 끝날 수도 있게 말이야. 그때 되면 나는 인간의 마음만 사악하게 이끌면 되는 것이지."

"앞으로 더 강해진다고요? 그럼 우리는 어떡하라고요?"

뱀들은 불안해져서 물었다.

사탄은 껄껄껄 웃으며

"걱정 마라 인간이 더 강해진다고 해서 그것이 너희를 누르는 것이 되지는 않을 것이다. 다만 저희들끼리의 싸움에서 그리할 것이니 그만큼 저희들만 죽어나갈 것이다."

"그래도 궁금한데요. 인간은 어떤 싸움 능력을 가지게 됩니까?"

"보고도 모르냐? 불을 뿜는 능력이다. 불화살 정도가 아니라 불을 십 리 밖으로 세게 뿜어서 멀리 있는 성시도 불바다로 만들 능력이다."

"그, 그럴 수가 있다는 말입니까? 앞으로의 인간이?"

뱀들은 놀라 떨었다.

"너희도 갖게 해주랴?"

"좋아요. 하지만 그게 힘들고 어려워서는 안 돼요."

"좋아. 그럼, 너희들은 앞으로 후세의 인간들이 가지는 파괴의 힘을 앞서서 가지게 될 것이다. 물론 너희들의 요구에 알맞도록 편안하게 그것을 사용할 수 있게 말이다. 인간은 무기를 다루면서 힘들여 싸우는 것이지만 너희는 그냥 입으로 거센 불길을 뿜을 수 있게 될 것이다."

그러자 뱀들은 모두 몸이 뜨거워지는 것을 느꼈다.

그 중 하나가 후- 하고 입김을 토하니 불이 확 밀려 나왔다.

"이제는 내가 자진해서 너희를 더 강하게 해주겠다. 너희는 꼬리에서 바람을 일으켜 화살처럼 날아오를 수도 있다. 자 이제 너희들 살 곳으로 돌아가라."

"예, 이제는 강하게 살겠습니다!"

얻을 것을 모두 얻은 뱀들은 모래바람을 일으키며 저들의 갈 곳을 향해 하늘로 떠오르기 시작했다.

"이제 너희들은 용이라고 불릴 것이다. 앞으로 너희와 같은 괴물인 용족이 많이 나타날 것이지만 너희는 그 중 대표적인 사룡(蛇龍)이 될 것이다."

사탄은 날아가는 그들에게 말했다.

날아오르던 용들 중 일부가 사탄에게 물었다.

"그런데 인간들 중에서 그렇게 파괴의 힘이 강해질 족속은 어느 지방의 인간들입니까?"

사탄은,

"해가 지는 곳, 서방에 사는 인간들이 그럴 것이다." 하고 대답했다.

그러자 서방의 용들은 도로 내려앉았다.

그들은 다시 사탄에게 불평하고 요구했다.

"날아봤는데 자유롭게 날지를 못합니다. 이 정도로는 인간들에게 상징적인 공포의 대상만 될 뿐 정말로 인간 사회를 위협하지는 못할 것 같습니다. 아무래도 더 강해져야 할 것 같습니다."

이미 하늘로 오른 다른 용들은 때마침 하늘 높이 덮여 있는 자욱한 구름 속으로 숨어들어 사라졌다.

동방, 북극, 남부 지방에 사는 용들은 모두 날아갔다. 다만 서방에 사는 용들만이 남았다.

"또 뭐가 불만이란 말이냐?"

사탄이 짜증스레 묻자

"날아도 화살과 같이 직행할 뿐입니다. 박쥐와 같이 자유롭게 날아서 공격하고 싶은 것을 골라 공격할 능력이 있었으면 좋겠습니다."

"불길도 너무 약합니다. 이 정도 가지고는 한 번에 한두 사람밖에 못 죽입니다. 한 번에 수많은 사람을 휩쓸어버릴 정도가 되어야 합니다."

용들은 요구했다.

사탄은 다시 크게 웃었다.

"그래, 바로 그게 인간들이 가지게 될 힘이야. 앞으로의 인간은 나의 계획에 의하여 한순간에도 수백 명, 수천 명을 죽일 수 있는 힘을 갖게 될 것이다."

"그러면 인간들도 멸망할 것인데 그들이 자기들끼리 싸워 죽도록 그렇게 어리석을까요?"

"나도 그것을 알고 있지. 인간들은 그렇게 어리석지만은 않으리라는 것을…… 하지만 싸움이 더욱 두려워지니 그들 사이에는 평화라는 말이 중요시될 것이다."

"평화는 사탄님의 뜻에 어긋나는 것이 아닙니까? 인간이 싸움 없이 번영한다는 것인데 그것은 인간들 중에 선한 자들도 추구하는 것이 아닙니까?"

거대한 그림자가 움직이며 지표면의 떨림이 강하게 일어났다. 사막의 모래더미들도 모두 무너지고 흩어지는 것 같았다.

"하하, 내가 그렇게 어리석을 것 같으냐? 그러나 우리 식으로 다시 생각해 보면 너희들도 알 것이다. 평화라는 것은 모두가 납작하게(平) 어울리자(和)는 것이다. 평화라는 것을 빙자하여 삶의 긴장을 풀고 인간이 더 느슨한 마음으로 영혼의 죽음을 향해가도록 하는 계획이 내게 있단 말이다. 나의 계획을 따르는 인간들이 앞으로는 세상에 많이 나타나 나의 대리자 역할을 하게 될 것이다."

"그런 사탄님의 위대한 저의(底意)가 우리 서방에서 시작된단 말씀이군요."

"그렇다. 지금의 서방은 나의 원대한 계획의 시험장이기도 하다. 그러니 그곳에서 활동할 너희 서방 용들에게는 하늘을 자유자재로 날아다닐 수 있는 그런 능력도 주마."

"그러면 날개가 있어야 하겠는데요."

"물론이지. 너희들의 앞다리를 길게 늘이고 손가락 사이에 피막을 걸쳐서 날개를 만들어 주마."

그러자 용들의 앞발은 날개로 변했다. 그런데 용들은 서 있지를 못하고 털썩털썩 쓰러졌다.

"왜들 그러냐?"

"두 발로 일어설 수가 없어요."

"그럼 두 발로 균형 잡고 서 다니는 연습을 해야지."

"안 돼요. 우리에게 연습이란 낱말은 없어요. 두 발로 서는 것은 인간처럼 힘든 일인데."

"아차, 허허 너희들은 사탄정신의 실천자들인데 그렇게 하면 안 되지. 날개가 있어도 편안히 다닐 수 있도록 네 발을 가지도록 해 주마.

날개가 있고 발이 네 개 있는 짐승은 본래 천지 창조 시에도 하나님이 만들려다 말았는데 내가 다시 만들게 되는구나. 허허허."

"그리고 불을 더욱 세게 뿜을 수 있도록……"

"계속 부탁하기 미안하냐? 불을 세게 뿜으려면 숨이 커야 하니 지금 너희들의 가느다란 몸으로는 안 된다. 그러니 너희들의 몸을 더 굵고 더 크게 해주겠다. 이제 너희는 이제까지 여느 인간도 상상 못했던 가공할 파괴력을 가지게 될 것이다.

그것은 너희가 사는 곳의 인간들이 후에 갖게 될 능력과 같은 것이다. 너희의 활동을 보며 그곳의 인간들은 어서 저들도 똑같이 비행 중에 불을 뿜고 성시를 한순간에 파괴할 힘을 갖고자 할 것이다. 너희의 활동은 인간이 그러한 무기를 만들도록 부추길 것이다. 자 가라!"

그리하여 서방의 용은 네 개의 발에 등에는 큰 날개까지 돋게 되었다. 그들은 하늘을 마음대로 날아다니며 인간의 세상을 마음껏 공격하고 파괴할 수 있게 되었다.

그들은 이 세상에서 무서운 것이 없어졌다. 인간이 아무리 애써서 강해지려 해도 그들에게는 당해낼 수 없었다. 박룡(獰龍)은 붉은 비늘로 몸이 덮이고 불을 더욱 세차게 뿜고 박쥐와 같이 넓은 피막의 날개로 날았다.

오랫동안 땅 위를 기던 뱀은 악마의 축적된 힘으로 불을 뿜고 하늘에 나는 힘센 파괴자로 변했다.

용은 굴속에서 쉬다 때때로 밖에 나가 마음껏 날아다니며 지상의 생물을 불로 위협했다. 그 용이 밖으로 나올 때 인간의 성시는 공포의 도가니가 되었다.

용은 최근 삼백 년간은 지상에 나타나지 않았다.

그간 동굴 속에서 동면하듯 살아오던 이 사나운 용은 어떻게 해서 밖으로 나오게 되었나.

사람들에게는 알려지지 않은 길이 그 보고의 밑으로부터 밖으로 통하고 있었다.

어느 날 이곳 이교도의 보고 아래로 한스라는 젊은 사나이가 나타났다.

남루한 옷차림의 그는 몹시 지쳐 있었다.

"배고프다. 어떻게든지 사람 사는 곳에 가야 먹을 것이 있을 것인데……"

그는 옷 주머니를 뒤져봤다.

"내게는 동전 한 닢도 없구나. 그러나 어쨌든 사람을 만나야 먹을 수가 있는데…… 도둑질을 하든 강도질을 하든 간에."

헉헉거리며 그는 비탈길을 올라왔다.

"조금만 참자. 저기 이정표가 보인다. 가까이 가 보자."

한스는 허기진 뱃속에서 나오는 마지막 힘을 다하여 이정표에 가까이 갔다.

길은 두 갈래가 있는데 오른쪽으로 곧게 난 길은 마을로 들어가는 길이었다.

"오른쪽으로 가면 마을이 있다."

한스는 걸음을 옮기려다 문득 멈춰 섰다.

"거기 간들 무엇을 할 것인가? 가 봐야 잠시뿐 역시 도피 생활을 못 면한다. 한 끼 얻어먹어야 무슨 소용인가? 나의 행적이 드러나서 쫓기게 되면 더 큰 대가를 치를 텐데."

이때

"바사삭."

배고픔의 해결과 안전한 도피의 양립할 수 없는 두 가지를 얻기 위해 어찌할 바 모르던 그에게 소리가 들렸다. 가까운 풀숲에서였다.

들쥐 십여 마리가 나타나 몰려가고 있었다. 들쥐들은 잠시 우왕좌왕하다 일제히 잡초가 드문드문 나 있고 울퉁불퉁 돌이 깔린 왼쪽의 오솔길로 달려나갔다.

한스는 중얼거렸다.

"저길 따라가야겠다. 본래 동물은 인간이 가지지 못한 초능력을 가지곤 하니까 저쪽으로 가면 뭔가 내 삶에 보탬 되는 것이 있을지 모른다."

한스는 왼쪽으로 돌아 걸음을 옮겼다.

"하지만 과연 무엇이 있을까."

무작정 동물의 움직임을 따라가자니 회의감이 일었다.

"기껏해야 산(山)짐승 시체밖에 있을라고."

한스는 쓴웃음을 지었다.

"아니야. 내가 상상 못하는 무엇이 있을지도 몰라."

잠깐 중얼거리며 멈춰 섰던 그는 다시 따라가 보기로 마음을 잡았다.

들쥐들은 이윽고 오솔길을 벗어나 더 좁은 샛길로 들어갔다. 조금 더 따라가니 숲 어귀에 조금 큰 돌덩이들이 쌓여 있었다. 쥐들은 돌 틈 사이로 들어가 사라졌다.

"이 안에 무엇인가 있는 것 같은데……"

그는 쥐들이 사라진 돌 틈을 유심히 살펴봤다.

"쓸데없는…… 저 안에 쥐구멍 밖에 무엇이 있을 거라고……"

돌 틈은 어두워서 무엇이 있는가 보이지는 않았다. 그러나 한동안 얼굴을 가까이하니 미약하게 새나오는 바람이 느껴졌다.

"아니다. 여긴 아무래도 무엇인가 있다. 한 번 확실히 알아보자. 어차피 내가 달리 갈 데도 없지 않은가?"

쌓인 돌들은 크기가 한 아름씩 되어 쉽사리 옮기기에는 무리였다. 한스는 사흘을 굶어서 기운이 없었다. 하지만 마음먹은 바 있었기에 있는 힘을 다해 무거운 돌 몇을 옆으로 치웠다. 아니나 다를까 돌을 치움에 따라 공간이 보였다.

그 안에는 사람 하나가 들어갈 만한 굴이 있었다.

"이게 뭐지?"

한스는 안을 들여다보았다. 무엇이 보이지는 않고 굴속은 꽤 깊은 것 같았다.

그는 이제까지 몹시 쫓기고 있었다. 쫓아오는 자들로부터 멀리 피하기 위해 숲 속으로 숨어들었다가 이제 피신하기 좋은 곳을 만난 것이다.

"안이 넓은 것 같은데. 최소한 사람이 기거할 동굴은 있다는 것이로군."

한스는 굴속으로 들어갔다. 주위를 살피니 바닥과 벽면은 거의 평평했다. 쥐들이 찍찍거리는 것 말고는 굴속은 꽤 쾌적하였다. 바닥은 평탄한 돌로 되어 있어 눕기 좋았다. 피곤한 한스는 이내 잠이 들었다.

얼마 후 잠이 깬 한스는,

"저 안은 어떻게 생겼는가 한 번 보자. 어차피 당분간 밖으로 나가지 않을 것이니까." 하고 안으로 들어갔다.

굴은 컴컴했지만 안으로 들어가도 더 어두워지지는 않았다. 한스는 더욱 깊이 들어갔다. 굴속으로 햇살의 잔광(殘光)이 들어왔다. 길은 조금 위쪽으로 올라가고 있었다.

"아마 이쪽으로도 밖으로 연결되어 있는 것 같다."

빛은 더 환해졌다. 그 길은 과연 바깥으로 난 통로였다. 이윽고 하늘이 보였다.

굴 밖으로 나가니 열 사람은 여유 있게 둘러앉을 만한 공터가 있고 그 밑은 돌로 된 절벽이었다. 바로 이곳 동굴 어귀 공터는 용이 바깥으로 나올 때 날개를 퍼덕이는 장소였다. 용은 외출할 때 이곳에서 날아서 가는 것이었다.

한스가 거기서 내려다보니 자기가 가로질러 왔던 풀숲의 고원이 보였다. 이 굴은 높은 돌 절벽의 중턱에 자리 잡고 있었다.

공터의 둘레는 온통 빽빽한 관목의 수풀로 둘러싸여 있었다. 아무도 바닥을 밟은 적이 없는 곳이었다. 사람은커녕 산양 한 마리도 지나다니지 않은 곳이었다.

날은 저물어갔다. 아무 생각 없이 있던 그에게 시간은 금방 지났다. 하늘은 이내 어두워지고 조금 부푼 초승달만 보였다. 서늘히 비치는 달빛은 쫓기는 신세의 그에게 처연함을 더해주었다.

"나는 하늘도 땅도 아닌 이곳에서 굶어 죽거나 목말라 죽겠구나."

방금 한잠을 자고 일어났지만 아직도 몹시 피곤해 있었다. 한스는 다시 안으로 들어와 누웠다. 동굴 밖의 밤하늘이 보였다.

"이제 여기 있어야 할까 밖으로 나가야 할까?"

그는 몹시 난처한 지경에 있었다.

밤이 되자 굴속은 깜깜했다. 그는 기진맥진하여 동굴 입구에서 엎드려 잤다.

날이 밝았다. 굴속에는 햇빛이 비쳐들었다.

굴 안이 환해지자 어제 이곳까지 오던 통로 옆으로 또 다른 통로가 있는 것이 보였다.

"이쪽으로는 무엇이 있을까?"

한스는 깨어나서부터 더욱 자신을 괴롭히는 배고픔을 참으면서 그쪽을 향해 갔다.

"어차피 이쪽으로는 못 나갈 것이니 저 안에 무슨 좋은 것이라도 있을지 모르지……"

"푹!"

가다가 갑자기 미끄러져 떨어졌다. 순간 그는 겁먹었으나 다치지는 않았다. 그곳은 아주 푹신한 곳이었다. 먼지 가운데 눈을 비비고 보니 동굴 속의 더 큰 다른 동굴이었다. 굴은 아주 컸다. 사람 백 명은 들어갈 만했다. 바닥에는 두껍게 풀이 깔려 있고 악취가 났다. 냄새가 나는 것은 생물이 살았다는 증거이니 이곳에 사람이 살았다고 생각되었다.

"여기가 어디지?"

한동안 어리둥절했던 한스는 바닥에 떨어져 있는 금목걸이와 팔찌 등 보물들을 보고는 이곳이 오래된 무덤임을 알았다. 그는 보물보다는 먹을 것이나 기대했지만 있을 리 없었다.

한스는 먼저 들어온 길로 다시 나가기는 너무 어렵고 또 쫓던 자들에게 다시 발견될까 두려웠다. 이곳에서 얼마 동안 숨어 있다 나가는 것이 좋으리라 생각했다.

다시 그는 조심스럽게 주위를 살폈다. 문득 돌벽이 선반처럼 두드러진 곳에 눈길이 갔다. 그 위에는 오래된 먼지가 덮인 네모진 작은 함이 있었다. 함 아래 벽에는 글이 쓰여 있었다. 굴속은 어두워 글자가 잘 보이지 않았다.

한스는 궁리가 생겼다. 돌 조각을 옷에 감아쥐고 마찰하자 불꽃이 나왔다. 굴 안은 환해졌다. 함 밑의 돌벽에 새겨진 글자가 보였다.

"천하 제일가는 보배를 인연이 닿은 자에게 양도하노라."

한스는 가만히 함을 들어 내렸다. 그리고 그 뚜껑을 조심스럽게 열었다.

"빠각"

오랜 시간 동안 맞닿은 탓에 일체화되어가고 있었던 뚜껑과 상자 몸체가 거부의 소리를 내면서 분리되었다.

한스는 상자를 열면서 무척이나 가벼움을 느꼈는데 역시 안에는 아무런 물건이 없었다. 단지 누렇게 바랜 오래된 파피루스에 쓰인 두루마리 편지가 놓여 있었다. 거기에는 이 동굴에 있는 보물들에 대한 내력이 적혀 있었다.

땅속의 이 집에 있는 많은 옛 보물들은 옛적에 그들이 이곳으로 도망 와서 숨겨 놓은 것이었다. 반란군을 피하여 북쪽으로 퇴각한 그들은 이곳에 도달하여 부하들을 모두 해산시키고는 여기 훗날 그들의 부흥을 도모할 근거지를 마련하고자 했다.

그들은 이곳 해파(海波)에 근접한 곳에서 예부터 마련돼 있던 견고한 무덤을 발견했다. 이 오래된 무덤은 바닷가의 흑요석 봉우리가 둘러쳐진 방어벽 너머 풀과 관목이 무성한 고원 위의 돌산에 마련된 것으로서, 사람들이 접근 못 하도록 교묘한 기술로 견고하게 만들어진 것이었다. 금고리의 보관인들은 보관할 가치가 있는 재물과 판금을 그 안에 운반하고는 이 글을 기록했다. 그들은 자기네 고귀한 집안의 막대한 유산과 귀중한 보물을 이곳에 감춰두었다.

그러나 죽음은 가지고 있던 보물도 그들에게서 빼앗아 가 버렸다. 이곳에서 새로운 힘을 일으키려고 했던 그들은 오래된 도피살이와 동굴 속의 거친 환경에 병을 얻어 하나하나 죽어 갔다.

거기서 가장 오래 살아남은 자는 보물의 마지막 보관인이 되었다. 그는 죽은 친구들을 슬퍼하며 그들에게 일어난 죽음이 자기에게도 올 것임을 알았다.

마지막 남은 친구의 장례를 치른 후 동굴의 어둠 속에서 스스로 빛을 내거나 미약한 빛을 반사하여 번쩍거리는 훌륭한 보물의 더미를 넋을 잃고 바라보던 그는 털썩 주저앉았다. 그는 그 많은 보물들 중 하나인 오래된 술잔을 잡아들고 만지작거렸다.

"옛사람의 정성이 담긴 물건이여. 그것을 만든 이는 세상에 없으나 그의 정성은 오래도록 남아 이렇게 가치를 발하고 있도다. 한 번 손을 쓰다듬을 때마다 그 선인의 숨결이 느껴지는 것만 같도다."

한동안 술잔을 가슴에 안고 있던 그는 문득 생각이 났는지 술잔을 가만히 땅에 내려놓았다.

"이렇게 있을 수만은 없다. 나도 이제는…… 여러 사람들이 오랫동안 모은 이 보물들을 잠시밖에는 더 즐길 수 없으리라."

그는 보물의 더미에서 파피루스 종이 두루마리를 꺼냈다. 자기의 생명 또한 얼마 남지 않았음을 알고 마지막 말을 편지에 남겼다.

대지여 지금 사람들은 귀인들의 황금을 보관할 수 없으니 이제는 당신이 보관하시오.

볼지어다. 옛날 그 용감한 사람들은 이들을 당신에게서 얻었노라.

그러나 나의 사람들을 몰아친 전사(戰死)는 회관에서 잔치의 즐거움을 맛보았던 그들을 남김없이 빼앗아 가 버렸다.

나에게는 검을 찬 어떤 용사도 없다. 귀중한 판금(板金) 찻종과 자기(瓷器) 술잔을 닦아줄 자도 없다.

싸움에 익숙한 고참의 병사들은 떠났다. 견고한 금장식 투구의 금판은 떨어져 나갔다. 투구를 닦아야 할 사람은 대지에 묻혀 자고 있다.

전투에서 방패가 부서진 뒤에도 무서운 검의 타격을 받아냈던 갑옷은 지금은 용사의 힘과 함께 녹슬고 있다. 대장장이가 정성스레 쇠고리를 엮어서 만든 흉부갑옷은 쓰러진 용사들과 함께 땅에 묻혀 더 이상 대장의 진군 명령을 따라 앞으로 나아갈 수 없다.

이제는 그곳에 기쁜 목관의 환락이나 하프의 즐거움도 없다. 한때 영화롭던 회관에는 날아다니는 훌륭한 매도 없고 궁전 안뜰의 풀을 짓밟고 다니는 날랜 말도 없도다. 불길한 살육이 많은 인간의 무리들로 하여금 이 세상의 영광을 등지도록 내몰았도다.

그리하여 모든 사람들 중에 혼자 남아 슬픔에 잠긴 그는 비탄 속에 밤낮으로 쓸쓸하게 지냈고, 마침내 죽음의 물결이 그의 가슴에 부딪혔다. 굴속에는 인간이 피땀 흘려 이룩한 많은 가치 높은 보물이 그들을 지키던 인간의 뼈와 함께 잠자게 되었다.

어느 날 밤 한동안 이 근방서 들리지 않았던 푸득거리는 바람 소리가 들렸다. 멀리 주홍빛 불덩어리가 다가오는 것 같더니 입가에 불꽃을 튀고 있는 화룡이 날아왔다. 불을 내뿜으며 무덤을 찾아다니는 그 매끈매끈한 비늘이 덮인 악룡(惡龍)은 화염에 에워싸여 밤하늘에 날아다녔다.

그 땅의 사람들은 용을 심히 두려워했다. 그 괴물은 원하는 파괴는 무엇이든지 할 수 있는 가장 강한 생물이었다. 예부터 살아온 밤의 약탈자 화룡은 수십 년을 외유하고 돌아오니 자기 보금자리가 열려 있음을 알았다.

용은 날개를 접고 입구의 공터에 앉았다.

안으로 들어온 괴물은 전에 없던 것이 있음을 보았다. 자기가 없는 동안에 인간들이 보물을 가지고 들어와 살다가 덧없는 생을 마치고 그 귀중한 보물들을 대지에 무상으로 바친 것을 보았다.

'바로 이것이 인간이 만든 것이로구나. 우리의 족속은 사탄으로부터 힘을 받아 불을 뿜고 날아다니는 등 세상의 어느 생물도 두렵지 않은 강한 힘을 가지게 되었다. 하지만 우리는 이런 보물들을 만들지 못하기에 인간에게서 열등감을 가져왔다. 이제 이것을 우리가 소유하면 인간 중의 누구보다도 더한 부를 우리 용족도 누리게 된다. 우리는 이런 것을 만드는 일은 하기 싫다. 하지만 빼앗아 소유하고는 싶다. 우리는 편하면서도 또한 강하고 부유하게 살려는 종족이니까.'

용은 그 보물들을 자기의 것으로 삼고 그것을 지켰다.

한스는 힘에서 빼낸 편지를 품속에 간수했다.

"이곳에서 살아갈 대책을 세워야겠는데…… 저 굴 안쪽에서 물 냄새가 나니까 더 깊이 들어가 보자. 물은 생명의 근원이니 당분간 바깥 세상과 단절하면서도 살아갈 수 있을 거야."

물 냄새가 나는 쪽으로 더 깊이 들어가니 조금씩 굴속은 밝아져 이제는 주위를 제대로 식별할 수 있었다. 한스는 뜻밖의 광경에 크게 놀랐다.

눈앞에 더 많은 보물 더미가 보였다. 금목걸이, 금팔찌들이 더러는 상자 안 더러는 바닥에 흩어져 있고 커다란 자기 항아리 안에는 보석이 자갈돌 채우듯이 담겨 있었다. 벽에는 옛 거인들이 만든 거대한 보검들이 걸려 있었다. 한 곳에는 금빛으로 수놓은 군기(軍旗)가 금봉(金棒) 깃대에 달려 있었다.

"아아, 이럴 수가……"

발목에는 금목걸이가 걸렸다. 다시 다른 발을 밟으니 금팔찌 같은 것이 밟혀 찌그러졌다.

"여긴 온통 보물 천지구나."

한스는 걸리고 밟히는 금목걸이, 금장식혁대, 금 촛대들을 집어서 만져 보았다. 다시 앞으로 더 나아가니 금식탁, 금의자, 금장식 칼집의 보검 등 더 큰 황금의 보물들이 있었다.

한스는 거기서 큰 보석들로 둘레를 박아 꾸며진 술잔을 집었다.

'어차피 모두 가져가지 못할 바에야 이게 제일 값나가는 것 같다.'

이때 한쪽에서 크릉크릉 하는 용의 숨소리가 들렸다. 용은 이제까지 잠자고 있었다.

소리를 들은 한스는 가슴이 철렁하며 놀랐으나 소리를 지르면 큰일일 것 같아 조용히 했다.

'살짝 빠져나와야겠다.'

아직 용을 보지는 못했으나 그 소리의 주인공이 몹시 크고 무서운 생물이란 것은 짐작되었다.

한스는 가만히 술잔을 들고 살금살금 걸었다. 걷는 소리가 난다 해도 용의 코 고는 소리보다는 작았다. 한스는 빛이 새어 들어오는 쪽으로 더 나가다가 용에게 소리가 안 들리겠다 싶은 지점에서 뛰어나갔다.

이제까지 그가 의식하지 않았던 바다의 파도 소리가 들렸다. 드디어 바깥 하늘이 보였다. 이곳은 옛적에 인간이 드나들던 곳이었던 듯 석조 문이 있었다. 그 문은 무거워서 열 수는 없었으나 한스는 문 위의 궁형 지붕 사이의 빈틈으로 기어올라 나갈 수 있었다.

"아앗!"

나가고 나니 해안가의 바위 절벽이었다. 그는 잠시 놀랐으나 옆으로 나 있는 길을 발견하고는 다시 한시름 놓았다. 절벽의 갈라진 틈은 사람 하나는 충분히 다닐 여유가 있었다. 한스는 그 길로 달려나갔다.

밤이 되어 용은 잠을 깼다.

'으음, 보물들이 흐트러져 있네.'

용은 일어나면 자기가 가지고 있는 보물을 일일이 확인하며 보고 즐기는 것이 낙이었다. 비록 그것들이 녹슬고 허물어져 가는 것을 막을 능력은 없었지만.

그런데 괴물은 자기 머리맡에 응당 놓여 있어야 할 귀중한 술잔이 없는 것을 알고는 크게 화가 났다.

'여기 있던 금테 두른 술잔이 어디 갔지?'

보물의 간수자는 도둑질을 모르고 넘어가지 않았다. 이윽고 그것이 없어졌음을 알자

"크아악!"

동굴을 진동하는 울음소리와 함께 분노했다. 괴물이 움직이면서 벽의 오래된 흙먼지의 무더기가 떨어져 나가고 괴물은 머리에도 흙을 뒤집어썼다. 붉은 괴물은 좁은 그 공간에서 펄펄 뛰고 불을 뱉으며 뛰쳐나왔다. 밖으로 나온 용은 큰 날개를 퍼덕였다. 입에서는 불을 뿜고 꼬리에서는 회오리바람을 일으키며 공중으로 떠올랐다.

"키익. 쉬이익!"

허공에 바람을 가르며 날아가는 용의 소리는 고원에서 산 하나를 건너 있는 성시의 온 건물을 떨리게 했다.

"용이 나타났다."

성시의 모든 사람들은 공포에 떨었다. 용이 번쩍번쩍하며 떠다니는 것은 결코 예사로운 일이 아니었다.

"용이 굉장히 노했다!"

"필시 큰 재앙이 일어날 것이다."

보물의 간수자인 용은 삼백 년 가지고 있던 자신의 보물을 도둑맞아 몹시 자존심이 상했다.

"휘잉! 휘잉!"

괴물은 인간의 마을을 다 날릴 듯이 거센 바람을 일으켰다. 그의 긴 잠을 깨운 그 자존심의 값은 인간의 성시가 다 파괴되고야 치를 수 있을 것 같았다. 용은 그것으로 하룻밤의 소동을 끝내고 굴로 돌아갔다.

걱정하던 재앙은 다음날 일어났다.

그 도둑이 용의 보고에 침입한 것은 그가 원했던 것이 아니었다.

이곳 황야에서 가까운 곳에는 한 퇴역한 노령의 용사가 조그만 장원(莊園)을 이루고 열세 가구의 소작농과 함께 생활하고 있었다. 한스는 그 집 하인이었다.

어느 날 저녁 밭일을 끝내고 한스는 쟁기와 삽을 갖다 놓으러 광으로 들어갔다. 그런데 거기에 그와 친한 이웃집 여종 한나가 있었다.

"한나 웬일이야?"

"여기서 널 기다렸어."

"그래? 오늘 일은 끝났겠지?"

"오늘 좀 늦게 들어온다고 마님께도 얘기했지."

"그래, 우리 주인도 오늘 늦게 들어오신다니까. 우리끼리 좋은 저녁 시간을 갖자. 자 들어올래?"

"아니, 그냥 분위기 있게 밖에서 모닥불을 피우지."

한나는 제안했다.

"그래? …… 여긴 나무와 목초가 많은데……"

한스는 하려던 말을 얼버무리고 그녀의 뜻대로 하기로 했다. 모처럼 찾아온 애인의 바람을 거절할 수는 없었다.

날은 어두워지고 있었다. 한스는 자기가 보관해 왔던 술병을 가지고 왔다. 그리고 광의 높은 곳에 걸려 있던 마른 돼지고기 한 뭉치를 내려서 조촐한 저녁 잔칫상을 마련했다.

둘이는 광에서 나와서 장작으로 모닥불을 피우고 고기를 구웠다.

"술 너도 좀 마셔."

"아냐 난 괜찮아."

"그럼 나 혼자 마실게 넌 분위기만 맞춰 줘."

한스는 술을 마시고 노래를 불렀다.

먼 옛날부터 인간은
남녀가 함께 사랑을 했네
사랑의 권리를 누린 뒤에는
사랑의 책임이 따르는 것이었네
사랑은 사람에게 기쁨과 쾌락을 주듯이
사랑은 사람에게 슬픔과 아픔을 주는 것
사랑은 모든 이의 마음을 지배하네.

"그렇게 책임질 수 있어?"

한나는 물었다.

"그럴 상황이 온다면 당연히 그래야지."

술이 조금 취한 한스는 답했다.

한나도 흥에 겨워 즐거운 웃음을 웃었다. 울긋불긋 형형색색으로 타오르는 모닥불빛 앞에서 한나의 얼굴은 붉었고 눈빛은 빨갛게 빛났다. 둘이는 모처럼 가지는 저네들의 즐거운 시간에 빠져들었다.

이때,

갑자기 바람이 세졌다. 이제까지 오롯이 타올라 가던 모닥불은 휘익 옆으로 기울었다. 손바닥 크기의 불 조각들이 장작더미 위에서 떨어져 날아갔다. 그중 하나는 옆의 목조 창고 안으로 들어갔다. 그들은 광의 문을 닫아 놓지 않은 것이었다. 안에는 주인집의 여러 오래된 물건들도 있지만 나머지 공간은 건초더미로 채워져 있었다.

"아앗!"

한스는 얼른 광으로 뛰어들어갔으나 이미 늦었다. 불은 높이 쌓인 마른 풀짚을 보란 듯이 태우고 있었다. 근처에서 물을 구할 곳도 없었다.

광에는 겨울 식량도 있지만 한구석에는 따로 문이 달린 창고가 있어서 오래전 주인이 전투에서 썼던 물푸레나무 창과 보리수나무 방패 그리고 색실을 수놓은 검도 있었다. 지금은 쓰지 않은 지 이십여 년이 지났고 안채에는 전리품으로 얻고 상으로 받았던 더 좋은 것들이 있기 때문에 주인과 가족들의 관심에서 멀어져 있지만 그래도 가끔은 주인이 와서 쓰다듬으며 옛 추억을 되새기곤 하는 물건들이었다.

주인이 다른 하인들을 데리고 나갔기에 집에는 다른 사람도 없었다. 한스는 그저 멍하니 발을 구르는 수밖에 없었다.

"아아, 어떡하나……"

"어쩔 수 없잖아 같이 도망가야지."

한나는 말했다.

그러나 이미 멀리서 말발굽 소리가 들려오고 있었다. 돌아오던 주인 일행이 집에 불이 일어나는 것을 보고 서둘러 말을 달리고 있는 것이 었다.

"같이 도망가 봐야……"

어차피 금방 잡힐 것이 뻔했다. 한스는 결심한 듯 한나에게 말했다.

"한나, 어서 도망쳐."

"응, 어떡해? 너만 놔두고."

"넌 가기만 하면 아무 일도 없는 거야. 어서, 빨리."

"어떡해……"

한나는 눈을 글썽이며 잠시 머뭇거리다

"나중에 우리 집에 와. 언제 오더라도 기다릴게." 하고 달아났다.

곧 주인과 아들 그리고 고참 하인 셋이 말을 타고 나타났다. 그들은 건넛마을의 잔칫집에 갔다가 오는 길이었다.

"무슨 일이냐?"

백발의 노인인 주인은 불타는 광 앞에 서 있는 한스에게 물었다. 그러나 실수로 불을 붙였다고 밖엔 할 말이 없었다. 그날 한스는 묶여서 매질을 당하였다.

"이놈. 나의 오래된 동반자들을 잿더미로 만들다니……"

주인은 막상 없어지고 나니까 광속에 있던 무구들이 안채에 있는 것보다 더 가치 있었던 듯싶어 더욱 분한 마음이 일었다.

마구간에 묶여 하룻밤을 지내던 한스는 밤새 괴로워하다 새벽에 잠깐 잠이 들었다. 그러다 아직 날이 완전히 밝지 않았을 때 다시 깨었다. 깨어나 보니 앞에 평소에 그와 친하게 지내던 말이 고개를 가까이 들이대고 애처로운 듯 보고 있었다.

"아, 말아. 이제 난 어떡해야 하니?"

말의 얼굴을 바라보던 한스는 뭔가 그 짐승의 뜻을 알아차릴 것 같았다.

'인간이신 님께서 어찌 우리처럼 묶여 있으시나요? 제가 도와드릴 수 있다면 도와 드리겠어요.'

말의 생각은 한스에게 전해졌다.

한스는 있는 힘을 다해 몸을 일으켜 기둥에 묶인 밧줄이 팽팽해지도록 말에게 가까이 갔다. 안쪽의 기둥에 묶여 있는 말도 올 수 있는 만큼 가까이 왔다. 그 짐승의 머리는 한스와 만날 수 있었다.

"우둑, 우두둑."

말은 이빨로 밧줄을 뜯어 끊었다.

"고맙다. 말아. 묶인 자의 심정은 묶여 사는 네가 아는구나. 우리가 인연이 있다면 이생 아닌 후생에서라도 다시 만나자."

한스는 그렇게 주인의 집에서 도망 나왔다.

일단 도망은 나왔으나 이미 죄를 범한 그는 몹시 어려운 처지였다. 갈 곳도 없이 주인의 매를 피해 나왔을 뿐이었다. 그는 한참을 헤매었으나 숨을 집이 없어서 결국 굴속에 들어간 것이었다.

한스는 용이 쫓아올까 공포에 사로잡혀 남은 힘을 다해 내달렸다. 그 불우한 사나이는 무시무시한 용으로부터 도망치면서 귀중한 술잔을 들고 달아났다.

사람들의 적은 삼백 년 동안 그 굉장한 보물 더미를 땅속에서 간수하고 있었는데 마침내 한 사나이가 그의 마음을 노하게 했다.

한스는 금으로 두른 술잔을 들고 자기 주인에게로 돌아갔다.

"도망갔던 놈이 다시 오는가?"

아직 분이 안 풀리고 있던 주인을 만난 그는,

"주인님 이 보물을 바치오니 저의 허물을 용서하여 주시옵소서."

하고 주인에게 화목(和睦)을 제안했다.

한스가 바치는 오래된 술잔은 화재로 주인집에 입힌 손실의 열 배 값은 됨직한 귀중한 것이었다.

주인은 그 가련한 자의 청원을 들어주었다.

"그게 어디서 난 것이냐?"

주인은 물었다.

"해안 굴속에 있습니다."

"보물은 더 있느냐?"

"그렇습니다."

"그곳에 함께 가 보자. 보물을 더 가져오자."

주인은 하인 등 십여 명을 데리고 한스가 말하는 곳으로 갔다. 그리하여 오래된 보고는 욕심 많은 인간들에 의해 수색받게 되었다. 그날 그곳에 쌓였던 금고리 더미는 줄어들었다.

"참으로 훌륭한 보물들이다. 내가 젊었을 때 남방의 여러 나라를 원정 다니며 그곳의 성내에서 많은 보물을 보았지만 이 정도로 훌륭한 것은 없었다."

그 주인은 생전 처음 보는 훌륭한 옛사람들의 공예품을 쳐다봤다. 그것들은 당시의 어느 궁성에서도 가지지 못한 귀중한 것들이었다.

"정말 대단하다. 이중 하나만 가져도 평생 먹고 살겠다."

하인들도 이구동성으로 감탄하고 있었다.

이때

"크르르르."

인간들이 들어와서 왁자지껄하는 소리에 그 용은 잠에서 깼다. 한스는 미처 용이 지키고 있다는 것을 알리지 못했다.

"저 소리가 뭐지?"

주인은 물었다.

"이곳에 사는 짐승 같은데요."

한스는 당황하며 대답했다.

"뭐라고? 그럼 왜 얘기하지 않았어!"

노회(老獪)한 주인은 그것이 용임을 얼른 짐작하고 데리고 온 자들에게 소리쳤다.

"얼른 도망치오. 이놈이 용의 무서움을 모르고 있었던 모양이오. 소리 안 나게 빨리."

침입한 자들은 황금 술잔, 보검, 금목걸이 등 저마다 손에 잡을 수 있는 보물을 들고 조심조심 발걸음을 옮겨 피신했다.

후욱, 후욱, 하며 동굴 속에는 거친 숨소리가 울렸다. 용은 기지개를 켜고 일어났다.

'아까 무슨 소린가 했더니 또 그놈의 인간들이……'

용은 인간들이 자기를 두려워하지 않고 또다시 침입한 것이라 여겨져 몹시 자존심이 상했다.

'인간들이 감히 또 침입하다니, 모조리 멸망을 시키든가 해야지.'

용은 자기가 오랫동안 보관해온 보물들을 도둑질하는 자들을 도저히 용서할 수 없었다. 땅속에 숨어 잠자고 있던 지룡(地龍)을 인간이 먼저 건드렸기 때문에 오랫동안 휴전 상태에 있던 인간과 용의 싸움은 다시 시작되었다.

"샤아악!"

밖으로 나간 사나운 용은 날개를 퍼덕이며 날아올랐다. 누런 눈빛은 매섭게 빛나고 입가에는 끓어오르는 거품을 물고 있었다.

용은 한 바퀴 돌무덤 주변을 선회하고는 돌 언덕 중턱의 동굴 입구에 흙먼지를 일으키며 내려앉았다. 거기서 용은 날개를 접고 머리를 바닥으로 내리고 울퉁불퉁한 바위투성이의 비탈을 미끄러지듯 신속히 움직였다. 거대하면서도 날렵한 기괴한 생물은 돌투성이의 경사면을 침입자의 발자국을 찾아내려 샅샅이 훑었다.

그 도둑의 무리는 용의 머리에 너무 가까이 접근했던 것이었다. 보고의 감수자(監守者)는 자는 동안에 자기 재산에 손해를 끼친 그자들을 찾으려고 열심히 살폈다. 흥분된 사나운 용은 몇 번이고 온 무덤 주변을 돌아다녔다.

그러나 이미 황무지에는 아무도 없었다. 그들은 먼저 한스가 들어왔던 땅속의 좁은 통로를 통해 나갔다. 밖에서 용이 성나 돌아다니니 그들은 좁은 땅굴에 숨어 나오지 않았다.

부근에서 사람을 찾지 못하자 용은 다시 자기의 보물 생각이 났다.

'어디, 보물은 제대로 있나 봐야지.'

용은 무덤에 돌아갔다. 입구에 가까운 쪽부터 동굴의 저 구석까지 쌓여 있는 보물 더미를 살폈다. 그러자 보물이 적잖이 줄어든 것을 알

앗다. 용은 평소에 아끼던 귀중한 술잔과 금고리들의 행방을 한 번 더 찾아봤다. 그러나 아무리 봐도 없었다. 쌓여있는 보물 중 눈에 띄는 것은 귀중한 순서로 없어졌다.

'분명 아까 그자들의 짓이다. 이 귀중한 나의 황금 더미에 함부로 손을 대다니!'

보고의 감수자는 씩씩 거친 숨을 몰아쉬었다. 용은 귀중한 술잔을 빼앗긴 것을 화염으로 보복하기로 결심했다.

"휘이잉!"

밤이 짙어지면서 동굴로부터는 한바탕 회오리바람 소리가 들렸다. 곧이어 환한 불빛이 그곳으로부터 비쳐 나왔다.

"크아아―."

꽃봉오리 같은 거대한 불덩이가 연기를 거느리고 떠올랐다. 잠시 그 불덩이는 짙은 남(藍)빛 하늘을 밝히며 춤추더니…… 화악― 번지며 주위를 한층 더 밝게 비추다 사라졌다.

그것은 용이 뱉어낸 불덩어리였다.

용은 먼저보다 한층 더 성난 모습으로 뛰쳐나왔다. 입에서 침이 흘려지듯 용의 입에서는 항시 불티가 튀었다. 사방이 어두우니 그것은 불꽃놀이처럼 확연히 드러나 보였다. 연기가 사라진 뒤에도 그 괴물의 입에서는 증기가 뿜어 나왔다. 용의 눈은 타는 불덩이보다 더 환한 노란빛을 쏘며 번뜩였고 몸 전체는 은근히 달군 쇳덩어리처럼 붉은 광채를 냈다. 용의 눈과 입에서 나오는 빛은 어둠 속에서 앞을 밝히는 전조등이었다.

용은 그 무덤의 경사진 벽에서 잠시도 가만있지 않았다. 꿈틀꿈틀 기다란 몸을 비틀면서 날개를 퍼덕여 하늘로 올라갔다.

"후욱!"

하늘에서 땅으로 불길을 뿜는 것은 화룡만이 할 수 있는 일이었다. 부채꼴의 화염은 용의 입에서는 피를 토하듯이 시뻘겋다가 땅바닥에 퍼질 때는 눈부시게 밝은 황색이 되었다. 축축하던 대지의 초목은 한순간 열기에 말라비틀어지고 이윽고 와 닿는 불꽃에는 맥없이 검은 재로 화했다.

"우두둑, 우둑, 우둑……"

풀이 타서 바스러지고 나무가 타서 부러지는 소리가 벌판을 진동했다. 불길은 성난 파도처럼 넓은 초원을 태웠다.

계속해서 용은 회오리바람을 일으키고 화염을 내뿜으면서 인간들이 밀집해 살고 있는 곳을 향해 거대한 박쥐 날개를 퍼덕이며 진격했다. 그 땅의 주민에게는 무서운 재난의 시초였고 그들의 왕 베오울프에게는 슬픈 종말의 발단이었다.

"화룡이다! 피하라!"

인간의 마을에서는 이미 먼 곳에서부터 용이 보였다. 사람들은 벌써 혼비백산 도망치고 있었다. 그러나 용의 불길 앞에서 인간의 걸음은 무력한 것이 되었다.

"휙. 휙."

붉은 용은 자기가 본 것이면 인간이건 건물이건 식물이건 가축이건 한숨에 죽이고 파괴하기를 거듭했다. 가증스러운 비룡(飛龍)은 거쳐 가는 자리에 살아있는 것을 남겨 놓지 않으려고 했다.

용이 내뱉은 화염은 땅에 떨어지고 나서도 얼마 동안 계속 불탔다. 용의 침은 기름과 같이 흘러 불을 번지게 했다. 불은 땅에 뿌리박은 나무나 집이나 어떤 것에도 옮겨붙어 한순간에 시커먼 재로 만들었다.

하늘에서 내리 토해지는 붉고 노란 화염은 오랜 세월 인간이 이룩한 빛나는 거처들을 남김없이 태웠다. 사람들은 불길에 맞아 죽기도 하고 불타 무너지는 건물에 깔려 죽기도 했다. 아비규환의 소동 끝에 도망친 사람들은 마을을 빠져나왔다. 그들은 산기슭에 모여 다시 피할 곳을 찾았다. 그러나 정신없이 인간의 마을을 태우던 용은 모여 있는 사람들을 발견하고 그리로 몸을 돌렸다.

"아악!"

사람들은 다시 흩어지려 했으나 돌산으로 오르면 용의 눈에 더 잘 뜨일 뿐이고 마을은 불바다가 되어 있어서 더 피할 곳도 없었다.

"카아악! 후욱."

용은 사람들을 향해 불길을 내뿜었다.

괴물에게는 인간이란 그저 없애고 또 없애야 할 적으로 밖에는 보이지 않았다. 본디부터 그 괴물과 인간의 사이에 타협이란 있을 수 없었고 공존이란 것도 불가능한 것이었다.

예이츠 동쪽, 바닷가의 언덕이 해풍을 막아주는 아늑한 분지 속에 한때 찬란했던 인간의 성시는 잿더미로 화했다. 타오르는 불꽃은 합쳐져 큰 기둥을 이뤄 무섭게 하늘로 올라갔다. 온 예이츠 각처의 밤하늘에는 꿈틀거리는 붉은 발광체가 날아다니다 때때로 내려와 인간의 터전을 휩쓸어 불태우고는 다시 올라가 또 다른 파괴의 장소를 찾아다니는 것이 보였다.

"저…… 저것 보게나."

"저게 뭐지? 유성(流星) 같기도 하고."

"유성이 왔다 갔다 하나?"

"유성이 많은 것이 아닌가?"

"그렇지 않네. 보게나, 저기 작은 불덩이들은 그냥 떠 있다 없어지지만 한 큰 불덩이는 계속해서 왔다 갔다 하는 것이 보이지?"

"그런데, 정말. 그럼 저게 뭘까?"

웅성웅성 모여 먼 곳의 신기한 것을 보던 그들은

"저건, 화룡이다! 피해라!"

한 사람의 외침에 모두들 위험을 깨닫고 황급히 도망갈 준비를 했다.

나무에 올라 살펴보았던 자는 그 발광체가 떠다니는 곳 아래는 바람에 나부끼듯 불의 들판이 펼쳐지고 있음을 보았다.

거대한 용의 무지막지한 행패는 광활한 공중을 무대로 하는 불의 유희였다. 그것은 아무 데서나 볼 수 있었다. 그 적이 인간에게 가하는 참혹한 박해의 광경, 그 파괴자가 얼마나 예이츠 백성을 미워하며 해치는지가 원근 도처에서 보였다.

밤새도록 얼마나 많은 집이 불타고 얼마나 많은 사람들이 죽었는지 헤아릴 수도 없었다.

괴물은 동이 트기 전에 남들이 모르는 자기 보금자리로 서둘러 돌아갔다. 그는 자기가 사는 곳 주변의 주민들을 화염과 연기와 그리고 잿더미로 덮었다. 엄청난 파괴의 죄악을 서슬르고도 그 괴물은 자기가 무사할 것으로 믿었다. 괴물은 불을 내뿜는 무서운 전력(戰力)이 있을 뿐더러 때로는 자기 몸을 피할 수 있는 두터운 방벽(防壁)의 소굴이 있어 두려운 것이 없었다.

그러나 그 괴물의 기대는 어긋났다. 인간이 악마의 행위를 예측할 수 없듯 악마의 괴물 또한 인간의 대응이 어떠할 것인지 예측할 수 없었다.

"저기 움직이는 불빛이 보이오. 필시 심상찮은 일일 것이오."

서쪽 해변의 궁성에 있던 예이츠 국민의 수호자 베오울프는 멀리서 들리는 아우성을 듣고 침상에서 일어났다.

"어서 상황을 알아 오시오."

왕은 전령을 보냈다.

그러나 전령이 돌아오기 전에 시끌시끌한 소리가 들려오더니 이미 궁궐 아래에는 사태를 호소하는 백성들이 모여들고 있었다.

"예이츠 국민의 수호자시여. 저 무서운 화룡에 의한 재앙을 막아 주시옵소서."

"이제 우리들은 집도 밭도 없고 아무것도 없사옵니다."

궁궐의 주변은 백성들로 가득했다. 그들은 떠날 생각을 않고 있었고 떠날 곳도 없었다.

인간이 이룬 가장 훌륭한 거처인 예이츠 왕국의 성시들이 불바다 속에서 타고 있다는, 과거에 없던 무서운 일이 베오울프에게 사실 그대로 알려졌다. 그것은 그 용사가 이제까지 겪은 가장 심한 슬픔이었다.

"이것은 내 탓이오. 내가 이 나라를 다스리면서 오래된 진리를 거스른 것이 아마 있을 것이오."

그 현인은 자기가 옛 법칙을 어겨서 하늘의 지배자이신 영원한 주님을 심히 노엽게 했다고 생각했다. 그의 가슴속은 평상시에는 없었던 어두운 생각으로 들끓었다.

침통한 왕은 자기의 지나온 생을 되뇌며 회한에 젖었다. 두 해 전 몸이 약한 히드 왕비가 먼저 세상을 떠났을 때도 지금처럼 비통하지는 않았다.

'내가 브레카와의 해상 경주를 하며 사람들에게 용기를 과시했을 때 나는 단지 이기기 위해서 친구의 안전을 생각 않고 있지는 않았던가.'

'그렌델을 무찌르기 위한 출전에서 나는 지나치게 무용을 자랑하며 교만하지 않았던가. 그것이 덴마크인들에게 어떤 열패감(劣敗感)을 주지는 않았을까.'

'승전의 보답인 보물을 히엘락 왕과 나눌 때 나는 내가 조금 더 가지고 싶은 마음을 품지는 않았을까.'

'히엘락 왕이 전사한 싸움터에서 살아 돌아왔을 때 나는 그 전쟁에서 좀 더 왕의 곁에 남아서 최후까지 왕을 보호할 수는 없었던 것일까.'

'히드 왕비와 혼인할 때 나는 그녀가 히엘락 왕의 비였을 때부터 흠모하던 정을 이루게 되었다고 기뻐했던 것은 아닐까.'

'이 나라를 오십 년간 통치하면서 나야말로 역사상 누구보다도 위대한 성군이라고 여기며 자만에 빠진 적은 없었는가.'

인간으로서 가장 흠 없는 생을 살았던 그 위대한 군주는 그럼에도 자기가 이제껏 살아오면서 하늘의 법칙을 어긴 것이 있을까 괴로워하였다.

화룡은 바닷가이건 내륙이건 수많은 성채를 화염으로 멸망시켜 버렸다. 왕이 자책하며 근심에 빠진 것을 보고 측근의 귀인들은

"전하, 지금은 원인을 따질 때가 아닙니다. 어서 재난을 막아야 합니다. 용의 횡포에서 예이츠를 구하기 위해 용을 죽일 전략을 짜야 합니다."하며 그들의 군주에게서 어떤 대책이 나오기를 바랐다.

베오울프는 곧 그들의 요구에 따랐다. 예이츠의 전왕(戰王)은 이 재난을 멎게 하고 원수에 대한 복수를 하기로 마음먹었다.

용사들의 수호자이며 귀인들의 군주인 자는 일어섰다.

"큰 군사를 거느리고 하늘 높이 날아다니는 저 괴물을 공격하는 것은 오히려 무모한 일이오. 괴물의 화염 앞에서는 많은 사람들의 힘도

소용이 없소. 그러니 괴물과 직접 싸울 방법을 구해야 하오."

"용은 날이 밝으면 어디론가 사라진다고 합니다. 지상에는 좀처럼 내려오지 않는다 합니다."

한 신하가 말했다.

"하늘에 날아다니는 용은 도저히 상대할 수가 없지만 용도 살아가려면 어딘가에서 쉴 것이오. 용의 소굴을 우리가 직접 찾아가야 할 것이오. 그래서 용이 자고 있거나 땅 위에 있을 때 그 괴물을 죽여야 할 것이오. 모든 백성 중에 용의 소굴을 보았다는 사람을 찾아서 안내하도록 해야 하겠소."

"용의 소굴을 알거나 용을 처음 보았다는 자를 수소문해 보겠습니다."

몹시 긴장해 있는 그 신하는 왕의 명령에 답하고는 얼른 자리를 떠나 일을 도모하러 나갔다.

베오울프는 자신의 무구를 관리하는 신하에게 명했다.

"전부가 철로 된 견고한 전용(戰用) 방패를 만들라고 하시오. 보리수 나무로 만든 방패로는 화염에 대항하여 싸울 수 없을 것이니."

늙은 왕은 친히 전투에 나서기로 한 것이었다. 신의 대리자와 악마의 대리자는 결전에 임하게 되었다. 이로써 오래도록 훌륭하게 나라를 다스려온 군주는 자신의 덧없는 생애를 지나와서 이제 인생의 종말에 이르게 되었다. 비장(秘藏)의 보고(寶庫)를 오랫동안 간직해 왔던 용 또한 그에게 정해진 운명을 맞게 되었다.

베오울프는 결코 용과의 격투를 두려워하지 않았다. 그는 용의 전투력과 힘 그리고 사나움을 대수롭지 않게 여겼다. 전승(戰勝)의 용사인 그는 흐로스갈 왕의 회관에서 끔찍한 괴물 그렌델의 일족을 죽인 후에도 숱한 격투에서 많은 위기를 극복해 왔음이니라.

18 여인의 꿈과 눈물

　육십 년 전 베오울프가 극한 싸움에서 살아나온 전투, 히엘락 왕이
전사한 그 전투는 참으로 예사로운 전투가 아니었다.

　프리지아에서 벌어진 전투에서 스웨르팅의 손자인 예이츠 왕 히엘
락은 베오울프가 히드 왕비에게 선물한 황금 목걸이를 하고 있었다.

　그 최후의 출정에 앞서 히드 왕비는 자신의 군주에게 간절히 말했다.

　"나의 임금이시여. 님이 아니시면 이 여인의 영화도 있지 않사옵니
다. 이제 비천했던 몸으로 분수 넘는 영화를 누리고 있는 소첩이 저의
영화의 증표인 이 황금 목걸이를 님께 맡기옵니다. 전하께서는 이것을
저의 몸이라 생각하시고 아무쪼록 적의 공격에서 무사히 벗어나 승리
하여 돌아오시옵소서."

　히엘락 왕은 히드 왕비의 간청을 마음에 새겨 용감하되 만용을 삼
가며 적과 싸웠다. 그는 자국의 깃발을 세우고 그 아래서 보물을 지키
고 전리품을 얻어냈다.

　그러나 해변의 한 군대를 제압한 것을 승리로 알고 있었던 히엘락
의 군대는 곧 동쪽 남쪽 서쪽의 세 곳에서 쳐들어오는 대륙의 원군에
바다를 등지고 포위되었다.

　바닷가에 배를 정박시켰던 히엘락의 군대는 퇴각을 결정했다. 하지

만 이미 헤트와레, 프랑크, 헤아소바드의 연합군은 바다 건너의 용감한 전왕을 더 이상 놔둘 수 없다 다짐하고서 맹렬한 기세로 공격했다. 그들은 이미 해안으로 가는 길목도 차단하고 있었다.

흐트러진 군대를 수습하러 히엘락 왕은 말을 타고 이곳저곳을 오가며 퇴각을 지시했다.

"좌측 해안가 통로를 열어라. 이미 우측은 적에게 막혀 있다."

"그쪽에는 적군이 있다. 가지 말라."

이때 베오울프는 해안으로 가는 길을 뚫기 위해 싸우고 있었다.

히엘락 왕이 있는 곳에 갑자기 적군은 먹이를 만난 야수 떼같이 몰려들었다. 많은 기병과 보병의 프리지아 용사들이 히엘락 왕 가까이 돌진했다. 예이츠의 군사들은 지시받은 대로 퇴로를 향해 가느라 미처 그들의 군주를 보호하지 못했다.

"적장을 포위하라!"

백여 명의 프리지아 연합군은 불과 십여 명의 병사와 함께 있는 히엘락 왕을 포위했다. 그들은 저들에게서 전리품을 앗아가려던 적장을 분노의 검으로 공격했다. 갑작스런 적의 공격에 히엘락 왕은 전검을 휘둘러 대항했다. 그러나 이미 주변의 예이츠 병사들은 프리지아 병사의 공격에 하나둘 쓰러지고 있었다. 두 기마장수가 히엘락 왕을 앞뒤에서 공격했다. 앞의 적장과 검과 검의 부딪힘을 거듭하면서 방패는 뒤의 적장 공격을 막아야 했다. 천하의 히엘락 왕도 용맹한 적의 장수 둘이 한꺼번에 공격하니 점차 밀려가고 있었다. 그에게는 죽음의 그림자가 드리웠다.

히엘락의 격투는 오래가지 못했다. 예이츠의 군사를 전멸시킨 프리지아의 군사는 히엘락의 군마를 땅에 쓰러뜨렸다. 분노의 기세로 몰려든 보병 용사들은 먹이를 앞에 둔 사나운 표범의 발톱과 같이 창검을 휘둘러 한때 천하에 위용을 떨치고 영광을 누리던 자를 땅 위에 쓰러진 참혹한 시체로 바꿔 놓았다.

히엘락은 적이 휘두르는 흡혈검(吸血劍)에 맞아 죽었다. 그는 자부심에 찼던 나머지 프리지아인에게 무모한 싸움을 자청했기에 운명이 그를 데리고 가 버렸다. 힘센 군주는 귀중한 보석으로 꾸며진 금목걸이 보물을 걸고 바다를 넘어 이국에서 싸우다 자신의 방패 아래서 전사했다. 그리고 그 왕의 시체와 그의 흉부 갑옷과 목걸이는 프랑크인들의 수중에 들어갔다. 전쟁의 대학살 후 전쟁터는 예이츠인의 시체로 덮였고 적군의 병사는 예이츠인의 시체를 약탈했다.

프랑크의 후가스에서 벌어진 그 격전은 예이츠 왕 히엘락이 해군을 이끌고 프리지아에 원정함으로써 시작되었다.

히엘락 왕은 국위(國威)가 강성함에 따라 강국의 군주로서 자부심이 충천해 있었다. 그는 예전에 덴마크인이 지배했던 바다 건너 프리지아 지방의 비옥한 토지를 예이츠의 지배하에 두고 싶었다.

원정의 명분은 예전에 프리지아 인들이 덴마크의 망명군주 헤레모드를 죽였다는 것이었다. 국가 간의 신의를 저버리는 자들을 응징하겠다는 것이었다.

히엘락은 열 척의 큰 배를 타고 북해를 지나 프리지아에 상륙했다. 프리지아의 안개 낀 해변에 정박한 열 척의 해군함에 그곳을 지키던 군대는 대항할 엄두를 내지 못했다. 그들은 퇴각하여 프랑크 왕 메로윙기안에게 적군의 침입을 전했다.

프랑크의 왕은 대책 회의를 가졌다.

"히엘락이 우리를 만만히 보고 있소. 예전에 덴마크에서 우리를 대하듯이 하게는 놔둘 수 없소."

"헤트와레, 쥬우츠와 모두 함께 프리지아 연합군을 만들어 침략자에 대응합시다."

프랑크 왕의 군사(軍師)는 건의하였다.

이렇게 하여 결성된 연합군은 마침내 그들 공동의 적인 히엘락 왕을 죽이고 승리를 거두었다. 그중에서도 헤트와레 군대의 활약은 가장 두드러졌다.

헤트와레의 군사들은 각처에서 모은 용병이었다. 어느 나라의 군대보다 많은 보수로써 대우하여 힘깨나 쓰며 싸움에 자신 있는 천하의 사나이들이 속속 모여 만들어진 군대였다. 히엘락왕에 대한 급습을 주도한 것도 헤트와레의 사람들이었다.

그날 마상(馬上)의 일대 이의 결투에서 히엘락을 죽인 자는 대프래븐이란 장수였다. 그는 히엘락이 지니고 있던 보검을 빼앗아 들고 저 건너 언덕 위에서 싸우고 있던 프랑크의 왕에게 소리쳤다.

"전하, 적의 수괴 히엘락을 죽였습니다! 이것이 바로 그가 사용하던 검입니다. 숱한 우리 용사들을 살해하는 데 썼던 바로 그것이 이제 내 손에 들어왔습니다!"

히엘락이 애당초 뜻한 대로 부하들에게 보물을 하사하지 못하고 적의 습격을 받아 전사하고 말았던 그때 베오울프는 예이츠인의 퇴로를 내기 위해 해변 쪽으로 싸우며 나아가고 있었다. 그때 그는 뒤에서 들리는 왁자지껄한 소리를 들었다. 그것은 예사로운 싸움의 소리가 아니었다. 한동안 떠들썩하더니 더 이상 창칼이 부딪치는 소리는 나지 않고 환호성과 북소리만 나고 있었다. 그런데 그것은 예이츠인들의 소리가 아니었다. 앞장서 싸우는 보병 용사 베오울프는 곧장 그곳으로 돌아왔다.

"섯거라!"

베오울프는 히엘락의 보검을 들고 가는 대프래븐을 향해 소리쳤다.

대프래븐은 프랑크의 으뜸가는 용사로서 명성이 있는 자였다. 그는 베오울프를 보자 그가 천하에 이름난 힘센 자임을 알았지만 자국의 많은 부하 용사들이 보는 앞에서 자리를 피할 수는 없었다. 대프래븐은 우렁찬 소리로 일갈했다.

"적의 괴수 하나는 이미 처치되었다. 이제 남은 그대 하나를 처치하면 대륙의 우환은 더 이상 없으리라!"

대프래븐은 자기의 전리품을 부하에게 맡기고는 가늘게 뜬눈에 부엉이 같은 눈썹을 실룩이며 베오울프를 향해 말머리를 돌렸다. 그는 적어도 프리지아 연합군 내에서 가장 강한 자로서 인정받고 있었다.

베오울프 앞에 가까이 오자 대프래븐은 마상의 유리함을 전혀 가질 수 없었다. 이미 베오울프는 사방에서 습격해 오는 적군 하나하나를 지상에 선 채로 간단히 처치하여 더 이상 적군이 그의 주위에 습격할 엄두를 내지 못하게 하고 있었다.

갑주를 입힌 말이 덮쳐오자 힘센 용사는 검을 쥔 손으로 한 번에 쳐 넘어뜨렸다. 싸움에 익숙한 용사 대프래븐은 말이 쓰러지기 전에 지상에 슬쩍 내려섰다. 철판갑옷의 그 용사는 예이츠인의 단 하나 남은 패잔병 베오울프와 마주 섰다.

"휘익!"

내리치는 대프래븐의 선공을 베오울프는 방패로 막아냈다. 곧이어 "휘잉." 공기를 옆으로 가르는 베오울프의 반격을 대프래븐은 얼른 몸을 돌려 방패로 막았다.

그러나 베오울프의 힘은 너무도 강해서 그의 공격을 방패로 막았다고 해서 무사할 수는 없었다. 베오울프의 들이치는 힘에 밀려 대프래븐은 지상에 넘어졌다.

둘의 싸움이 지체된다면 그것은 곧 베오울프의 패배와 죽음을 의미했다. 주위에는 쉽사리 처치할 수 없는 그를 합심으로 공격해 죽이고자 접근하는 자들이 있었고 조금 먼 곳의 구릉언덕 위에는 실수 없는 일발의 필살을 위해 그에게로 화살을 겨누는 궁수들이 포진하고 있었다.

이때 검이 방패에 박혀 빠지지 않았다. 철로 된 방패의 중심까지 검이 찍혀 들어가기는 여간해서 없는 일이었다. 베오울프가 박힌 검을 빼려고 하자 우두둑하며 그 단단한 검은 부러지고 말았다.

이때 대프래븐은 일어나 자신의 검으로 베오울프를 치려 하였다. 그러나 그가 팔을 쳐들기도 전에 그 팔은 베오울프에게 잡히고 말았다. 방패가 젖혀지고 열려 있는 대프래븐의 가슴으로 검을 놓은 베오울프의 맨손이 향했다.

"와지직!"

베오울프는 대프래븐의 흉부의 갑주를 잡아 뜯었다. 그리고 갑주가 뜯겨나간 가슴을 향해 주먹으로 강한 타격을 가했다.

"퍽!"

한 번에 대프래븐은 입에서 피를 토하며 쓰러졌다. 용감했던 그도 피를 땅에 스미며 이 세상에서 더 이상 무용을 떨칠 수 없게 되었다. 그의 육신 중에 제일 먼저 흐르는 피가 본래 그를 낳은 대지의 흙으로 돌아갔다.

베오울프는 적군의 제일 용사 대프래븐을 죽였다. 대프래븐은 베오울프에 의해 죽임을 당해 자기의 전리품인 히엘락의 전검을 그의 프랑크 왕에게 갖다 바칠 수가 없었다. 베오울프는 대프래븐의 검을 빼앗아 들고, 공격해 오는 적군을 하나하나 물리치고 혼자 힘으로 빠져나왔다.

피신한 그는 해안에 도달했다. 헤엄쳐 고국으로 돌아오기 위해 그대로 발을 담갔다. 쏟아지는 화살을 몸을 돌리며 검을 휘둘러 막아냈다. 이제 화살의 수도 뜸해지고 날아오는 힘도 약해졌다. 베오울프는 다소 숨을 돌리며 더 깊은 물 속을 향해 갔다.

"서라!"

물로 뛰어들어 헤엄치려던 베오울프는 뒤에서 들리는 소리에 돌아봤다. 수십 명의 적병이 그를 쫓아오고 있었다.

"그래 우리 군주를 죽인 원수들아 상대해 주마."

혼자서 삼십 명을 상대할 힘을 팔에 지니고 있는 베오울프는 물이 허리까지 닿아 있는 곳에서 결연히 그들에 맞섰다. 쫓아온 자들은 방금의 전투에는 없었던 자들이었다. 그들은 베오울프가 적의 장수인 것은 알았으나 여간해서 상대하기 어려운 힘센 자임은 알지 못했다.

베오울프가 등지고 있는 쪽은 물이 깊어서 그들은 뒤에서는 공격을 못했다. 앞에서 오는 적병 하나하나를, 검을 들고 치는 자는 자신의 검으로 가볍게 막고 단칼에 베었다. 창으로 찌르는 자는 얼른 피하고 방패를 낀 손으로 창대를 잡고 후려쳐 쓰러뜨렸다. 그 속도는 매우 빨라서 멀리서 보면 몰려오는 자들 하나하나를 휙휙 바닷물에 집어 던지는 것만 같았다.

보리수나무 방패를 들고 그의 앞에 대항해 왔던 헤트와레인들 중 용사 베오울프에게서 살아서 다시금 자기 집으로 돌아간 자가 거의 없었음이니라!

　에치데오의 아들인 쓸쓸하고 고독한 그 용사는 그 길로 넓은 바다를 홀로 헤엄쳐서 자기 백성에게로 돌아갔다.

　그토록 염려하던 군주의 전사 소식이 들리자 아름다운 젊은 왕비 히드의 슬픔은 말할 수 없었다. 통곡 속의 하루를 지내고도 나날이 그녀는 멍하니 망연자실해 있었다. 본래 창백하고 싸늘해 보이는 그녀의 얼굴은 붉게 충혈된 눈과 부어오른 얼굴로 딴사람이 되어 있었다.

　"슬퍼하시고만 있을 때가 아닙니다. 이제 나라를 세울 새 체제를 마련해야 합니다. 그러기 위해서는 왕비께서 몸소 나서서 상의하셔야 합니다."

　그녀를 수행하는 나이 많은 시녀는 그녀가 왕족과 대신들의 회의에 참석하기를 권했다.

　회의장에는 히엘락 왕의 조카 베오울프가 함께 했다. 히드는 건재해 있는 베오울프를 보고 반갑게 말했다.

　"그대의 귀환이 이 나라를 위해 얼마나 다행인지 몰라요."

　히드는 베오울프에게 보고(寶庫)의 열쇠와 왕국의 상징인 금고리를 건네주면서 히엘락이 앉던 왕좌를 가리켰다.

　"왕손이시여. 이 나라를 맡아 주오. 나의 아들은 너무 연소한 관계로 위기에 처한 이 나라를 다스릴 수 없사옵니다."

　그 여인은 히엘락 왕이 죽은 후 자기의 아들이 외국인들과 싸워서 선조의 왕좌를 보수(保守)할 수 있으리라고 믿지 않았다.

　"적에게 위협받는 이 나라를 구원하기 위해서는 마땅히 베오울프 왕손께서 즉위하셔야 하옵니다."

"헤아드레드 왕자님의 연세는 너무도 유충(幼沖)하시와 국운을 짊어지시기 어렵사옵니다."

신하들도 간청했다.

그러나 베오울프는 한사코 거절했다.

"아니오, 나는 그럴 자격이 없소. 마땅히 선왕의 원자(元子)인 헤아드레드 왕자가 즉위하여야 하오. 다만 상(上)께서 성년이 될 때까지 내가 충성스러운 신하로서 보필할 것이니 여러 충신들은 마음을 놓아도 될 것이오."

군주 없는 가련한 자들은 어찌해서든지 영웅 베오울프가 예이츠의 왕권을 가져 이 나라를 부강하게 일으키기를 원했지만 끝내 그의 동의를 얻어내지 못했다. 다만 베오울프는 어린 국왕 헤아드레드가 성년이 되어서 예이츠 백성을 스스로 다스릴 수 있을 때까지 섭정하기로 했다. 이후 그는 우호적인 조언과 친절 그리고 존경으로 나이 어린 종제(從弟)를 백성들 중에서 받들었다.

그러나 왕비 히드의 문제가 남아 있었다. 아직 젊고 아름다운 그녀가 어찌 홀로 오랜 여생을 살아갈 것인가. 대놓고 걱정의 말을 하는 자는 없었지만 모두가 마음속의 우려를 교감하고 있었다.

회의가 끝난 후 대신들을 해산시키고 히드는 베오울프에게 저녁의 왕궁 뜰에 나가 함께 산책할 것을 권했다.

"저의 결정은 다 끝났는데요. 무슨 일이십니까?"

"드릴 말씀이 있어요."

국왕 부처를 받들며 살아오던 신하로서 혼자 남은 왕비에게 애틋한 동정을 갖지 않을 수는 없을 것이었다. 베오울프는 그녀의 청을 따라 정원을 동행하였다.

가을의 짧은 해는 기울었다. 궁궐의 정원은 검푸른 하늘에서 흩어내리는 빛에만 의존하여 군데군데 세워진 조각상과 꽃나무의 윤곽을 보여주었다. 그런 중에도, 오늘 낮까지도 침울한 그늘이 드리워 있던 히드의 얼굴만은 환히 빛나는 듯했다. 묵묵한 사내 베오울프는 그녀의 옆에서 말없이 걸었다. 그의 굳센 턱의 윤곽과 그림자 진 눈자위가 히드의 흰 얼굴과 대조되었다. 베오울프는 왕비의 어떤 말을 어떻게 받아들일 것인지 전혀 준비되어 있지 않았다. 단지 가련한 그녀의 적적함에 위로가 될 수 있을까 하여 그녀의 청을 받아들였던 것이었다.

그녀는 천천히 입을 열었다.

"모든 여자는 다들 저마다 장밋빛의 꿈이 있답니다.

예이츠의 서북쪽 변방에 살았던 한 여자는 무성한 갈대의 초원과 침엽수림을 오가며 어린 시절을 보냈어요. 그 애는 부모님이 무척 귀히 여겨 주셨고 충성스러운 하인들도 많이 있었어요. 그 소녀는 행복한 아이였지만 마음속은 항상 미래의 더 나은 생활을 꿈꾸었어요. 그것은 훌륭한 왕자님과 결혼하여 행복한 왕국을 일구는 것이었죠.

자라서 그 꿈은 겉으로는 이루어졌어요. 하지만 그 꿈은 완전한 현실은 될 수 없었어요. 왕실에서의 생활은 계속되는 전쟁으로 근심 속에 지내는 나날이었어요. 차라리 그 꿈이 애초에 날려져 버렸다면 할 때도 많았어요."

어둠 속 궁궐 뜰의 높이 자란 관상수를 엿드는 달빛에 그녀의 눈 아래가 유난히 반짝거렸다. 두 줄기 눈물은 소리 없이 흘러 바닥에 덮인 대리석에 떨어졌다.

베오울프는 예전 자기의 일이 생각났다. 브레카와의 수영 경주를 이

긴 후에 그는 많은 사람들에게서 용맹스러운 젊은 왕족으로서 선망을 받았다.

싸움이 없을 때 용사의 일과는 각자의 취향에 따라, 사냥을 나가거나 성시의 중앙 공터에서 비무(比武)를 하든가 학당(學堂)에 출석하여 옛 진리를 배우든가 하는 것이었다. 베오울프는 지난 한 주 동안은 학당에서의 고전 학습에 치중했다. 사냥은 겨울 동안 많이 해 보았고 비무는 더 이상 국내에서는 상대가 없었기에 흥미를 끌지 못했다.

그날 주일을 맞아 성당의 예배에 참석하고 숲길을 지나 궁궐 별관의 자기 집으로 오던 중

'아, 숲의 자연과 함께 있는 시간을 더 갖고 싶다. 지난 한 주 동안 먼지 나는 책하고만 지내다 보니 답답한 느낌이 남아 있다.' 하는 생각이 들었다.

그는 높고 우람한 침엽수림에서 서성거렸다. 나무 밑의 들꽃에 눈이 갔다. 굵고 억센 나무줄기와 가늘고 연약한 꽃줄기의 대조는 새삼 자연의 오묘한 조화를 느끼게 했다. 다시 그는 봄을 타서 붉게 피어 늘어서 있는 작은 꽃나무들에 눈이 갔다. 서로 대조되는 두 가지가 있으면 그 중간의 것도 있다는 것을 그는 다시 느끼면서 그 꽃나무들을 따라갔다. 꽃나무들은 큰 나무의 숲을 벗어나 아래로 이어져 있었다. 그곳은 조그만 골짜기이며 개울이 있었다. 개울은 맑은 물이 흐르고 있는데 아직 살얼음이 덮여 있었다. 문득 베오울프는 겨울 동안의 답답했던 몸의 먼지를 씻어내고 싶은 생각이 들었다.

베오울프는 자신의 옷을 벗어 개 놓고 그 위에 경전(經典)을 올려놓았다. 물이 깊게 괴어 있는 곳으로 살얼음을 깨고 풍덩 들어갔다. 물의 차가움은 단련된 육체를 가진 그에게 그다지 자극을 주지 못했다.

철썩철썩하며 소년 베오울프는 물 위에 나와 있는 자기의 가슴 위 상체와 얼굴에도 손으로 물을 퍼서 뿌렸다.

그가 팔을 움직일 때마다 불끈불끈 하며 어깨와 팔의 근육이 마치 또 다른 생명체인 양 꿈틀거렸다. 그가 굳이 힘을 들여 움직이지 않더라도 그 움직임은 매우 역동적이었다. 물에 젖은 연황색의 피부는 터질 듯 팽팽한 부위와 꺼질 듯 움푹한 부위가 형체의 명암을 이뤄내며 번쩍번쩍 한낮의 햇빛을 반사했다. 어깨와 가슴 그리고 등의 군데군데 유리구슬처럼 반짝이며 맺혀 있던 물방울은 탄탄한 근육 사이 굴곡 있는 비탈을 굴러 내려 물속으로 떨어졌다. 다시 한동안 물가의 돌에 머리를 기대고 하늘을 보며 휴식을 취한 그는 이윽고 몸을 일으키고 자기의 옷과 책이 있는 곳으로 향했다.

그러자

"휘시식!"

소리를 내며 꽃나무 뒤로 숨는 것이 있었다. 그가 눈을 돌렸을 때에는 이미 누런 털 자락만이 조금 보였을 뿐이었다. 사람인지 짐승인지도 알 수 없었다.

'산양이나 사슴인가 보다. 내가 옷을 입고 있다면 그냥 뛰어가 잡는데……'

베오울프는 슬쩍 미소를 짓고 자기 옷 앞에 왔다. 그런데 경전 책에는 웬 양피지 편지 하나가 끼워 넣어져 있는 것이었다.

훌륭한 젊은 용사 베오울프여, 그대를 궁궐 가는 길옆에서 기다릴 것이니 少女와의 만남을 거절치 마소서. 저는 남쪽 벨나모 지방 영주의 딸 에밀라라고 해요.

'허, 귀인의 딸이 이럴 수가.'

아직 어린 베오울프도 그녀의 행위가 당혹스러웠다. 그러나 마음이 너그러운 그는 미지의 그녀에게서 어떠한 거부감도 갖지 않았다.

베오울프는 옷을 입고 올라와 숲을 지나 궁궐로 올라가는 길을 걸었다. 왕의 조카인 그의 거처는 궁궐의 본관 옆 별관이었으므로 해변이 보이는 넓은 곳의 정문으로 갈 필요는 없고 숲으로 나 있는 작은 문으로 가면 되었다.

궁궐이 보이는 곳에 이르니 길가에는 흰옷의 한 소녀가 가슴에 흰 천을 들고 서 있었다. 그 천에는 가운데 황금 곰이 있고 양쪽에는 붉은 용이 있는 그림이 수놓아 있었다.

"안녕, 예이츠 백성의 수호자 히엘락 전하의 혈연자이시며 예이츠의 젊은이들 가운데 가장 용맹스런 분이신 베오울프여. 저는 에밀라라고 해요. 님께 이것을 바치고 싶어요. 싸움에 나가실 때 갑옷 속에 간직하시라고……"

소녀는 짙은 회색기가 감도는 긴 생머리가 허리까지 닿고, 푸른 눈빛 아래의 얼굴은 둥글고, 코와 입의 선은 보드라웠다. 도톰한 입술은 그다지 붉지 않고 연보랏빛에 가까웠다.

낯선 소녀가 건네는 물건을 받는다는 것은 소녀의 청을 받아들인다는 것과 같았다. 그러나 베오울프는 그것을 의식하지 않았다.

"그대의 정성 어린 물건을 고맙게 받겠소."

베오울프는 답했다.

이때

"아씨, 이제 어서 이리로 내려오십시오."

저 아래서 그녀를 데리러 온 하인들이 그녀를 불렀다.

"봤지요? 왕자께서는 내가 짠 예물을 받으셨어요."

소녀 에밀라는 두 남자와 한 여자 하인을 향해 천진하게 웃어 보였다. 베오울프는 하인들과 함께 떠나는 그녀에게 웃음으로 인사하고 궁궐로 들어왔다.

베오울프는 별관 내의 모친에게로 갔다.

중년의 공주는 귀인의 모습이 얼굴에 남아 있지만 지금은 어떠한 화려한 치장도 않은 채 궁궐 내의 한 여인으로서 수수한 삶을 살고 있었다. 그녀는 남형(男兄) 헤르발드와 해드킨이 죽고 남제(男弟) 히엘락이 왕위에 오른 뒤로는 궁중의 모든 행사에 참석하지 않고 살림집과 같은 궁궐 별관에서만 살고 있었다. 남편이며 베오울프의 부친인 에치데오가 살아 있을 때는 베오울프를 궁궐에 두고 밖에서 살기도 했지만 최근 남편이 세상을 떠난 후로는 궁궐 안에만 있었다.

"어머니, 오늘 한 소녀가 이런 것을 제게 주던데요."

베오울프는 오면서 생긴 일을 모친에게 말했다.

"남쪽 벨나모의 영주라면 하인과 소작인들에게 너그럽고 많이 베푼다고 알려진 자인데. 그에게는 쌍둥이 딸이 있다고 들었는데 그 중의 하나인가 보구나."

홀로 있는 모친은 별다른 이의를 말하지 않았다. 어서 혼인을 시키려는 뜻을 비치고 있는 것이었다.

"어머니, 저는 아직 한 가정을 이뤄서 산다는 것이 전혀 마음에 들어오지를 않는데요."

"지금의 너로서는 그렇겠지. 하지만 남자는 자기의 아내 되는 여자를 가짐으로써 온전한 성인의 노릇을 하는 것이란다. 필요를 느낄 때

찾는 것은 늦다. 그러니 지금 좋은 기회가 있을 때 혼인하도록 하여라."

이렇게 해서 베오울프는 영주의 딸 에밀라와 혼인하고 그녀를 궁궐 별관 자기 집에 데려왔다. 에밀라는 평소의 원을 이룬 기쁨에 넘쳐 있었다.

그때 벨나모 영주의 집에서 베오울프에게 연정을 품은 이는 에밀라와 안나 두 쌍둥이 딸이었다. 둘은 베오울프에게 가진 마음이 동일하였다. 두 자매는 함께 나설 수가 없어 서로 상의하다가

"그러면 이번 주일날에 내가 한 번 그이를 유혹할 것이니까 단 한 번에 그이와의 약속을 얻지 못한다면 그다음은 네게 양보할게." 하고 에밀라가 제안했다.

"그래, 그럼 언니가 딱 한 번만 해 봐. 그 대신 다음은 내가 알아서 할 테니까 언니는 완전히 빠지는 거야."

안나는 대답했다.

동생 안나는 한 번의 접근에 모든 것이 이루어지는 경우는 거의 없을 것이라고 여겨 그 제안을 받아들였다. 그러나 예상 밖으로 베오울프는 첫 대면에 에밀라와의 가약(佳約)을 맺고 만 것이다.

안나는 충격을 받아 그 후 집을 떠나 수녀가 되었다. 그러나 그녀는 수녀원에서도 마음을 잡지 못했다. 수녀원의 조용한 생활 분위기는 그녀의 마음속 번민을 제어할 수 없었다.

"차라리 시끄러운 세상에서 잡다한 일들과 부딪치며 살아가는 것이 옛일을 잊을 수 있다."

생각한 그녀는 몇 년을 못 가서 수녀원을 나왔다. 그녀는 신분을 숨기고 떠돌이 여자 점성술사가 되었다. 세상의 섭리를 따지고 영혼과의 교신을 통해 길흉을 점쳐 주는 일은 필요한 사람에게는 중요한 것이었

으나 자칫 사회 분위기가 잘못되면 마녀로 몰릴 수 있었다. 안나는 예전의 그녀를 알았던 모든 사람들의 뇌리에서 잊혀져갔다.

에밀라와 혼인한 후에 베오울프는 원정과 모험 등에 참여하느라 그녀와의 삶은 거의 지내보지 못했다.

베오울프는 그때를 회상하며 자기를 돌아보았다.

"그것이 대의를 위하여 사사로운 생활을 희생했다고만 할 수 있을까? 자기의 용맹성을 과시하고 명예를 드높이는 일에 치중하여 가정생활을 하찮게 보았기 때문이 아닐까?"

그때 소년을 갓 벗어난 시절의 젊은 혈기로, 우리의 행복을 갖자는 갓 혼인한 아내의 청을 냉정히 묵살하곤 했다. 그때는 그것을 오히려 영웅다운 면모로만 여기고 더 깊이 생각하지 않았다.

베오울프는 선택의 여지가 없이 국왕의 부름을 따랐던 일들에 대해서도 그 당시 에밀라의 애처로운 눈길이 떠올라서 마치 그것이 자기의 탓인 양 후회했다. 베오울프가 그녀와의 기억을 끝내 그렇게밖에는 생각 못 하는 데는 그럴 이유가 있었다.

에밀라와 혼인한 지 일 년도 못 되는 때였다. 아직도 그녀와 잠자리를 같이한 적은 한두 번 있었을까 기억도 없었다. 베오울프가 출정을 나가고 돌아오는 때면 아내는 혼자 그를 마중 나가러 해변의 높은 바위에 올라가 먼 바다를 바라보았다.

그녀는 남편이 오기로 한 날짜의 한 주일 전부터 그곳으로 나와 기다리고 있었다. 잠을 자고 밥을 먹을 때가 아니면 그녀는 항상 거기에 있었다. 그것은 돌아오는 그를 기다려 맞이하겠다는 것이라기보다 사랑하는 사람에 대한 기다림 그 자체로 의미가 있는 것 같았다. 바위 뒤의 높은 절벽 꼭대기에는 해안의 파수 초소가 있긴 하지만 그것은 아무런 상관이 없었다. 그녀는 누가 알려주는 것보다는 자신의 눈으로 직접 보는 것을 원했기 때문이었다.

그때 한 작은 배가 해안 가까이 오고 있었다. 배에는 옷차림이 남루한 젊은 남자 다섯이 타고 있었다. 작은 배이면서 아무런 무장도 하지 않아 파수병은 평범한 어부로만 보았다. 배 안의 남자들은 해안 절벽 앞에 서 있는 에밀라를 보았다.

"저기 여자가 하나 있는데."

"정말, 그것도 꽤 미인인 것 같군."

"사람들한테 잘 보이라고 높은 바위 위에 서 있네."

그들은 프리지아 지방에서 수개월 간 노역을 하며 포로 생활을 하다가 감시자의 눈을 피해 탈출한 예이츠의 병사들이었다.

"가만, 파수병의 눈을 피해서 가야지."

"우린 별로 신경도 안 쓰는 것 같은데."

파수병의 임무는 침입하는 적을 알리는 것이지 몇몇 사람이 자국 영토에 들어오는 것을 막는 것은 아니었다. 궁궐은 또 다른 병사들이 지키고 있으므로 그들은 그냥 상륙한 자들이 자기들에게로 올라오기만을 기다리고 있었다.

"우리 저 옆 후미진 곳으로 슬쩍 상륙하자."

작은 배는 에밀라가 서 있는 바위의 옆으로 큰 바위로 가려진 곳의 모래밭에 닿았다. 배에서 내린 자 중에서 비교적 어린 인상을 가진 자가 높은 바위를 에돌아서 에밀라에게 다가왔다.

"여기서 누굴 기다리시나요?"

그는 짐짓 친절한 태도로 그녀에게 물었다.

"예? 원정 나갔던 남편을 기다리고 있어요."

에밀라는 겸손한 여인이었으므로 자기의 남편이 유명한 용사 베오울프라는 것을 굳이 알리지 않았다.

"남편 되시는 분의 존함은 어찌 되시죠?"

"예, 히엘락 왕의 조카 베오울프입니다."

그제서야 에밀라는 자기의 신분을 밝혔다.

이 말은 들은 그 사내는 얼핏 놀랍기도 했지만 다시 그의 마음속에는 야릇한 탐욕의 마음이 일어났다.

앞에 있는 여인은 그 말을 듣고 보니 그런지 몰라도, 비록 차림새는 수수하게 하고 나왔어도 쳐다보는 그녀의 눈빛과 말하는 입가에서는 고귀한 자태가 풍겨남을 볼 수 있었다. 귀한 것일수록 훔치고자 하는 탐욕의 마음을 더 불러일으키는 것이었다.

"그분은 저희도 압니다. 먼저 소식을 전하라고 해서 왔습니다."

"그래요? 그럼 말해 주세요. 언제 오시는지."

에밀라에게는 베오울프가 그녀가 만나 대화를 나눈 첫 외간 남자이기도 했다. 그리하여 그녀는 남자에게서 어떠한 경계심도 자라날 기회가 없었다.

"얘기가 깁니다. 저쪽 바위 건너로 가실까요."

사내는 손짓하였다.

그쪽은 사방에서 보이지 않는 곳이었다. 에밀라는 무심코 그를 따라갔다. 그곳에는 작은 배를 정박시키고 네 명의 사내들이 자갈밭에 앉아 있었다.

"이 중에서 베오울프 님의 근황을 아시는 분이 있나요?"

에밀라는 물었다.

그러나 그들의 대답은 없었다. 그녀를 데려온 자는 뒤에서 그녀의 입을 막았다. 그리고 모랫바닥에 주저앉아 그녀를 눕혔다.

"아윽. 윽."

미처 소리를 지를 틈도 없이 에밀라는 입을 막히고 바닥에 뉘어졌다.

오랜 기간의 억압된 생활 끝에 야수와도 같은 본능이 드러난 다섯 남자는 마치 값진 전리품을 가지려는 듯 그녀에게 달려들었다. 한 사내가 에밀라의 입을 틀어막고 몸을 짓누르는 동안 다른 사내들은 그녀의 팔다리를 하나씩 붙잡았다. 그녀는 계속 몸부림쳤지만 한 사내가 주먹을 쥐어 그녀의 가슴을 세게 가격했다. 에밀라는 실신했다. 무방비상태에서 다섯 명의 남자들은 먹이를 앞에 둔 이리 떼처럼 다투어 난행을 했다.

"어차피 우리는 죽었던 목숨이야."

"그래, 죽었다 셈 치고 못하던 짓이나 해보자구."

"왕가의 며느리라고 별것 있나. 다 똑같지 뭐."

"우리가 잡혀 있을 동안 우리의 조국이라는 곳에서는 우리를 데려오려 한 적도 없었어. 우리에게 뭐 해준 것이라도 있느냐 말야."

그때 그들은 멀리서 오는 큰 배를 보았다. 바로 그들의 조국 예이츠의 군선(軍船)이었다.

"저기 군선이 온다."

군선이 온다면 필시 여인의 남편인 용사 베오울프도 있을 것이기에 그들의 공포는 컸다.

"어서, 피하자."

그들이 정신없이 몸을 추스르고 일어섰을 때,

"아악!"

에밀라의 비명이 질러졌다. 눌려 있다가 갑자기 해제가 된 상태라 그 소리는 크지 않았다. 그들은 재빨리 그녀의 입을 막고 붙잡았다.

"계속 소리 지르며 반항하는데 어떻게 하지?"

"소리를 못 내게 하면 되잖아."

"어떻게 소리를 못 내게 하지?"

"어차피 살려두면 우리를 알아서 탄로 나게 돼 있어. 왕가의 며느리를 겁탈했는데 살 길이 있겠어? 어찌해도 죽을죄는 마찬가지니 죽여야 해."

말한 자는 자기의 굵은 손마디로 에밀라의 여린 목을 눌렀다. 태어나 자라나서…… 한 남자를 사랑한 것 외에는 별다른 일을 해 보지 않은 그녀는 해변에 팔을 벌리고 누워 죽었다.

이때 그 군선은 더 다가왔다. 두 남자가 시체를 수장시키려고 했지만 다른 셋이 허둥지둥 자기들의 배에 승선해 도망치려 하자,

"우린 놔두고 너희들만 도망하려 하냐!"

하고 그들도 서둘러 함께 탔다. 그들은 군선이 오는 반대 방향으로 급히 노를 저었다.

다가오는 군선은 다름 아닌 베오울프의 일행이 타고 있는 배였다. 해안으로 다가오던 베오울프 일행은 자기들의 반대편으로 급히 떠나가는 작은 배를 보았다.

"저들은 누구일까요?"

"보통 어선이라면 우리를 보고 반갑게 다가와 맞이할 텐데 이상하다. 따라가 보자."

베오울프는 불길한 느낌이 들어 그 배를 쫓아갔다. 군선이 빠르게

다가오자 작은 배는 포기하고 그 자리에 섰다.

"당신들은 무엇하는 배요?"

"저희들은 지나가는 상선입니다."

"너희들 해변에 상륙했지?"

안쪽으로부터 나오던 터이라 그들은 부인할 수 없었다.

"이곳에 물건을 내려놓고 갑니다."

그들은 엉겁결에 둘러댔으나 그들의 행색과 배의 형편은 전혀 상선이라고는 볼 수 없었기에 속이기는 불가능했다.

"그래? 그런데 이 부근에 시장은 없는데……"

"아마도 해적의 잔당 같습니다."

옆에서 부하가 거들었다.

해적이란 흔한 것이어서 그들에게는 체포의 대상도 되지 않았다. 하지만 베오울프는 근래에 이곳에 아내가 마중 나온다는 것이 마음에 걸리는 것이었다.

"저들을 수색해 봐라!"

그들을 한쪽으로 몰아 꼼짝 못하게 하고 병사 둘이 내려와 그들의 소지품과 배 구석구석을 찾아봤다. 배는 단순한 작은 어선이었으므로 무엇을 숨길만 한 장소도 없었다. 그들은 곧 의심스러운 물건을 찾아냈다.

"여기 작은 금목걸이가……"

"여기 수예로 짠 손수건 하나가……"

그것은 에밀라의 소지품이었다. 배오울프의 표정은 굳어졌다. 그의 눈치를 보고 병사들은 그들을 모두 결박하여 올려보냈다.

"바른대로 말하여라. 이 물건들은 누구의 것인가?"

병사들은 다그쳤다. 이윽고 그것이 베오울프의 아내 에밀라의 소지품이란 자백을 받았다.

"그런데 어떻게 빼앗았지……?"

병사들은 그들에게 다시 물었으나 이미 충분히 짐작할 수 있었다. 더 물어보나 마나 한 것이었다. 그들도 부인하지 못하고 묵묵히 있었다.

"이자들을 모두 도륙하긴 해야 할 텐데 어떻게 해야 할까요?"

"처형은 처형이되 어떻게 죽여야 하나 왕의 친족께서 형량을 정해 주십시오."

젊은 베오울프는 잠자코 있었다. 그러다 한마디 했다.

"나도 같은 젊은 사람으로서 몇 달을 갇혀 생활해오다 탈출한 그들의 심정이 오죽하였나를 짐작할 수 있다. 저들의 죄가 어느 정도인지는 아직 다 알지 못하니 일단 상륙하고 보자."

"아니, 그럼 저놈들을……"

그러나 배가 해변 가까이 오자 한 가닥 남은 희망은 무너지고 말았다. 해변에는 허연 것이 쓰러져 있었다. 상륙한 베오울프의 일행은 그의 아내의 시체를 확인했다.

베오울프는 천으로 아내를 싸서 들었다. 숱한 부하의 죽음을 목격한 그는 사사로운 비통함의 감정을 부하들 앞에서 나타내지 않았다.

범죄자들이 묶여서 내려왔다. 모두들 아무 말이 없었다. 싸움터에서 숱한 적병을 베었던 검이 그의 허리춤으로부터 뽑혔다. 분노의 검은 수평으로 바람을 일으키더니 묶여 있는 다섯을 한 번에 모조리 위아래 두 토막을 냈다. 쓰러진 토막들을 도마 위의 생선 자르듯 일일이 칼질하여 자잘한 토막으로 나누었다.

"고기밥이 되도록 하라."

병사들은 토막들을 쓸어 모아 바다에 던졌다.

그렇게 베오울프는 첫 아내를 잃고 지금껏 혼자 살아왔다.

당시 그 일을 당했을 때 베오울프가 가졌던 마음은 가엾은 아내에 대한 연민과 살해자들의 악행에 대한 분노의 두 가지뿐이었다. 베오울프는 그 이후에도 먼저와 같은 용맹스런 활약을 하였고 덴마크에 나타난 괴물 그렌델의 처치도 그즈음의 일이었다. 그러나 나이가 들수록 베오울프는 가까운 한 사람도 지키지 못했던 자신이 큰일을 해 나가는 용사로서만 자리매김하는 것에 자책감을 느꼈다. 짧은 생을 한 사람에 대한 연모로만 살다간 여인. 옛 아내에 대한 뒤늦은 연정에 그는 때때로 마음이 착잡했다. 한 사람을 행복하게 해줄 수 있는 자라야 많은 사람들을 위한 영웅적인 일도 할 자격이 있는 것이 아닐까.

자신의 아픈 기억을 상기해 볼 때 그는 혼자 남은 히드 왕비를 끝내 외롭게 두지 못하였다.

육 개월이 지난 후 베오울프는 히드와 혼인하였다.

19 소년 왕의 비극

베오울프는 어린 국왕 헤아드레드를 보좌하여 국정을 대신 맡았다. 나라를 운영하는 모든 책임은 자신이 떠맡고 국왕으로서의 지위와 영광은 오직 어린 종제 헤아드레드에게 돌렸다.

세월은 흘러 어린아이였던 헤아드레드는 소년으로 성장했다. 이제는 그를 옥좌에 앉혀 나라의 대소사를 함께 의논할 수도 있게 되었다. 하지만 아직은 국왕으로서의 수업을 받는 형편이므로 일의 결정은 대신들의 의견을 받아 모친 히드 대비(大妃)와 종형(從兄)이며 의부(義父)이기도 한 베오울프가 주로 했다.

스웨덴에서는 국왕 오트헤레가 죽자 왕제(王弟) 오넬라가 정변을 일으켜 왕권을 장악했다. 그는 선왕(先王)의 두 아들이며 자기의 조카인 에안문드와 에아드길스를 국외로 추방했다.

오트헤레의 아들들은 예이츠 땅으로 들어와 국왕 헤아드레드를 찾아왔다. 그들은 스웨덴 백성의 수호자이며 스웨덴 왕국에서 보물을 나눠주는, 해왕(海王)들 중에서 가장 훌륭하고 유명한 군주 오넬라에게 반항했던 것이었다.

스웨덴의 두 왕자를 접견한 예이츠의 소년 왕 헤아드레드는 깊이 그들의 말을 경청하고는 대답했다.

"그럴 수가…… 나의 훌륭한 고사촌(姑四寸) 형님 베오울프와 너무 대조되는 일이로군요. 정말이지 이 나라를 위해서는 응당 종형께서 즉위하셔야 할 텐데도 한사코 형님은 즉위를 거절하고 내게 왕위를 주시고는 이제까지 어린 내가 실수하는 일이 없도록 곁에서 도와주셔 왔지요."

성년의 나이를 조금 앞둔 소년 왕 헤아드레드는 금빛 왕관 아래 하늘빛의 눈을 반짝이며 순수하고 해맑은 미소로 그들을 대했다.

"스웨덴 궁중의 충신들도 말하기를 오넬라 숙부는 아들이 없으므로 우선 숙부께서 즉위하시도록 하고 저희 둘은 왕자의 지위를 유지하도록 하자고 했었습니다. 하지만 숙부는 막무가내로 저희를 추방했습니다. 왕자는 늦게라도 낳으면 된다고 대신들의 건의를 일축했습니다."

얼굴의 반듯한 윤곽이 고귀한 왕자의 티는 보이고 있으나 거친 여행에 지쳐 야위어 있는 젊은 에안문드였다. 그는 황톳빛 머리칼 아래 근심스러운 짙푸른 눈을 치켜뜨며 말하고 있었다.

"그래도 그대들을 살려 놔준 것은 다행이네요."

어려서부터 주위 사람의 배려와 섬김만을 받고 자란 소년 왕은 되도록 사람들의 심성을 착한 쪽으로 생각하려 했다.

"그렇지도 않습니다. 현재로선 아무런 명분을 찾지 못했기 때문입니다. 우리를 추방한 것도 멀리 모르는 곳으로 가서 굶어 죽거나 야만인에게 잡혀 죽거나 들짐승에게 먹히기를 바라는 것에서입니다. 숙부는 우리가 주변국에 머무는 것을 용납 안 할 겁니다. 저희가 여기 있는 것을 알면 또 어떻게 할지 모릅니다."

자기 형과 비슷한 용모이지만 아직 소년티가 나는 동생 에아드길스가 말했다.

헤아드레드 왕은 잠시 고민에 싸인 듯했다 다시 고개를 들었다. 그는 티 없이 순수한 하늘빛의 두 눈을 들어 젊고 어린 망명객들을 바라보았다.

"그대들은 과인과 나이도 비슷하여 친구가 될 수 있으니 여기 거하도록 하시오."

헤아드레드는 말하고는 시종을 시켜 휴식처로 데리고 나가라 했다.

"전하의 은덕에 감사드립니다."

두 불쌍한 왕자들은 깊이 숙여 인사하고는 물러갔다.

곁의 신하들은 만류했다.

"전하 안 됩니다. 뒷날 빌미가 잡힙니다. 스웨덴 왕 오넬라는 비록 정변을 일으켜 왕이 되었지만, 내치와 국방에서 매우 훌륭하여 최근 국력이 강성해졌고 왕의 군대는 충성심이 대단하다고 합니다. 왕국의 이해(利害)에 관계없는 일로 공연히 인접국의 왕과 다툴 일이 생겨서는 아니되옵니다."

한 신하가 말했다.

"필시 그들은 트집을 잡을 것입니다. 감히 자기네의 왕통(王統)을 간섭하느냐고요."

다른 신하도 거들었다.

"정 그들을 돌보아 주시려면 그들을 시골에 은신하게 하셔서 비밀로 해두십시오. 그 보안에 관한 책임은 제가 맡도록 하겠습니다."

무거운 표정으로 잠자코 있던 베오울프는 말했다.

"아닙니다. 그들은 좋은 친구입니다. 그들과 대화하다 보면 과인도 주변국의 정세에 대해 얻을 것이 많을 것입니다. 과인도 이제 열일곱 살입니다. 내 뜻대로 사리 판단을 할 수 있는 성년이 되었으니 친구들을 다루는 일은 과인에게 맡겨 주십시오."

어릴 적부터 왕위에 올라 마땅히 함께 즐길 친구도 없이 외롭게 지낸 헤아드레드 왕이 갈 데 없는 두 젊은이를 한사코 친구로 맞이하겠다는 데에는 나이 많은 대신들도 더 이상 모질게 막을 수가 없었다. 다만 그들은

"이 사실을 빌미로 스웨덴 국에서 쳐들어오면 힘써 싸울 각오를 해 둡시다." 하고 결의할 뿐이었다.

헤아드레드 왕은 두 망명객을 받아들여 친구로 삼았다. 세 젊은이는 함께 식사도 하고 수시로 사냥과 무예 연습도 하고 고전 읽기도 같이했다. 특히 고전을 학습하며 토론하는 시간은 세 사람이 서로의 마음속까지 이해하며 친교를 가지는 좋은 시간이 되었다.

"소크라테스의 말에 의하면 인간은 지혜, 용기, 절제의 삼 요소가 갖추어짐으로써 온전하고 바람직한 인간이 될 수 있다고 합니다. 국가도 마찬가지로 세 가지 요소를 두루 갖춰야 건전한 사회를 이룰 수 있다 합니다."

세 사람 중에서 가장 나이가 많고 식견을 갖춘 에안문드가 말했다.

"헤아드레드 국왕 전하는 세 가지 덕목 중에서 가장 중요한 지혜를 가지고 계십니다. 그러니 국가를 이루는 중요한 요소는 이미 갖춰 있는 것이지요."

에아드길즈도 덧붙였다.

"그렇다고만 할 수는 없겠지요. 나라를 지키려면 용기를 가져야죠. 또한 질서를 지키는 마음인 절제도 있어야 하고요."

이에 대해 젊은 국왕은 말했다.

"용기는 신하 용사들이 가지는 것이고 절제는 국왕, 귀인 그리고 모

든 백성들이 함께 가져야 하겠지요. 그런데 국가의 지도자는 무엇보다도 지혜를 가져야 나라가 제대로 다스려질 수 있다고 합니다."

에안문드는 말을 이었다.

"하지만 사람의 마음은 남이 모범을 보여야 따르는 경향이 있습니다. 국왕은 가만히 있는데 휘하의 용사들이 목숨 바쳐 충성하기를 기대하기는 어렵죠."

헤아드레드는 다시 말했다.

둘 사이는 계속 담론이 오갔고 에아드길즈는 옆에서 귀담아들었다.

"나라가 작을 때에는 군주가 모든 일에 앞장서서 싸우는 모범을 보여야 할 때가 있겠습니다. 하지만 나라가 커지면 일일이 군주가 모범을 보이기도 불가능하여 결국 군주는 휘하의 사람들을 다스리는 그 본래의 역할에만 전념하게 될 겁니다."

"그래도 기본적인 모범은 거쳐야 할 겁니다. 군주는 용사들을 이끌어야 하는 만큼 우선은 가장 훌륭한 용사가 되어야 합니다."

"해가 떠오르는 쪽의 먼 곳에는 넓은 평원이 있고 예전의 로마 제국보다도 더 큰 나라가 있다고 합니다. 그런데 오백 년 전쯤에 두 세력이 그 큰 나라의 패권을 잡으려고 싸웠다고 합니다. 한쪽은 항우(項羽)라는 싸움에 용감한 용사가 직접 이끌고 있었고 다른 한쪽은 유방(劉邦)이라는 자가 있었는데 그 자신은 별다른 용맹을 가지지 못하지만 휘하의 용사들을 잘 거느린답니다. 그들이 몇 년간 싸워서 결국 유방이라는 자가 이겨 그 큰 나라를 통일했답니다."

"그럼 유방은 스스로는 싸움을 못하지만 대신 군사를 잘 거느린답니까?"

"그렇지도 않다고 합니다. 그는 직접 나서서 싸우면 승리하지를 못했고 대신 한신(韓信)이라는 군대를 잘 거느리는 자가 싸움을 이끌었다고 합니다."

"그럼 도대체 유방은 뭣이 훌륭해서 군주가 된 것이오?"

"그것을 덕(德)이라고 하더군요. 그 뒤로 그쪽 지방에서는 지혜도 용기도 아니고, 덕이 있는 자를 제일로 떠받드는 것이 관습으로 되었답니다."

"덕이라…… 뭔가 알 것 같기도 한데. 이 사람 저 사람에게서 환심을 사서 여러 사람을 자기를 중심으로 묶어 놓는 것…… 하지만 사람은 본래 여러 가지 개성을 가진 존재인데 그런 여러 종류의 사람들이 전부 자기에게 호감을 느끼게 하려면…… 결국 상당수의 사람들에게는 자기를 숨기고 거짓말을 해야 한다는 것인데…… 그런 사람을 가장 위로 받든다는 것이 과연 올바른 것일까?"

"그건 저도 회의적입니다. 무용이나 학문보다도 권모술수를 인간의 가장 높은 지향목표로 본다는 것은……"

에안문드는 대답했다.

둘의 대화를 듣고만 있던 에아드길즈도 말했다.

"제 생각도 그렇습니다. 군주 혼자가 그런 기질의 인간으로 끝나면 좋은데 문제는 많은 귀인들과 백성들이 그런 사람을 최고의 이상형으로 따르게 하는 데 문제가 있죠. 결국 사람들을 위해 필요한 일을 하려는 사람은 적어지고 처세를 통해 지위를 높이려는 자들만 많아지겠죠."

"결론적으로 나라가 강해지려면 용맹과 지혜를 높이 대우해야 하는 것이지요. 정말 두 왕자는 젊지만 현명하신 분들이군요. 앞으로 우리들이 힘과 지혜를 합해 나라를 다스리면 천하제일의 이상국이 될 것 같군요. 하하하."

헤아드레드는 크게 웃었다.

"저희가 무슨 나라를 다스릴 일이나 있겠습니까. 이렇게 공부나 하면서 살 수 있는 자유나 있었으면 할 뿐입니다."

에안문드는 슬쩍 어두운 미소를 지었다.

이들 세 젊은이들의 행복은 오래가지 못했다. 일 년이 못 가 스웨덴 왕 오넬라는 조카들이 이곳에 있다는 소식을 들었다.

"예이츠의 애송이 왕의 괘씸한 행태를 그냥 놔둘 수 없다. 얼른 후환을 없애야겠다."

오넬라는 군대를 이끌고 예이츠의 궁성으로 침입해 왔다. 이때 베오울프는 발틱해가 바라다보이는 남동 지역을 순시 중이었다. 이전에 복속시켰던 작은 마을들로부터는 공물을 거둬들이고 나라 밖에서 찾아온 상인들로부터는 교역 물품을 거래하여 나라 살림을 추스르고 있었다.

헤아드레드는 두 왕자와 함께 있던 중 스웨덴군의 침입소식을 들었다. 믿고 의지하는 신하가 없는 중에 큰일을 당하여 당황하였으나 곧 자신의 신조에 따라 조처를 내렸다.

"왕실 마부를 부르시오."

마부가 왔다. 헤아드레드는,

"여기 두 왕자를 급히 피신시키시오." 하고 일렀다.

"전하께 위험을 안겨드리고 어찌 저희만 피한단 말입니까. 숙부가 저희를 원하면 나가겠습니다."

에안문드는 자리에서 몸을 떼지 않고 말했다.

"이 일은 그대들의 안전에 관한 게 아니라 우리 예이츠국의 체면에 관한 일입니다. 속히 피하시오."

헤아드레드는 대답하고는 마부와 병사들을 향해,

"어서 이분들을 모시지 않고 무얼 하는가!" 했다.

"전하, 죄송스럽기 망극하옵니다."

"만약 살아 기회가 된다면 반드시 은혜를 갚겠습니다."

두 왕자는 못내 미안해하며 궁실을 나갔다.

"이쪽으로 오시오. 두 분 왕자님은 저희를 따르십시오."

성문 밖까지 인도된 그들에게 다른 두 기병이 안장이 빈 말 두 필을 끌고 왔다.

두 왕자는 두 안내자와 함께 말을 타고 떠났다. 그들은 하루를 달려 먼 곳의 민가에 피신했다.

오넬라 왕은 헤아드레드 왕의 성이 높이 보이는 해안에 상륙했다. 예이츠의 성은 해안의 높은 암봉에 있기에 그들은 공격을 위해 근처의 다른 암봉 세 곳을 점령했다. 그리고 성의 파수병에게 전령을 보냈다.

"전왕(前王) 오트헤레의 두 아들을 이리 내보내라."

스웨덴 전령으로부터 전갈을 받은 파수병이 헤아드레드 왕에게 전달하자 예이츠의 젊은 군주는 응답을 보냈다.

"그럴 수 없다. 그들은 당신들이 추방한 자들이다. 그들이 어디 있든 당신들이 상관할 바가 아니다. 이미 우리에게 왔으니 우리가 받아들이는 것은 당연하지 않은가."

전령을 맡은 스웨덴 기병은 스웨덴 왕의 진영과 예이츠의 궁문을 오가며 서로의 뜻을 전했다.

"두 사람은 우리 스웨덴국의 평안에 심히 위험을 줄 수 있는 자들이다. 그래서 나라의 정세에 영향을 줄 수 없도록 멀리 살라고 추방한 것이다. 그들을 우리 왕국 가까운 곳에서 살게 하면 안 된다."

"두 사람은 지금 여기에 없다."

"모든 것을 다 알고 왔는데 무슨 뻔한 거짓말을 하느냐. 내 친히 들어가 그들을 데려오리라."

성난 오넬라 왕은 자기 군대에 공격을 명령했다. 높은 암봉에 자리한 예이츠의 궁성에 그대로 진격하기란 불가능했다. 그러나 이미 스웨덴군은 부근의 암봉과 고지대를 빼앗아 저네 진지를 구축해 놓았다. 예이츠의 궁성에서 해변에 접하는 쪽을 제외한 삼면의 고지에 스웨덴군은 석포(石砲)와 화포(火砲)를 올려놓고 공격을 준비했다. 석포는 커다란 지렛대의 긴 쪽 끝에 큰 돌을 걸쳐 올려놓고 짧은 쪽을 십여 명의 병사들이 힘을 합해 눌러 돌을 튕기듯 발사하는 것이었다.

"휘잉. 휘잉."

한 아름 크기의 바윗돌이 성벽을 향해 날았다. 석포의 위치와 발사 방향은 숙련된 모사(謀士)가 정확히 헤아려 자리해 놓았다. 병사들은 돌을 날라다 쏘기만 하면 되었다. 발사된 돌은 날아가 성벽과 건물을 부쉈다.

예이츠의 군대는 성벽 위에서 활을 쏘아댔으나 별 소용이 없었다. 성문을 열고 나가 적을 토벌하는 작전은 감히 세울 수 없었다.

"휘잉."

"우르르."

날이 저물어 가며 높았던 성벽의 무너진 곳마다 건물이 허술히 노출되었다.

이번에는 석포와 비슷한 구조이지만 좀 더 날렵하고 정확한 조준성능을 가진 화포가 임무를 교대했다. 주먹만 한 돌에 천을 싸서 기름을 적신 후 불을 붙여 골짜기 건너편의 무너진 성벽 안쪽으로 쏘아댔다.

"휙, 휙."

불덩어리가 정확히 그 뚫린 벽을 향해 날았고 떨어진 곳에서 불을 번지며 타올랐다.

이번에는 가장 섬세한 공격이 개시됐다. 궁수들은 활을 들었다.

"쉭, 쉭."

불화살이 성내로 날았다. 성내는 충분히 교란되고 있었다.

"진군하라!"

마치 거대한 창과도 같이 끝에 삼각뿔의 큰 쇠뭉치를 단 굵은 통나무를 오십여 병사가 함께 줄로 묶어 들었다.

"돌격!"

그들은 통나무를 성문에 갖다 찍었다. 이미 성내의 군세(軍勢)는 위축되어 그들은 공격에 별다른 방해를 받지 않았다.

드디어 성문은 부서졌다. 스웨덴군은 뚫린 성문을 넘어 안으로 침입했다. 성내는 더욱 소란해졌다. 정문으로 몰려드는 주력부대 외에도 수풀에 면해 있는 옆벽을 통해 스웨덴의 정예군 수백이 밧줄을 타고 침입했다. 이때 예이츠군의 전력은 거의 비어 있었다.

스웨덴군은 궁내에 남아 있던 헤아드레드 왕의 호위무사 백여 명과 싸웠다. 왕의 호위무사들도 강한 용사들이었지만 우세한 적군에 밀려 이내 전멸하고 말았다.

헤아드레드 왕은 싸움에 익숙지 못했다. 그도 몇 적병을 막아냈지만 이어서 닥쳐오는 수많은 적군의 맹렬한 공격을 당해내긴 어려웠다.

"우리나라의 일을 간섭하는 걸 모르는 애송이 왕을 처치하라!"

밖으로부터 오넬라 왕의 성난 목소리가 들려왔다.

헤아드레드의 주위로 십여 명 적병이 몰려들었다.

"휘익."

그 중 한 자가 헤아드레드 왕을 향하여 창을 내질렀다. 왕은 한차례 피했다. 그러나 곧 옆에 들이닥친 다른 병사가 창을 들었다. 그는 왕이 피하는 자세를 취할 때 갑옷으로 보호되지 않은 겨드랑이를 찔렀다.

"허억."

그 상처는 깊지 않았으나 왕은 힘을 잃고 비틀거렸다.

곧이어 두 병사가 다가왔다. 그들은 검을 역동(力動)하여 왕의 갑옷 사이를 후볐다.

"털썩."

예이츠의 젊은 국왕은 바닥에 주저앉았다. 헤아드레드 왕은 여러 적군의 맹렬한 공격을 이기지 못하고 그 자리에 쓰러졌다.

순수하고 무구(無垢)했던 그 젊은이는 너무도 큰 짐을 지고 살아오다 그 짐에 눌려 쓰러졌다. 그는 자기의 책임하에 결정한 일이 이웃 왕의 분노를 사서 그 대가를 치르고 말았다. 그것은 그의 고귀한 젊은 생명의 아까운 종말이었다. 히엘락의 아들 헤아드레드는 이웃의 추방된 왕자들을 돌봐 준 탓으로 검에 맞아 치명상을 입고 난자(亂刺)되어 살해당했다.

한편 두 왕자를 피신시킨 기병들은 서둘러 남쪽 해안가의 베오울프에게 이 사실을 알렸다. 베오울프는 급히 말을 달려 궁성으로 향했다.

궁성에 돌아와 보니 이미 오넬라의 군대가 장악하고 있었다. 헤아드레드 왕과 병사들의 시신이 치워진 곳에서 오넬라는 기다렸던 듯이 회의용 자리에 앉아 있었다.

"여기서 양국 간의 평화 협정 조인을 해야겠소."

오랜 원정 생활에 그을린 얼굴, 쏘아보는 짙푸른 눈에 황토색의 머리칼과 수염이 덥수룩한 사십 줄의 패기만만한 군주 오넬라는 베오울프에게 맞은편에 앉으라 손짓했다.

"옥새를 베오울프 왕족에게 가져다주라."

오넬라는 자기의 신하에게 명했다. 오넬라 측의 장수는 이미 예이츠 국왕의 옥새를 손에 들고 있었다.

"나는 예이츠의 왕이 아니오. 결재(決裁)할 수 없소."

베오울프는 말하고는

"어서 귀하의 나라로 돌아가시오." 했다.

오넬라는 미소를 머금고는,

"나는 이곳에 욕심을 내러 온 것이 아니오. 모든 것을 순리대로 바로잡기 위해서요." 했다.

왕궁은 모두 스웨덴군이 장악하고 있었다. 베오울프와 함께 온 군사는 밖에서 제지당해서 이곳까지 들어오지도 못했다.

"자, 양국 간의 평화 조인서가 여기 있소."

오넬라는 중앙의 탁자에 서약서를 내밀었다.

베오울프는 내용을 보았다. 양국 간에 갈등이 있을 때는 반드시 미리 예고하고 타협점을 찾을 기회를 갖는다는 것이 주된 내용이었다.

"내용은 동의하지만 예이츠에 국왕이 옹립될 때까지 기다려주시오."

"예이츠의 왕이 될 사람은 당신밖에 없소. 귀하가 결재를 하지 않으면 예이츠는 스웨덴에 복속되는 것이오. 국왕이 없는 나라는 당연히 독립할 수 없는 것이 아니오?"

베오울프는 하는 수없이 결재했다.

결국 오넬라는 베오울프로 하여금 즉위하여 예이츠를 다스리게 했다.

"두 왕자는 어디에 있소?"

오넬라는 예이츠의 사람들에게 물었다.

"두 왕자의 행방은 헤아드레드 국왕 전하만 알고 계시었소."

베오울프가 대답하자 헤아드레드를 죽인 그들로서는 할 말이 없었다.

그러나 이때 스웨덴의 장수 웨흐스탄의 군대 십여 명은 두 왕자의 행방을 추격하여 그들을 찾아내었다.

투구를 쓴 웨흐스탄은 그들이 숨은 민가의 문 앞에서 소리쳤다.

"두 왕자께서는 저희와 동행하십시오."

"동행하면 어쩔 셈인가?"

"그것은 국왕 전하께서 정하실 일입니다."

문이 닫힌 집안에서는 한동안 아무 소리가 없었다. 그러다 갑자기 민가의 앞문과 뒷문이 열리더니 앞뒤에서 에안문드와 에아드길즈가 나왔다. 두 왕자는 앞을 가로막는 자국의 군사들을 숙련된 검의 놀림으로 하나하나 처치하고 물러서게 했다. 그들은 각기 포위망을 뚫고 탈출하려는 것이었다. 그러나 앞문을 맡은 형 에안문드에게는 그것이 쉽지 않았다. 용맹한 웨흐스탄이 앞에 버티고 서 있기 때문이었다.

웨흐스탄은 말에서 내려 에안문드와 마주 섰다.

"왕자님, 지금이라도 무기를 버리고 저희와 동행하십시오."

"닥쳐라. 이래 죽으나 저래 죽으나 마찬가지다. 왕족답게 여기서 싸워 죽는 길을 택하겠다."

에안문드는 웨흐스탄의 앞으로 나와 검을 휘둘렀다. 옆으로 바람 가르는 소리가 두 번 세 번 났다. 그러나 재빨리 몸을 피하는 역전(歷戰)의 용사의 날랜 몸놀림이 둔탁한 바람 소리를 내고 있었다.

갑자기 강렬한 쇳소리가 났다. 웨흐스탄의 검이 에안문드의 검을 받아쳤다. 에안문드는 땅에 떨어진 검을 주워 다시 달려들었다. 그러나 이미 쓰러졌다 일어서는 에안문드는 상대에게 허점을 노출했다. 용사 웨흐스탄은 검으로 덤벼드는 에안문드의 옆구리를 베었다.

웨흐스탄은 왕자 에안문드를 죽이고 무구와 갑주(甲胄)를 수습했다. 이제까지 겁을 먹고 지켜보고만 있던 십여 명의 병사들은 안도하면서도 착잡한 마음이었다. 이때 뒷문으로 간 에아드길즈는 탈출에 성공했다.

웨흐스탄은 아직 오넬라가 점령하고 있는 예이츠의 궁성으로 돌아왔다.

"여기 에안문드가 가지고 있던 귀중한 고검(古劍)과 갑옷을 바치옵니다."

웨흐스탄은 전사자의 유물을 그의 삼촌에게 바쳤다.

오넬라는 굳은 표정으로 웨흐스탄이 받들어 보이고 있는 것을 보다가,

"그대가 가지도록 하시오." 했다.

싸움을 즐기는 군주 오넬라도 자기 조카의 유물을 받기는 사양했던 것이었다.

오넬라는 그가 원하는 대로 예이츠 왕 헤아드레드에게 보복을 끝낸 후 돌아갔다.

베오울프는 훌륭히 나라를 다스리는 왕이 되었다. 그러나 후일 베오울프는 자신의 군주의 죽음에 대한 보복의 의무를 잊지 않았다.

한 달 후 변방으로 피신했던 에아드길즈가 다시 그에게로 돌아왔다.

"당신의 부친과 형 그리고 친구에 대한 복수를 마땅히 해야 하오."
베오울프는 그 왕자에게 강권했다.

"제가 어떻게 복수를 한단 말입니까?"

"내가 원군을 따라 보낼 테니 진군하시오."

베오울프는 가련한 에아드길즈의 친구가 되어 그의 무용을 길러주
었다.

후에 오트헤레의 아들 에아드길즈는 무기를 갖추고 용사들을 거느
리어 넓은 바다를 넘어 자기의 고국에 쳐들어갔다. 그는 적에게 슬픔
과 고통을 안겨다 주는 공격으로 오넬라 왕에게 복수하여 그의 생명
을 빼앗았다.

20 용의 소굴에 가다

    이렇게 에치데오의 아들은 그 용과 대결하게 되는 바로 그날까지 모든 위험한 전투를 용감히 치르면서 무사히 살아남았다.

    용의 거처를 찾으러 나온 자들에게서 보고가 들어왔다.

    "용이 사는 곳을 아는 자를 데리고 왔사옵니다."

    그는 먼저 용의 소굴에서 술잔을 훔쳤던 한스였다.

    "용이 사는 곳을 그대가 진정 아는가?"

    임금 베오울프의 물음에 그는 머리를 조아리며,

    "소인이 우연히 그곳에 들어가 술잔을 훔쳤습니다. 그 후로 용이 화가 나서 인간들에게 복수를 하고 다니옵니다. 모든 게 어리석은 소인 탓입니다. 소인이 그 거처를 알려드리겠사오니 그다음에는 죽여주시옵소서." 하고 울먹였다.

    베오울프는 한동안 말이 없더니,

    "이것은 언젠가는 일어나야 할 재앙이었다. 단지 그대가 걸려든 것뿐이다. 자, 나서서 우리에게 용의 소굴을 안내하라." 하고 그에게 고개를 들라 했다.

    "이것이 그곳에서 가져온 술잔이옵니다."

    한스의 뒤를 따라 그의 늙은 주인도 왔다. 그 또한 못내 죄스러워하며 그가 하인들과 더불어 훔쳐왔던 귀중한 보물을 왕에게 바쳤다. 천하에 없는 그 유명한 보배(寶杯)는 베오울프의 소유가 되었다.

베오울프는 목둘레와 손잡이에 포도알만 한 금강석이 알알이 박힌 푸른 진줏빛 자기(瓷器) 술잔을 받아들고는 그 천하제일의 보물을 잠시 물끄러미 바라보다 가만히 옥좌 옆에 내려놓았다.

"용의 횡포를 막은 후에 보물을 함께 나누어 가질지어다."

성이 난 예이츠의 군주는 열한 명의 용사들을 불렀다. 그들은 예이츠를 지탱하는 최고 귀인들의 집안을 대표하는 정예 용사들이었다. 열두 명의 용사는 안내자를 동행하여 그 용의 소굴로 직접 찾아가기로 했다. 한스는 바로 그 안내자가 되었다.

사람들을 그토록 비참하게 만든 재앙은 그와 그 주인의 재물에 대한 욕심으로 말미암은 것이었다. 예이츠의 모든 사람들은 이 재앙이 어떻게 해서 생겼는지를 들어서 알게 되었다. 그 싸움을 시작하게 한 자는 열세 명 일행 중 하나가 되어 비탄에 잠긴 심정으로 앞장서야 했다.

"동쪽 해변가 고원 돌산이 용이 살고 있는 곳입니다."

한스의 목소리는 시종 울음이 섞여 있었다. 자기 때문에 백성의 왕이 생명을 건 싸움터로 나가게 되었으니 그의 가책과 괴로움은 말할 수 없었다. 왕을 죽음의 소굴로 인도하는 것은 내키지 않아도 해야 하는 일이었다.

일행은 한스의 인도에 의하여 그 돌무덤이 있는 곳으로 갔다. 한스는 후들후들 떨리는 걸음으로 그 동굴 가까운 곳에 갔다.

돌무덤은 풀숲의 고원으로부터 바다 쪽으로 이어져 있었다. 고원의 돌 언덕 중턱에는 수풀로 가려진 출입구가 있었고 반대쪽에는 바다를 향해 석조 출입문이 있었다.

"저 돌 언덕 중턱에 용이 드나드는 출입구가 있습니다."

"여기서 보이지는 않는군."

"가까이 가 보면 꽤 큰 공간과 입구가 있습니다."

"저쪽으로 갈 수는 없다. 용이 나타나면서 돌 틈에 빽빽이 나 있는 풀과 나무를 태우면 그 연기에 사람은 당할 수 없을 것이다."

키 큰 잡초와 관목이 바위산 곳곳의 갈라진 틈에 무성한 그곳에서 불을 뿜는 용과 싸우면 그곳은 온통 불바다가 되어 인간은 타죽는 수밖에 없었다.

"다른 입구는 없는가?"

"해변 쪽으로 나 있는 문이 있습니다만……"

한스는 돌산을 돌아나가 바닷가로 일행을 인도했다.

해변을 면해 둘러쳐 있는 흑요석의 높은 절벽, 그 한가운데 중턱에는 석조궁형의 문이 자리해 있었다. 그곳은 해변의 사장(沙場)으로부터는 멀어 눈에 잘 띄지 않지만 유심히 바라보면 확인할 수 있었다.

그곳은 깊이 들어간 만(灣)이었기에 파도가 거세게 밀려들어 왔다. 해면에서 꽤 높은 곳에 있는 그 입구에도 출렁거리는 파도의 튀는 물방울이 쉼 없이 와 닿고 있었다.

"저 석문도 용굴(龍窟) 입구가 맞는가?"

"그러하옵니다."

그곳은 고원으로부터 그 무덤 안에 들어간 자가 나오면서야 알 만한 곳이었고 밖에서는 인간이 드나들 만한 곳으로는 보이지 않았다. 이제까지 고원 쪽으로부터 그 돌무덤으로 들어간 자는 용에게 잡혀 죽었으므로 이쪽 석문으로는 나오지 못했다. 그런데 석문 쪽으로부터 들어갔던 자도 있을 법한데 이제까지 그 석문은 사람들의 입에 오르내리지를 않았다.

　용의 소굴은 바로 그 경사진 석벽 중턱에 있었다. 비스듬한 바위 절벽의 갈라져 어긋난 틈이 해변의 모래 벌에서 그 석문까지 이어져 있어서 일행은 그 길을 통해 걸어 올라갈 수 있었다.

　"이 안쪽입니다."

　한스는 경사벽 중턱의 석문에 멈춰 섰다. 올라오던 일행은 몸을 돌려 석문을 바라보았다. 이십 척 폭의 석문 앞에는 많은 보물이 있었다. 문 위에서 떨어진 듯싶은 각종의 장식물과 금속대(金屬帶)가 무수히 쌓여 있었다.

　"아아, 저럴 수가……"

　함께 간 자들은 생전 처음 보는 보물의 더미에 눈이 휘둥그레지고 입이 딱 벌어졌다. 그러나 그들이 자세히 살폈다면 보물 더미 속에 몇 인간의 해골이 흩어져 섞여 있음을 보았을 것이었다.

　베오울프는 그들에게,

　"지금 보물에 정신 팔 때가 아니오. 우선 용을 찾아야 하오. 용이 이곳에 있을 때 찾아서 처치하기 위해 우리는 여기 온 것이오."

　하고 한스에게는 돌아가라 일렀다.

　말이 끝나자 안으로부터 소리가 들렸다.

　"씨익. 씨익. 크르르. 크르르."

　저 안 깊숙이에서 용의 숨소리가 울려 나왔다. 열한 사람은 군주의 명대로 보물에서 시선을 거두고 다음 명을 기다렸다.

　용은 오늘도 황금 보물들을 지키고 있었다. 그 소리는 무심하게 잠자는 소리가 아니었다. 거칠게 숨을 몰아 들이쉬고 내쉬며 제 몸에 힘을 축적하고 있는 것이었다. 괴물은 오늘 자기의 소굴에 침입한 인간들과 피의 격투를 할 준비가 되어 있었다. 그 괴물은 지하에서 오래 늙은 사나운 창고지기이며 보물의 간수였다. 땅속에 쌓여 있는 오래전의 사람들이 만든 물건들은 지금은 어느 누구도 쉽사리 얻을 수 있는 것이 아니었다.

싸움에 용감한 왕, 그러나 이제는 늙은 왕은 해안의 높은 갑(岬)의 중턱, 괴물의 소굴이 바로 옆에 입을 벌리고 있는 곳의 바위 언저리에 앉았다. 불쑥불쑥 솟아난 시꺼멓고 윤이 나는 봉우리들을 병풍처럼 뒤로한 백발의 노왕은 비장했다. 그것은 오래전 그가 젊었을 때 결전에 앞서 가졌던 마음가짐과는 다른 것이었다. 적과 나 둘 중의 하나가 죽어야 하리라는 것이 그때의 각오였다. 하지만 지금은 싸움이란 어느 한 쪽에도 편안한 앞날을 주지 못하리라는 감회가 마음을 채우고 있었다.

"나의 사랑하는 동료들이여, 이제 저 괴물과의 싸움을 시작해야 하겠다."

예이츠의 군주는 거기서 자기 동료들에게 이미 작별을 작정한 듯싶은 인사를 했다. 그의 마음은 슬펐으며 불안하고 걱정스러웠다. 그는 죽을 각오가 되어 있었다. 이미 죽음의 정령(精靈)은 그 노인에게 다가와 영혼의 비장(秘藏)을 찾아 육신에서 떼어놓으려 벼르고 있었다. 이제 예이츠 백성 군주의 생명은 오랫동안 그의 늙은 육체에 묶여 있을 것 같지 않았다.

열한 명의 젊은 용사들은 왕의 주위에 둘러앉았다. 지난날을 회고하듯 에치데오의 아들 베오울프는 말했다.

"나는 젊었을 때 많은 결투에서 살아남았으며 많은 전쟁을 치렀다. 나는 아직도 이 모든 것을 기억하고 있다. 내가 일곱 살 때 백성의 군주이신 흐레델 국왕께서는 나를 나의 부친 슬하에서 데려갔었다.

외조부 흐레델 국왕께서는 나와의 혈족 관계를 잊지 않으시고 나를 맡아 기르셨고 나에게 보물을 주시고 잔치도 베풀어 주셨다. 궁성에는 국왕의 친자 헤르발드와 해드킨 왕자 그리고 나의 히엘락 왕도 있었지만 나 또한 그의 성에 사는 아이로서 결코 왕의 다른 어느 자식보다 덜 소중하지 않았다."

계속해서 베오울프는 그의 어린 시절 궁성에서 일어났던 이야기를 그의 백성의 수호자가 될 사람들 앞에서 들려주었다. 그것은 단순히 지난날의 회고담이 아니었다.

그중에는 이미 세상을 떠나기를 각오한 그가 이제는 말하기로 작정한 것, 그동안 차마 밝히지 못했던 왕실의 비밀, 너무나도 충격적이고 애통한 왕실의 비밀이 있었다. 그것은 아마도 얼마 안 있어 그가 만나게 될 자, 그 비운의 혈연자를 위해 그가 마지막으로 할 수 있는 것이기도 했다.

21 왕실의 비밀

하늘이 지어주는 운명은 인간이 이해 못 하는 것이니 신은 종종 선한 자에게 견디기 어려운 슬픔을 안겨 주곤 한다. 백성을 수호하는데 용감했고 친족을 돌보기에 인자했던 흐레델 왕은 어처구니없는 참척(慘慽)의 비애를 가지게 되었다. 화창한 봄날 궁궐의 뒤뜰에서 왕의 두 아들 헤르발드와 해드킨은 부왕 앞에서 저들의 갈고 닦은 무용을 자랑하는 자리를 가졌다.

노경에 접어든 왕은 백발이 덮였고 인생의 풍상이 서려 있었으나 한평생 나라를 수호하며 살아온 용사의 장건한 풍채를 유지하고 있었다. 젊고 아름다운 두 왕자는 이제 용사로서의 의젓함이 어리기 시작하여 밝은 햇빛 아래 그들의 혈기왕성한 역동(力動)과 해맑은 낯빛은 두드러졌다.

이미 두 왕자와 목검으로 검투의 대련을 해본 교관 신하는 왕에게 아뢰기를,

"두 분 왕자님의 무용은 가히 천부(千夫)의 장(長)이 될 만한 격(格)입니다. 소신(小臣) 외람되게 우열을 논할 수는 없사옵니다." 하였다.

"허허, 그래도 오늘 두 왕자는 어떻게 해서라도 승부를 내겠다고 벼르고 있는데. 그렇다면 참관한 대신 열 명이 비밀 투표로 어느 왕자가

우세하였는가를 적어 내도록 하면 좋겠구려."

두 개의 작은 독을 마련하고 그 앞을 판자로 가렸다. 두 왕자의 비무를 참관한 열 명의 대신은 헤르발드 왕자가 우세하다 생각되면 오른쪽에 있는 독에 돌을 넣고 해드킨 왕자가 우세하다 생각되면 왼쪽에 있는 독에다 차례차례 돌을 넣기로 하였다.

투표가 끝나 독을 뒤집어보니 양쪽 다 다섯 개의 돌이 들어있었다.

"무승부가 됐군요."

헤르발드 왕자가 말했다.

그러나 해드킨 왕자는 다시,

"비무는 꼭 고관이라야 잘 볼 수 있는 것이 아닙니다. 오늘 자리에 모인 모든 병사들에게도 저희들의 무용에 대한 평가를 할 기회를 주시옵소서." 하고 왕에게 말했다.

왕은 허락했다. 그리하여 그곳에 둘러서 보고 있는 이백여 왕실 호위무사가 모두 차례차례 투표를 하기로 했다. 먼저 대신들의 투표는 달걀만 한 돌을 가지고 했지만 이번에는 자갈돌을 모아 투표에 사용했다.

다시 독을 뒤집어본 결과 쌓인 자갈 더미는 비슷했지만 형인 헤르발드 왕자의 것이 조금 더 커 보였다. 하나하나 세어 보니 헤르발드 왕자에게는 일백십 개의 그리고 해드킨 왕자에게는 아흔아홉 개의 조약돌이 배당되어 있었다.

"허허, 오늘 여기 구경 온 병사들은 동궁(東宮)에 숙박하는 병사들이 많아서 이렇게 되었나 보군. 지금 훈련 나간 서궁(西宮)의 병사들이 포함되면 다를 것인데."

왕은 웃음을 지으며 이제 그만 돌아가자고 하였다.

그러나 해드킨 왕자는 다시 말하였다.

"아직 해는 중천에 있습니다. 이번 같은 기회도 드뭅니다. 형님과 각기 말을 타고 사냥감을 맞추는 시합을 해보는 것이 좋겠습니다."

"큰애의 생각은 어떠냐?"

왕은 돌아보며 물었다.

"소자도 오늘같이 좋은 날씨에는 한껏 무용을 보이고 싶은 마음이 있사옵니다."

그리하여 이번에는 활쏘기 대회를 하였다. 짐승의 구부러진 큰 뿔로 만든 두 개의 활이 준비되었다. 마당의 중앙에 장대를 세우고 양을 높이 매달았다. 그리고 반경 백 보 밖에서 원을 그리며 말을 달리면서 먼저 활을 쏘아 양을 죽이는 자가 이기기로 했다. 말을 달리면서도 상대의 말이 따라잡으면 지기로 되어 있었으므로 두 왕자는 말을 빨리 달리면서 활을 쏘아야 했다.

"쉬익!"

먼저 해드킨 왕자의 화살이 날았다. 화살은 양이 매달려 있는 위쪽을 넘어가 건너편 궁궐 성벽으로 날아가 부딪쳤다.

"쉬이익!"

이번에는 헤르발드 왕자의 화살이 날아갔다. 그 화살은 양의 털끝을 스치고 건너편의 커다란 참나무 줄기에 꽂혔다.

보는 사람들 사이에는 가벼운 탄성이 나왔다.

이때 해드킨은 말을 더욱 빨리 달렸다. 그러자 헤르발드도 말에 박차를 가해 더욱 빨리 달렸다.

"쉭!"

또 화살이 날았다. 그러자

"아악!"

그것은 맞은 자뿐만 아니라 보고 있는 모든 자들 모두의 비명이었다. 헤르발드 왕자는 가슴에 화살을 맞고 말에서 떨어졌다. 모두들 소스라쳤다. 해드킨이 쏜 화살은 장대에 달린 과녁의 아래쪽을 지나 마상의 헤르발드를 맞추고 말았다.

쓰러진 왕자의 주위에 모인 왕과 신하들은 곧 절망의 통곡에 빠졌다. 이미 왕자의 몸을 관통한 화살은 고귀한 자의 생명을 빼앗고 만 것이었다.

한평생 그의 백성을 수호하며 왕국을 바르게 이끌었던 인자한 노왕 흐레델은 작은아들 해드킨의 바르지 못한 행동으로 말미암아 죽음의 사자가 부당하게도 자기의 맏아들 헤르발드에게 먼저 찾아오는 일을 당하고 말았다. 해드킨의 화살은 조급한 승부욕에 사로잡힌 그의 마음을 파고든 악마의 조종에 의해 과녁을 빗나가 자기의 친애하는 군주 될 자를 죽였음이니, 왕가의 형제들 중 아우는 잔인한 화살로 자기 형을 죽이고 말았다.

그것은 재물로 보상할 수 없는 너무도 큰 결과였다. 부왕과 측근 신하 모든 사람의 가슴을 피폐하게 만드는 지극히 잘못된 사고였다. 억울한 왕자는 한을 품고 생명을 잃을 수밖에 없었다.

왕의 충성스러운 친위 무사들은 곧 범죄를 한 또 다른 왕자 해드킨을 결박했다. 비록 과실이나 그의 죄는 지대한 것이었다.

"일단, 궁내로 들어가십시다."

노왕은 떨리는 음성으로 모두를 진정시키고 참관하였던 많은 병사에게는 해산을 명했다.

왕과 대신들은 죽은 왕자를 운구하고 결박된 왕자를 동행시키며 궁내로 들어갔다.

아랫사람들이 물러간 어전 회의장에서 왕과 가신들은 이 갑작스런 슬픔을 이기지 못하고 한동안 서로 아무 말도 없이 흐느꼈다. 해드킨 왕자는 멀찍이 구석에서 두 호위무사 사이에 결박되어 고개를 숙이고 있었다.

"전하 용단을 내리셔야 하옵니다."

국가적 재난 앞에 모두 망연자실할 수만은 없기에 책임감 있는 수석 가신은 목소리를 가다듬어 왕에게 진언하였다.

그러나 왕자를 죽인 죄인에게는 교수형밖에 다른 무엇이 있을 수 없었다. 이제 그 집행을 위해서는 왕의 명령이 내려져야 할 것이었다.

죽인 자가 신분이 높다 하여 어찌 면책될 수 있을 것인가. 대신과 무사들 모두가 말없이 왕의 결정만을 기다리고 있을 뿐이었다.

그러나 젊은 자기 아들을 교수대에 매단다는 것은 노인이 견뎌내기에는 너무도 슬픈 일이었다. 왕은 오랜 시간 결정을 내리지 못하고 괴롭게 탄식하고만 있었다.

보다 못한 수석 가신은 왕에게 다가갔다. 늙은 그는 노경의 왕의 유일한 친구였다.

"전하 저들을 물리시옵고 신의 진언을 경청하소서."

모여 있던 다른 대신들은 멀찍이 물러나 섰다. 왕의 곁에는 차갑게 식은 헤르발드 왕자의 시신만이 있을 뿐이었다. 수석 가신은 왕에게 가까이 다가가 옥좌의 바로 옆에 꿇어앉아 진언했다.

"이미 돌아가신 헤르발드 왕자님을 살릴 수는 없는 것입니다. 살아 계신 해드킨 왕자를 살리기 위해서는 부득이 돌아가신 분을 희생시켜야 하겠사옵니다."

"어떤 묘책이 있소?"

"해드킨 왕자를 살릴 수 있는 유일한 방법입니다."

"말해 보구려. 그것이 보통의 방법으로 될 것이 아니리라는 것은 과인도 알고 있소."

"헤르발드 왕자님의 처소에 독약과 독침을 갖다 놓겠습니다. 해드킨 왕자가 그 사실을 알고 왕께 진언하려 했으나 믿지 않아 부득이 기회를 보아 형을 죽인 것이라고 발표하면 해드킨 왕자는 살 수 있게 되옵니다."

"그…… 그렇겠소만……"

왕은 한동안 굳은 표정으로 있다가,

"그러면 맏아이의 장례는……"

하고, 다시 고개를 내리고 눈물을 떨구니 말했던 자도 더 말을 잇지 못하고 흐느꼈다. 다음날 괴이한 교서가 궁궐에서 공표되었다.

전날 그곳에 참관하지 않았던 자들은 그런 일이 있었느냐며 놀랐고 참관하였던 자들은 그게 그런 사연이었느냐며 놀랐다.

"부왕의 독살을 기도하여 모반을 꾀했던 패륜의 왕자가 처형되었다. 관례에 따라 짐승의 밥이 되게 하노라."

비탄에 잠긴 늙은 왕의 아들은 반역자가 되어 다시 목이 매달리게 되었다. 궁궐 뒤편의 높은 산언덕에는 암갈색 줄기의 굵은 고목이 우뚝 서 있었다. 꿈틀거리는 용과 같이 뻗어난 그 고목의 가지에 헤르발드 왕자의 시체는 매달렸다.

"까악! 까악! 까아악! 까아악!"

그곳의 터줏대감인 큰 까마귀는 기뻐하며 검은 날개를 활짝 펴고 주위를 날아다녔다. 한참을 돌고 나서, 흔들거리던 인간의 몸이 더 이상 움직이지 않음을 보고는 그 큰 새는 그 머리 위에 내려앉았다. 그리고는 한때 아름다운 푸른 진주와 같이 총명하게 빛나던 그 눈……이제는 사신(死神)의 미생물이 꼬여 윤기를 잃고 하나의 둥그런 유기물 덩어리가 된 그 눈을 쪼았다.

"허…… 그런 일이 있었다니."

"헤르발드 왕자님은 평소에 부왕께 효성이 지극하고 아우들에게도 상냥한 분이라고 들었는데."

"어차피 왕위를 물려받을 텐데 그런 마음을 품을 필요가 있었을까."

"부왕이 너무 오래 산다고 생각했나 보지. 하지만 왕자도 아직 젊은데. 하여튼 사람의 욕심은 한이 없나 봐."

소문을 듣거나 멀리서 그 광경을 본 궁궐주변의 백성들은 고개를 갸웃거리며 한마디씩 했다. 심고 가꾸면 거두는 정직한 대지, 땅에 뿌리박아 사는 백성은 그들이 섬기는 왕실의 발표에 어떤 의심도 갖지 않았다. 그리고 얼마 안 가 잊어버리고 그들의 생업에 열심일 뿐이었다.

육신의 억울한 죽음 위에 다시 명예의 억울한 죽음을 당하는 비운의 왕자, 죄 없이 두 번 죽는 그 젊은이의 아버지는 아들을 위해 아무 것도 할 수 없었다. 일찍이 천하에 용맹을 떨친 바 있고 누구도 부럽지 않은 권세를 누리던 자, 그 현명한 노인이 자기 아들의 어처구니없는 죽음과 누명을 보고도 할 수 있는 것이 없음은 참으로 견딜 수 없는 것이었다.

날마다 왕은 홀로 있기를 원하며 만가(輓歌)를 읊었다. 아침마다 그는 응당 문안 왔어야 할 자가 오지 않음에 놀라며 허전해하다 이윽고 자기 아들의 죽음을 상기하고는 그 젊은이의 예기치 못한 타처로의 여행을 안타까워했다. 사랑하는 아들의 죽음으로 인한 고통은 끝끝내

치유될 수 없었다. 인간의 실수는 악마의 유혹을 이기지 못함에서 생겨나느니라. 왕자를 죽인 행위가 과실이라 해도 왕은 그 바탕에 깔린 악한 동기를 모르고만 있을 수 없었다. 그리하여 왕은 자신의 궁전을 이어받을 또 다른 후계자를 세우기도 원치 않았다.

슬픔에 잠긴 왕은 저녁 해가 기울고 어스름 빛이 궁궐 주변을 덮을 때면 자기 아들이 거처하던 회관 방의 텅 빈 주탁(酒卓)과 의자를 멍하니 바라보고만 있다. 어이없이 삶의 기쁨을 빼앗겨 지금은 서늘한 바람만 몰아치는 왕자의 휴식소를 쳐다보며 넋을 잃고 있다. 어둠이 더해가도 왕은 움직일 줄 몰랐다. 측근 대신과 친족들도 더 이상 그들의 군주를 위로할 수 없기에 나타나지 않는다.

그러다가 달빛이 창가에 비치거나 먼 데서 짝 잃은 이리의 구슬픈 울음소리가 나면 흐느끼던 왕은 이윽고 큰 소리로 목 놓아 운다. 평생 동안 억센 악력과 불굴의 의지로써 검을 부리고 용사들을 부림으로써 싸움터에서 용맹을 떨쳐왔던 그 용사 중의 용사, 그 굳센 사나이의 강철 같은 마음은 견딜 수 없는 슬픔의 힘 앞에 나약하게 허물어지고 마는 것이었다.

이 시간 그를 위로할 자는 아무도 없다. 옛적의 그 위대했던 기사들은 비탄에 잠긴 후세의 용사에게 응당 한마디 건네줌직도 하건만 그 영웅들은 말없이 무덤에서 자고 있다. 영화로웠던 그 집에는 예전에 있었던 하프의 울림도 없으며 더 이상 즐거움의 노래도 없다.

그리하여 왕은 자기의 침상으로 가서 한 사람이 다른 사람을 위하여 부르는 슬픈 노래를 부른다. 부친이 아들을 위해 산 자가 죽은 자를 위해 한때 기쁨 속에 낳고 보람 속에 길렀으나 지금은 무(無)로 돌아간 혈육을 위해…… 쓸쓸한 그에게는 하늘 아래의 땅과 자신의 거처가 너무나도 넓어 보인다.

이렇게 하여 예이츠의 수호자 흐레델은 헤르발드의 일로 말미암아 끓는 슬픔 속에서 말년을 보냈다. 그는 도저히 그 살인자와의 반목을 화해할 수가 없었다. 또한 비록 그는 해드킨에게 거의 애정이 없었지만 그렇다고 해서 그 용사를 학대하거나 처벌할 수도 없었다. 그리하여 왕은 슬픔에 잠긴 나머지 마침내 인간의 환락(歡樂)을 버리고 신의 광명을 택했다. 세상에서 부유했던 자가 의례 그러하듯이 왕도 세상을 떠날 때 토지와 도시를 그의 아들들에게 남겼다.

22 전사(戰士)의 운명

　흐레델 왕이 죽은 후 스웨덴인과 예이츠인은 숱한 싸움을 벌였다. 서로는 쉽게 상대를 악하게 여기고 증오했고 서로 간의 불화는 심한 교전(交戰)을 낳았다.

　예이츠의 해드킨 왕은 스웨덴 왕 온겐데오 앞으로 친서를 보냈다. 국경에서의 숱한 전투 탓에 백성의 생활이 곤궁에 빠지는 것을 이제는 놔둘 수 없었다.

　"국경 부근의 우리 쪽 영토인 삼대호(三大湖) 근방 숲에서 귀국의 군사들이 사냥하고 훈련을 하는 것을 허가하겠으니 평화 협정을 맺읍시다."

　그러나 스웨덴에서는 아무런 응답이 없었다. 온겐데오의 아들들은 참으로 호전적이었다. 그들은 좀처럼 예이츠 인들과 친교를 맺으려 하지 않았다. 대답 대신에 오트헤레와 오넬라 두 왕자는 국경을 넘어 삼대호 지역의 한 마을에 천여 명의 군사를 거느리고 들어왔다.

　"형님, 여기서 군량과 군마를 좀 거두어 갑시다."

　오넬라는 진군을 정지시키고 말했다.

　"아직 부족하지 않은데?"

　"군량과 군마는 싸움을 할수록 줄어드는 것이 아닙니까. 그래도 충분히 확보해 놓아야죠."

건의를 들은 오트헤레는 밭에 보이는 마을 사람들 몇을 불러놓고,

"우리는 이곳에서 하루 묵어가겠다. 이제 이 고을은 얼마 안 가 우리의 영토로 편입될 것이다. 우리에게 복종할 뜻이 있으면 너희 마을에서 군마로 쓸 말 열 필과 고기로 먹을 돼지 다섯 마리와 소 두 마리를 모아 바쳐라. 우리는 요 앞마을 어귀 숲이 우거진 언덕 기슭에서 기다리겠다."

하고는 정한 장소에서 군대를 휴식시켰다.

그러나 저녁까지 마을 사람들은 오지 않았다. 그들은 오히려 적군이 침입했다고 예이츠의 궁성에 급히 사람을 보내 전달했다.

"이 마을을 그냥 둘 수 없다."

오넬라는 말하고는 형 오트헤레와 상의하지도 않고 가까운 휘하의 병사 백여 명을 데리고 곧장 마을로 들어갔다. 오트헤레도 잠시 머뭇거리다가 곧

"마을로 들어가라." 하고 명령을 내렸다.

마을에는 이미 사람들은 없고 가축들만 있었다.

"모두들 어디 갔을까?"

"알 게 뭐야. 그냥 우리들한테 식사와 잠자리를 제공하겠다는 것이겠지."

군사들은 마을에서 가축을 잡아먹고 술을 꺼내 마시며 그날 밤을 보냈다.

아침이 될 때 그들은 진군의 소리를 들었다. 예이츠왕 해드킨과 그의 동생 용맹한 히엘락이 이끄는 군대가 오는 것이었다. 그들의 수효는 자기네들의 두 배는 될 것 같았다.

오트헤레와 오넬라는 얼른 군대를 마을 뒤편 언덕으로 퇴각시켰다.

"부왕께 원군을 요청하라."

오트헤레는 전령을 보냈다.

언덕을 올라가던 스웨덴 군대는 고개 넘어 골짜기에 마을 사람 남녀노소 수백 명이 숨어 있는 것을 보았다.

"저자들을 모두 도륙하라!"

오넬라는 명했다. 병사들은 골짜기로 내려가 우선 남자들을 죽이고 노인과 어린이들을 죽였다. 여자들은 각 병사의 마음 내키는 대로 오랜 시간을 고통스럽게 학대했다. 그들은 그 마을에서 끔찍한 학살과 만행을 자행했다.

얼마 안 가 예이츠의 왕군(王軍)이 쳐들어왔다.

"이 잔인무도한 도배들아 정의의 칼을 받아라!"

헤드킨과 히엘락은 산언덕까지 들어와 그들의 싸움과 악행에 대한 복수를 했다.

"저기 중앙에서 싸우고 있는 자가 오트헤레입니다."

산마루에서 골짜기의 스웨덴군을 향한 공격을 지휘하는 예이츠 군 진영에서 한 모사가 해드킨 왕에게 말했다.

"저자를 사로잡아야 하겠다."

해드킨은 그물을 준비하라고 했다.

두꺼운 밧줄로 짜이고 가장자리에는 돌이 달린 그물이 골짜기로 던져졌다. 그물 속으로 오트헤레와 그와 싸우고 있던 예이츠군이 함께 들어갔다. 그물이 덮이자 더 이상 그들은 싸울 수 없게 되었다. 이때 해드킨과 함께 능선에 남아 있던 병사들이 몰려 내려와 그물 주위에 있는 스웨덴군을 격파하고 쫓아냈다. 왕자 오트헤레는 포로가 되었다.

그러나 그 전투에서 예이츠의 군주 해드킨은 죽음을 맞게 되었으니, 그는 자기 생명으로 그 싸움의 비싼 대가를 치렀다.

"계속 북쪽으로 진군하라!"

승세를 잡은 해드킨은 싸움의 마무리를 왕제(王弟) 히엘락에게 맡기고 스웨덴 궁성으로 진격을 명령했다.

형을 실수로 죽이고 대신 왕위에 오른 예이츠의 왕 해드킨, 그는 즉위 후에도 나날이 번민 속에 살아야 했다.

'내게 잠재해 있는 악한 마음이 형을 죽이게 하고 나를 왕위에 오르게 한 것이 아닐까?'

그는 형을 죽이고 왕위에 오른 자신을 증오했다. 그것은 아무리 백성들이 이 사실을 모르고 있고 왕실에서 그것이 과실임을 알아준다고 해도 벗어날 수 없는 것이었다.

헤드킨의 군대는 스웨덴 궁궐까지 도달했다. 정문 앞에서 해드킨은 수십 명의 군사들만 데리고 앞에는 오트헤레를 두 손을 묶어 내세웠다.

"왕자 오트헤레를 여기 모시고 있으니 성문을 열어라. 들어가서 협상하겠다."

예이츠의 전령은 소리쳤다.

자국의 왕자가 있어서 문지기는 열어줄 수밖에 없었다. 그런데 성문이 열리자 부근의 숲에 잠복해 있던 예이츠의 천여 군사가 갑자기 몰려들었다. 이때 스웨덴 왕 온겐데오는 북쪽 랩인[1]을 평정하러 원정 나가고 없었다.

해드킨의 예이츠 군대는 스웨덴의 왕비가 있는 궁실까지 쳐들어왔다.

"이놈들아 이곳이 어디라고 감히 들어오느냐!"

---

1) lapp人 스칸디나비아 북쪽의 키 작은 인종

실내에는 머리가 희끗한 초로의 왕비가 다섯 시녀와 함께 있었다.

"잠시 저희와 함께 있으셔야겠습니다. 동행하시어 왕비로서의 체통을 지키십시오."

해드킨의 군대는 왕비를 인질로 사로잡고 궁궐을 장악했다.

퇴각한 스웨덴군은 말을 빨리 모는 자를 전령으로 앞서 보냈다. 전령은 광활한 침엽수림을 건너 북쪽으로 그들의 전왕(戰王) 온겐데오를 찾아갔다. 이때 온겐데오는 랩인의 천막에서 그들의 대접을 받고 있었다.

"무슨 일이냐?"

"전하, 예이츠의 해드킨 왕이 궁궐을 침입하여 지금 왕비 마마를 인질로 삼고 있사옵니다."

백발의 노왕 온겐데오는 대노했다.

"해드킨, 그자는 절대 그냥 놔둘 수 없다. 그자는 왕세자였던 자기 형을 활로 쏘아 죽이고 대신 왕위를 차지했던 자이다. 그 범죄 사실을 자기네 백성에게는 숨길 수 있을지 몰라도 이웃의 현명한 군주의 눈은 속일 수 없다. 천하의 법도를 바로잡기 위해 그런 자를 왕위에 그대로 놔둘 수는 없다."

퇴각했던 스웨덴군은 온겐데오의 원정군과 합류하여 궁궐 쪽으로 되돌아 진군했다. 다음 날 아침에 노왕 온겐데오가 이끄는 스웨덴의 왕군은 궁궐에 도달했다.

그러나 궁궐은 이미 텅 비어 있었다. 싸우다 그들에게 붙잡힌 자들, 자신의 황금 장신구를 빼앗기고 연약한 몸만으로 끌려간 여인들 모두 그 자리에 없었다. 싸우다 적이 두려워 도망친 자들은 적군이 물러간 뒤에도 자기들의 군주를 두려워하여 나타나지 않았다. 궁궐에는 싸우다 죽은 자들의 시체만이 있을 뿐이었다.

"도적들을 토벌하러 계속 진군하라!"

온겐데오의 군대는 지체 않고 남쪽으로 나아갔다.

예이츠로 가는 도중에 있는 레이븐즈 숲이라는 곳은 넓은 평원이면서도 높고 곧은 나무가 빽빽이 들어차 있는 곳이었다. 예이츠인들은 많은 보물 그리고 그들의 가장 큰 전리품인 스웨덴 왕비와 함께 숲의 나무 사이를 이리저리 비켜가며 퇴각하고 있었다.

"도적의 무리들은 섰거라!"

스웨덴의 군대는 예이츠의 군대가 보이는 곳까지 다다랐다. 쫓는 자들도 빨리 갈 수가 없었지만 쫓기는 자들도 마찬가지였다. 쫓기는 예이츠군은 많은 노획물과 포로와 함께 가야 했으므로 이내 따라잡혔다.

"패륜아 해드킨을 살려둘 수 없다!"

스웨덴 왕 온겐데오는 레이븐즈 숲에서 흐레델의 아들 해드킨의 목숨을 빼앗기로 작정했다. 오호트헤레의 고령의 부친, 늙고 무시무시한 온겐데오는 성난 사자와 같이 눈을 부릅뜨며 말을 달려 예이츠군 진영에 돌진했다.

"해드킨은 어딨느냐? 나와서 정의의 칼을 받아라!"

온겐데오의 군대는 예이츠의 진영에서 해드킨을 찾았다.

"내가 해드킨이다."

황금투구의 용사가 앞으로 나서서 자기가 바로 그임을 숨기지 않았다.

해왕 해드킨이 나타나자 투구 밑의 흰 수염이 성성한 온겐데오는 말 위에서 철퇴를 휘두르며 다가왔다.

"네 이놈! 형을 죽이고 왕위를 찬탈한 너를 하늘의 이름으로 응징한다!"

해드킨은 많은 양국의 군사들 앞에서 자신의 아픈 데를 사정없이 찌르는 이 말에 참을 수 없이 분노했다.

"그래, 난 형을 죽였다! 그리고 왕위를 빼앗았다. 이 늙은이야, 그래서 그게 어쨌단 말이냐!"

울분에 싸여 눈이 충혈된 해드킨은 말을 달려 앞으로 나갔다. 싸움에 미숙한 젊은 전왕은 온겐데오의 휘두르는 철퇴 아래서 기습을 하려고 몸을 낮춰 다가갔다. 그러나 온겐데오가 쉽사리 철퇴의 방향을 돌리지 못하리라는 해드킨의 예상은 잘못된 것이었다. 온겐데오는 얼른 철퇴의 방향을 낮춰서, 해드킨의 머리를 향해 횡횡 가시 돋친 쇠뭉치를 휘둘렀다. 해드킨은 한 번 피하면 한 바퀴 돌아 또다시 들이치는 그 무서운 쇳덩어리를 피하느라 정신없었다.

그러다

"철컥!"

해드킨이 백발의 노왕을 베려고 빼어든 검과 그의 손목은 철퇴의 쇠사슬에 감겼다.

"휙!"

힘센 스웨덴의 으뜸 용사가 잡아당기니 해드킨은 끌려나와 말에서 떨어졌다. 온겐데오는 얼른 사슬을 돌려 풀고 철퇴를 공중으로 띄웠다. 해드킨이 땅에 떨어진 방패를 들려 하는 찰나 온겐데오의 철퇴는 수직으로 반원을 그으며 해드킨의 머리를 내리쳤다.

고뇌와 우수에 차 있던 슬픈 얼굴 그러나 아름다웠던 얼굴은 검고 무거운 쇳덩이의 강한 충격에 짓이겨져 삽시간에 생명의 조화미를 잃고 처참한 핏덩이 곤죽으로 변했다. 인간을 낳아 고뇌하게 만든 대지에는 그 고뇌의 종말인 붉은 피가 스며들었다.

온겐데오는 벼르던 대로 해드킨을 죽였다. 붉은 얼굴에 검푸른 눈빛이 사자같이 빛나는 무시무시한 용사. 어깨까지 내려오는 백발을 휘날리는 늙은 전왕 온겐데오는, 형을 죽이고 왕위에 오른 자로서 고통스러운 삶을 사는 해드킨으로 하여금 이 세상의 고통을 한순간에 멎게 해주었다.

"왕비는 어디에 있느냐!"

싸움을 마친 온겐데오는 소리쳤다.

"여기 모시고 왔사옵니다."

승세를 잡은 스웨덴군은 예이츠의 전차 안에 붙잡혀 있던, 오넬라와 오트헤레 두 왕자의 모친을 구출해 나왔다. 그녀는 왕비로서의 훌륭한 장신구와 옷을 빼앗긴 채 초라하게 있었다. 왕비는 국왕인 남편과 잠깐의 상봉을 한 뒤 후방으로 보내지고 분노에 찬 온겐데오는 계속 진군을 명했다.

"원수들을 추격하라."

영도자 없는 예이츠인들은 허둥지둥 레이븐즈 숲의 남쪽으로 달아났다. 숲이 끝나고 초원이 나왔다. 가지고 있던 모든 것을 버린 그들은 더욱 빨리 달아나서 적군으로부터 멀리 떨어졌다. 그러나 스웨덴군도 숲을 나오자 더욱 빨리 쫓아왔다. 온겐데오가 이끄는 대군은 상처로 쇠약해진 적의 생존자들을 쫓아가 공격했다. 뒤처지는 자들은 하나 둘 성난 스웨덴 기병용사의 창에 찔리고 말발굽에 짓밟혔다. 이윽고 골짜기가 나왔다. 골짜기로 쫓겨 간 예이츠 군은 스웨덴 궁수들의 좋은 표적 감이었다.

"휘익. 휘익."

골짜기의 바람을 가르며 화살은 내리꽂혀서 가련한 지친 자들의 등을 꿰뚫었다. 그중에서 살아남은 자들은 건너편 산자락에 도달했다. 사위가 어두워지자 화살의 소나기도 그쳤다. 밤이 되어 쫓는 자와 쫓기는 자는 일시 휴식을 취했다. 그러나 쫓기는 예이츠군이 저쪽 산자락에 지쳐 쓰러져 있는 동안 이쪽 산자락의 스웨덴군은 밤새도록 그들을 괴롭혔다.

"너희들에게 밤새도록 화살을 쏘아볼까? 맞든 안 맞든 우린 많이 가지고 있으니까."

"오늘 밤은 그냥 놔뒀다가, 아침이 되면 너희들을 모두 다 검으로써 죽이겠다."

"그냥 죽이면 너무 싱겁다. 너희 중에 우리 국모의 납치에 관련된 몇몇은 새들의 장난감으로 교수형에 처하겠다."

어두운 밤이 지나고 아침이 왔다. 그러나 그것은 생명의 밝은 빛이 아니었다. 살육의 빛이었다. 동이 틈과 동시에 비탄에 잠긴 자들에게는 나팔 소리가 들렸다. 그것은 스웨덴군이 있는 쪽의 반대편에서였다.

"원군이 왔다!"

그들은 히엘락의 나팔소리를 들었다. 히엘락의 무용은 일찍부터 이름나 있었다. 그는 사냥할 때 검을 쓰지 않았다. 곰을 잡을 때도 창을 던지거나 화살을 쏘아 주저앉게 한 다음에는 반드시 맨손으로 덤벼들어 때려잡는 것이었다. 그 용감한 히엘락은 자기의 부하 군대와 함께 거친 기세로 달려오고 있었다.

"히엘락의 군대가 쳐들어온답니다."

온겐데오는 보고를 받았다. 그들은 이쪽 산마루에 올라가 저쪽 예이츠 인이 피신해 있는 산의 건너편을 보았다. 산맥 너머 몰려오는 히엘락의 군사는 이쪽의 서둘러 편성한 스웨덴군보다 많았다. 게다가 그

대장 히엘락의 무용은 이미 널리 알려진 것이었다.

"퇴각하라. 그를 당할 수는 없다."

이는 그가 히엘락이 무용이 뛰어난 대단한 용사임을 알았고 숱한 전투에서의 그의 전투력을 들어서 알았음이었다. 그는 저항하려고 생각지도 않았다. 역전의 용사 온겐데오는 회군하였다. 방금까지도 기세 등등하게 상대방을 희롱하던 군대는 어느새 쫓기는 신세가 되었다. 온겐데오의 군대는 숲을 지나 스웨덴국경을 넘어 저들의 성채 쪽으로 달아났다.

온겐데오는 방어 준비를 하라고 일렀다.

"각처로 알려서 군사를 소집하라. 화살이든 돌이든 기름이든 싸움에 사용할 수 있는 물건은 멀리까지 알려서 서둘러 모으라. 지금 우리의 전력으로는 저 무서운 해인들을 물리칠 수가 없다. 저 거친 해병들과 싸워서 우리의 보물과 어린이들 그리고 여자들을 보호할 수가 없다."

그러나 히엘락의 군대는 계속 빠르게 오고 있었다. 쫓는 자들과 쫓기는 자들은 이윽고 온겐데오의 성채가 보이는 곳에 도달했다.

"이제는 싸움을 피할 수 없군."

온겐데오는 싸움 개시를 모두에게 알렸다.

백발의 노인 온겐데오의 군대는 성채 앞에 또 하나의 성벽처럼 높게 쌓아올려 진 방어용 둑 위로 물러갔다. 둑 위에 진지를 구축한 그들은 끓는 물과 돌을 굴리며 저항했다. 히엘락의 군대는 화살로 대응했다. 스웨덴군이 있는 곳의 하늘을 향하여 쏘아댔다. 화살은 공중에서 땅으로 떨어지고 둑 위 그들의 진지를 교란시켰다. 화살을 피하기 위해 온겐데오의 군사는 쫓겨 참호에 밀려들어 갔다.

"돌을 굴려서 둑을 넘어뜨려야겠는데요."

부하가 말하자 히엘락은

"하지만 저들의 둑은 높은 곳에 있고 우리가 있는 이곳은 더 낮은 곳이니……" 하고 잠시 대답을 유보하다가

"그럼 좀 힘이 들지만……" 하고 손을 들어 가까이에 있는 구릉산을 가리켰다.

예이츠의 군대는 큰 돌들을 그 산 위에 올렸다. 가슴팍만 한 것은 병사 하나하나가 들고 올라가고 그보다 큰 것은 밧줄을 묶어 둘 혹은 여럿이서 힘을 합해 산 위로 올려놓았다. 여러 크기의 큰 돌 십여 개가 그곳에 올려 졌지만 사람 키 높이의 가장 큰 바위는 어떻게 하지 못했다.

"이 정도의 것은 굴려 보내야 둑을 무너뜨릴 수 있을 텐데."

그들은 쉽게 포기를 못 했다. 이때 멀리서 보고만 있던 히엘락이 앞으로 와서,

"뭣들 하는 것이오. 이 돌도 밧줄로 묶으시오." 했다.

"이, 이건……"

병사들이 머뭇거리자,

"이 정도는 되어야 저 둑을 무너뜨릴 수 있는 것 아니오?"

히엘락은 끌고 올라가기 어려운 것은 개의치 않았다. 병사들은 힘들여 바위를 밧줄로 묶고, 끌어당기는 줄은 두 겹으로 하였다. 히엘락은 장담한 대로 자신이 돌을 끌어올리는 데에 동참했다. 그의 매우 강한 힘이 보태지니 돌은 이윽고 언덕 위 꼭대기까지 올라갔다.

다음에는 크고 곧은 나무들을 베어 뗏목처럼 엮어서 언덕 꼭대기에서 골짜기를 거쳐 제방 앞까지 든든한 교각처럼 버팀목을 하여 줄줄이 이었다. 이쪽의 언덕 꼭대기에서부터 골짜기 건너편의 제방까지는

길고 평탄한 내리막길이 만들어졌다. 준비가 되자 예이츠군은 돌을 굴렸다. 몇 개의 돌을 굴려 적의 제방에 명중함을 확인하고는 히엘락이 끌어올린 큰 바윗돌을 굴렸다. 스웨덴군은 상대의 행위를 미리 알고서도 어떤 방비책을 세울 수가 없었다. 천둥과 같은 소리가 나며 바윗돌은 나무로 된 내리막길을 굴렀다. 그리고 넓게 둘러쳐진 스웨덴의 방어용 둑을 무너뜨렸다. 뒤이어 그보다 작은 나머지 바윗돌들도 굴러떨어졌다. 벽은 무너지고 그 근처에는 방비하는 스웨덴군도 없었다.

히엘락의 군대는 그곳을 통해 물밀듯 밀려들어 갔다. 마침내 그들의 피신처는 성난 적의 군사로 가득했다.

"스웨덴국왕을 찾아라!"

예이츠의 모든 귀인과 장수들은 소리치고 다녔다. 그들은 검을 들이대고 스웨덴의 모든 사람들을 겁박하며 백발의 온겐데오를 궁지에 몰아넣었다. 원레드의 두 아들 에오폴과 울프가 성내에서 온겐데오의 행방을 찾아냈다.

"저기 저자가 스웨덴 왕 온겐데오이다."

"우리의 국왕을 살해한 원수는 칼을 받아라."

이제 스웨덴인들의 왕은 예이츠의 용사 에오폴의 공격 앞에 굴복하지 않으면 안 되었다. 원레드의 아들 울프는 성난 기세로 철퇴를 휘둘러 그를 쳤다. 그 타격으로 말미암아 온겐데오의 머리카락 밑에서는 피가 흘러나왔다. 그러나 스웨덴 백성의 왕, 고령의 스웨덴인은 두려워하지 않고 오히려 재빨리 돌아서더니 더 심한 반격으로 그의 잔인한 타격에 보답했다.

울프는 상대가 쓰러질 줄 알고 방어 자세를 늦춘 채 재차 공격을 시도했다. 그러나 원레드의 대담한 아들 울프는 그 노인 온겐데오에게 더 이상 반격을 가할 수 없었다.

"퍽!"

그보다 먼저 온겐데오가 검으로 울프의 머리를 덮은 투구를 쳤다. 검(劍)은 투구를 관통하고 울프는 피투성이가 되어 땅에 쓰러졌다. 그러나 울프는 아직도 죽을 때가 되지 않은 것이었다. 그는 비록 다쳐서 고통스러워했지만 살아났다. 그의 죽음의 위기를 그 순간 형제 에오폴이 달려들어 막았다.

히엘락의 대담한 신하 에오폴은 자기 형제 울프가 쓰러지자 거인들이 만든 자기의 폭넓은 고검으로, 형제를 죽이려는 적의 방패를 쳐서 둘로 쪼갰다. 방패가 부서진 온겐데오는 검으로 에오폴을 치려 했으나 그전에 에오폴은 그 순간을 놓치지 않고 위에서 아래로 검을 휘둘렀다. 마침내 에오폴은 그 왕의 투구를 부숴 버렸다. 스웨덴 백성의 수호자 백발의 왕 온겐데오는 치명상을 입고 쓰러졌다. 곧이어 에오폴의 검은 오래된 용사이며 싸움에서 많은 사람을 죽인 자의 이 세상에서의 운에 종지부를 찍었다. 에오폴은 자국에 쌓여 있는 숙원을 잊을 수 없기에 치명적인 공격을 가하지 않을 수 없었다.

이제는 예이츠인들이 전쟁의 흐름을 좌우할 수 있었다. 더 이상 정신없이 상대의 공격을 막아야 할 형편은 아니기에 자기네의 부상한 용사들을 돌볼 수 있었다. 여러 예이츠인은 저들의 혈연자 울프를 붕대로 감아서 속히 일으켰다. 그리고 한 용사는 다른 용사를 약탈하였다. 에오폴은 온겐데오의 쇠사슬 갑옷과 자루가 달린 견고한 검 그리고 투구를 빼앗았다. 그는 백발노인의 무구를 히엘락에게 가지고 갔다.

"형제 울프와 함께 우리 군주의 살해자 온겐데오를 죽이고 그의 갑옷을 노획했사옵니다."

"훌륭하오. 그대에게는 큰 공로에 걸맞는 상이 있으리라."

히엘락은 노획해온 무구를 받고, 모든 군사가 있는 앞에서 보수(保授)의 약속을 했다. 그는 약속을 이행했다.

전쟁터 곳곳에는 스웨덴인과 예이츠인들의 한데 엉킨 피묻은 발자국들이 흩어져 있었다. 더러는 한 움큼 뿌려져 땅에 스며들며 풀뿌리를 적시고 더러는 점점이 튀어 우거진 싸릿가지와 풀잎을 붉게 얼룩지게 했다. 그 모든 흔적은, 미처 거두지 못하여 풀줄기 사이사이 간간이 보이는 조각난 사체들과 함께, 사람들이 얼마나 잔인한 습격을 감행하고 서로를 죽였는가를 여실히 보여주었다. 이들 양국 백성 간에 어떤 싸움이 벌어졌는가는 널리 알려졌다.

새로 예이츠의 군주가 된, 흐레델의 아들 히엘락은 귀국하여 많은 보물로써 에오폴과 울프의 격투에 보답했다. 그는 그들에게 수백 호가 사는 넓은 영지와 금고리 사슬을 주었다. 그들은 이 명예를 싸워서 얻었기 때문에 어느 누구도 이 많은 보수에 대해 히엘락을 나무랄 수 없었다. 그리고 우정의 표시로 에오폴에게 집안의 보배인 외동딸을 아내로 주었다.

베오울프의 이야기는 이와 같았다. 그는 자기의 지난 시절 이야기를 더했다.

"나는 히엘락 왕께서 지난날 나에게 주신 보물에 대한 은혜를 싸움에서 갚으려 노력했다. 운명은 나에게 이를 허락하셨으므로 나는 빛나는 검으로써 성은에 보답했다. 선군께서는 나에게 토지와 영토 그리고 훌륭한 집을 주셨다. 나 또한 왕께 몸바쳐 충성했으므로 히엘락 왕은 기프다스나 덴마크 또는 스웨덴에서 나보다 못한 용병전사를 보물을 주고 고용할 어떤 필요도 없었다.

나는 항시 왕의 보병군 앞에 나아가 혼자 선두에서 싸웠다. 나는 훌륭한 이 검이 나를 지탱할 수 있는 한 언제까지나 그렇게 싸우고 싶었다.

후에 나는 후가스 족속의 두목이며 군기의 수호자이고 용감한 영웅인, 히엘락 왕의 살해자 대프래븐을 여러 부하 장수들의 면전에서 맨손으로 죽였다. 대프래븐은 자기가 탈취했던 히엘락의 흉부 갑옷을 프리지아 왕에게 가져다주지 못했다. 이는 그가 싸움을 끝내고 자기와 동맹 맺은 프리지아로 찾아가기 전에 전투에서 죽었기 때문이었다. 그때 나는 검으로 그를 죽인 것이 아니었다. 나의 적의(敵意)에 찬 손의 힘이 그의 고동치는 심장을 보호하던 늑골을 부쉈던 것이었다.

이번에는 견고한 검으로 용의 날카로운 발톱에 맞설 것이다. 그리고 나의 악력으로 용의 팔을 비틀고 목을 졸라 죽이기 위해 나갈 것이니라."

베오울프는 자기의 영웅적인 다짐을 다시 했다.

"나는 젊었을 때부터 많은 전투에 참여했다. 만일 그 악행자인 용이 동굴에서 나와 나를 공격한다면 백성의 수호자인 나는 싸워서 용맹을 떨칠 것이다."

그리고는 마지막으로 자기의 친애하는 신하이며 동료인, 투구를 쓴 자들에게 작별 인사를 했다.

"만일 내가 옛날 그렌델에게 했듯이 어떤 다른 방법으로 그 괴물과 맞붙어 명예롭게 싸울 수 있다면 그 용에게 검의 무기를 들고 가지 않겠네. 그러나 나는 뜨거운 불길과 독한 입김을 예상하여 방패와 쇠사슬 흉부갑옷을 입고 가오. 나는 그 동굴의 간수자로부터 한걸음도 물러서지 않겠소. 오히려 그 동굴에서 모든 사람들의 지배자인 운명이 우리 양자(兩者)에게 정해주신 대로 싸움을 할 것이오. 자, 나는 이미 전투의 마음가짐으로 가득 차 있소. 그러니 더 이상 그 붉은 전비자 (戰飛者)와 대결하기 전에 나의 이야기는 하지 않겠소.

자네들 갑옷을 입은 용사들은 동굴 위에서 기다리고 있으시오. 거기서 우리 양자 중의 누가 잔악한 격투로 입은 상처를 배겨내는지를 보시오. 그 괴물과 힘을 겨뤄서 영웅적인 업적을 이루는 것은 자네들의 과업도 아니며 또한 나를 제외한 다른 사람의 힘으로 되는 것이 아니니라. 나는 나의 힘으로 그 황금을 획득하겠소. 그렇잖으면 격투, 무서운 죽음이 그대들의 군주를 빼앗아 갈 것이오!"

23 화룡과의 대결

　투구를 쓰고 전용(戰用) 쇠사슬 흉부갑옷을 입은 그 용맹스러운 전
사는 방패를 땅에 찍고 일어섰다.

　"철컥, 철컥."

　갑옷의 이음새가 맞닿아 긁히는 소리와 함께 늙은 용사 베오울프는
바위절벽 아래로 걸어 내려갔다. 혼자 당당히 괴물의 소굴을 향해 나
아가는 그를 흉내 내는 일은 겁쟁이가 할 수 있는 일이 아니었다. 그는
보병들과 함께 수많은 격전에서 싸움의 공적을 세워 왔다. 그러면서도
싸움의 성과를 나누기에는 인색하지 않은 훌륭한 마음씨를 가진 그였
다. 그런데 오늘 그는 홀로 적의 소굴에 가고 있는 것이다.

　그 석굴의 보고 입구에는 오래전 거인들이 만든 궁륭(穹窿)의 석조
문이 있었다. 그 문은 자물쇠는 없지만 굳게 잠긴 것이나 다름없었다.
무거운 돌문을 밀어서 열 수 있는 사람은 이제까지 없었기 때문이었
다. 베오울프는 문밖까지 쌓여 있는 보물의 더미를 무심히 밟고 지나
가 그 석조문 앞에 섰다. 베오울프는 양쪽 돌문 중 하나를 밀었다. 바
닥에 깔린 모래알갱이들이 눌려 으깨지며 문은 힘들게 안으로 밀쳐져
열렸다.

　그때

"쏴아ー."

뜨거운 온천물과 같은 것이 안으로부터의 바람에 밀려 세차게 흘러 나왔다. 그것은 개울과도 같이 그 동굴 안에서 흘러나오는 것이었다. 굴속 깊은 곳으로부터 솟아 나오는 개울물은 도중에 용이 숨 쉬는 곳을 지나면서 용이 내뿜는 불기에 데워져 뜨거웠다. 어느 침입자가 그 무거운 돌문을 밀어서 열었다 한들 용의 화염에 끓는 물에는 살아 돌아갈 수 없었다.

"아아아."

예이츠의 군주는 성이 나서 가슴으로부터 고통과 분노의 소리가 튀어나왔다. 용감한 그도 갑작스런 상황에서는 놀람과 공포의 고함을 지를 수밖에 없었다. 그의 목소리는 회색 바위굴을 통해 울려 퍼졌다. 동시에 그의 증오심은 더해졌다. 고함이 끝나기 전에 늙은 예이츠의 군주는 신이 준 힘으로 펄쩍 끓는 물의 구덩이를 뛰어넘었다. 그러자 많은 보물의 더미와 함께 용이 거하는 넓은 석실이 나왔다. 베오울프는 들썩거리는 붉은 비늘로 덮인 용의 몸체를 보았다.

웅크리고 있던 화룡은 그 소리가 인간의 목소리임을 알았다. 최근 들어 잦은 인간의 침입으로 괴물은 인간에 대한 증오심이 머리끝에 이르고 있었다. 때때로 밖에 나가 무고(無辜)한 인간의 마을을 불로 태워 파괴하는 괴물이 자기 소굴에 침입한 인간에게 가지는 적개심은 엄청났다.

'괘씸한 인간의 자식들 감히 여기를 또 침입하다니. 이젠 더 참을 수 없다. 아예 모조리 멸망을 시켜버리고 말아야지.'

석실의 한 켠에서 날개를 접고 몸을 웅크리며 쉬던 짐승의 마음은 또다시 외부의 침입에 자극되어 뜨겁게 끓었다.

"크르르르."

성이 잔뜩 난 용은 고개를 들었다. 동굴 안 어둠 속에서 껌뻑껌뻑하는 괴물의 눈은 주황색으로 빛났다. 베오울프 또한 검과 방패를 들고 용을 향해 갔다. 인간과 괴물의 눈길은 마주쳤다. 서로가 화해를 청할 시간은 이제 없었다.

"쩌억."

용의 커다란 입이 벌어졌다.

"후욱."

거기로부터는 희고 뜨거운 입김이 뭉게구름처럼 번져 나왔다. 동굴 안은 안개와 같이 자욱하고 습기 있는 용의 입김으로 가득했다.

"쿠아아악!"

괴물은 동굴이 무너질 듯한 분노의 포효를 크게 질렀다. 부르르, 용사가 입은 갑옷의 쇠사슬 고리가 떨리면서 찰랑찰랑 가느다란 쇳소리의 여운을 더했다.

"좌악!"

괴물의 뜨거운 적의가 담긴 타액이 바위바닥을 타고 흘러내렸다. 무덤 안에 들어간 용사, 예이츠의 군주는 방패를 올려 무서운 괴물의 공격을 방비했다. 용감한 전왕은 옛 가보인 검을 겨눴다. 칼날은 동굴 속미량의 빛을 받으면서 섬광을 반사했다. 베오울프는 방패 뒤에서 몸을 숙이고 천천히 다가갔다. 가까이 멈춰 용의 움직임을 눈여겨보았다.

서로를 죽이기 위해 싸우는 이들 살육자는 서로 상대방을 무서워했다. 하지만 가장 무서운 괴물과 싸우는 자는 인간 중에서 가장 용감한 자였다.

용은 회심의 일격을 가하려고 몸을 움츠렸다. 베오울프는 피할 생각을 하지 않고 끄떡도 않은 채 큰 방패로 막고 섰다. 무장한 그는 적의 공격을 기다렸다. 자기 생명을 보호하지 않고 적이 달려들 때를 틈타 목을 찌르고자 했다.

"훅! 훅!"

용은 씩씩거리며 숨을 몰아쉬었다. 상대를 일격에 재로 만들 큰 화염을 뿜기 위한 힘을 몸 안에 쌓기 위함이었다. 적린(赤鱗)의 토화박룡(吐火猼龍)은 눈앞에 거슬리는 상대를 죽음으로 몰아넣으려 작정하고 있었지만 그 자신도 인간 중 으뜸 용사에 의해 서둘러 죽음을 향해 활주하고 있었다. 그것은 운명이 미리 정해준 것이었다.

"카아악!"

마침내 용의 입에서는 시뻘건 불길이 뿜어 나왔다. 이미 그 공격을 각오한 늙은 용사는 얼른 방패로 막고 옆으로 피했다.

"휘잉! 휘잉!"

불길과 함께 동굴 속에는 거센 바람이 일어났다. 동시에 뜨거운 먼지가 인간의 용사를 한 번에 쓸어내리려는 듯 몰아쳤다.

"크아아악!"

한 번의 공격이 실패하자 자존심이 상한 용은 송곳 같은 발톱의 앞발을 짚고 일어났다. 다시 허리를 구부려 도약을 준비하더니 휘익 하고 맞은편의 적에게 달려들었다.

"후욱."

단번에 집어삼킬 듯 검분홍 입을 벌리고 덮쳐오는 용의 공격을 베오울프는 왼손에 쥔 방패로 막고 동시에 오른손에 든 검으로 단단한 붉은 각질의 목가죽을 힘껏 찔렀다.

"카악!"

용은 칼에 찔리자 목을 세차게 흔들었다. 베오울프는 더 깊이 찌르지 못했다. 그 가죽은 매우 두꺼웠다. 베오울프는 연이은 공격의 방도를 찾아야 했다. 이 싸움에서 용사의 방패는 군주의 생명과 육신을 바라던 것보다 짧은 시간밖에 보호하지 못했다. 그날 전투에서 운명은 승리를 판결하지 않았기에 늙은 용사는 주어진 마지막 시간을 잘 써야만 했다.

"카카카칵!"

용은 목에 칼이 찔린 채 동굴 밖으로 뛰쳐나왔다. 베오울프도 용의 목에 매달린 채 밖으로 나왔다. 그는 쥐고 있는 검을 놓지 않았고 용의 두꺼운 가죽으로부터 빼지도 않았다. 그는 용의 뜨거운 머리 앞에서 필살의 접전을 벌여야 했다.

"푸득푸득."

용은 날개를 퍼덕이며 가파른 바위 절벽 위를 뒹굴어 자기에게 붙은 도전자를 떼어내려 했다. 그러나 싸움을 건 인간의 용사는 그 싸움을 그만둘 뜻이 없었다. 방패는 용의 입에 물려 찌그러졌다. 용감한 그 용사는 자기를 보호하는 그 방패를 손에서 놓았다. 대신에 우툴두툴한 비늘 덮인 용의 아래턱을 단단히 잡아 쥐었다. 인간의 아들은 괴물과의 싸움을 회피할 뜻이 없음을 분명히 했다.

베오울프는 박혀 있던 검을 뽑았다. 예이츠의 군주는 다시 손을 높이 쳐들고 오래된 가보인 그 검으로 무서운 괴물의 얼룩덜룩한 목을 내리쳤다. 하지만 빛나는 검은 용의 뼈를 꺾지 못했다. 필살의 검습(劍襲)은 위급한 지경에 처한 국왕의 바람보다 약하게 들어갔다. 늙은 용사의 힘도 아직은 강했지만 괴물 중에 가장 무서운 거대한 화룡의 가죽과 뼈는 너무도 두껍고 단단했다.

그 타격으로 동굴의 간수자는 더한층 사나워졌다.

"카악! 카악!"

용은 더욱 성나 발광하며 몸을 흔들었다. 용의 가죽에 검을 꽂아두지 못한 베오울프는 더 이상 매달리지 못하고 나가떨어졌다.

용은 연거푸 머리를 돌리며 돌무덤 곳곳에 정신없이 거센 불길을 뿌렸다. 여기저기 용의 불길을 맞은 바위벽은 삽시간에 검은 재로 변해서 용의 날개가 일으키는 바람으로 우수수 뜯겨나갔다.

그날에 예이츠의 군주는 찬란한 승리를 자랑하지 못했다.

예부터 많은 격투에서 훌륭한 전과를 올리고 돌아온 그 검은 기대에 어긋나게도 효과가 없었다. 그것은 용의 가죽과 뼈를 찢고 부수지 못했다. 싸우는 자는 용의 붉고 단단한 윗가죽이 아닌 노랗고 부드러운 아랫가죽에 칼을 댈 기회를 잡고자 했으나 뜻대로 되지 않았다.

서로는 지쳐서 한동안 공격을 주춤하고 경사진 바위에 기대 있었다. 하지만 얼마 안 가 이들 무서운 원수들은 다시 대결하게 되었다. 감당하기 힘든 적을 만난 보고의 간수자는 다시 힘을 가다듬었다. 그 짐승의 가슴은 숨을 들이마셔서 더욱 부풀어 올랐다.

"쉬아악! 쉬아악!"

계속해서 용은 상대를 죽이기 위한 불길을 내뿜었다. 전화(戰火)는 멀리 뿜어져 바위에 부딪혀 되돌아왔다. 불길은 커다란 회오리같이 맴돌며 그 공격을 피하려는 자를 사정없이 휘감았다.

"푸아악! 푸아악!"

불길은 갈수록 세게 내뿜어지고 먼저 내뿜어졌던 불길들도 주변을 소용돌이치면서 쉽사리 사그라지지 않았다. 오래전부터 백성을 통치해 왔던 베오울프는 화염에 둘러싸여 궁지에 빠지게 되었다.

이때 그와 함께했던 예이츠 최고의 용사들은 어디에 있었는가.

동굴 위의 암벽에 모여 있던, 귀인들의 자식들 즉 왕의 동료들은, 저들의 군주를 혹독한 싸움에서 도울 엄두를 못 내고 저들의 목숨을 구하러 숲으로 달아났다.

"저 화룡은 도저히 인간의 상대가 안 돼."

"우리가 싸워 봐야 그대로 죽는 수밖에는 없어."

"어차피 우리가 덤벼 봐야 전하께 도움도 되지 못할 것인데."

"모든 건 하늘의 운명에 맡기는 도리밖에 없어."

그들은 저마다 체념의 말을 주고받으면서 인자(人子)와 지룡(地龍)의 그 처절한 싸움을 멀찍이 지켜보고만 있었다. 그러나 그들 중 한 사람의 마음은 이 배신행위를 용납하지 않았다. 그의 마음은 군주의 은혜를 저버리는 이 비겁자들 때문에 슬픔으로 들끓었다. 올바르게 생각하는 자는 결코 어떤 상황에서도 혈족 관계를 저버리지 아니하는 법이니라.

24 용사 위글라프

    그 훌륭한 용사는 위글라프라고 불렸다. 그는 웨흐스탄의 아들로서 스웨덴 사람이었으며 앨프헤레의 친척이었다. 그는 자기 군주가 투구 아래로 불어 닥쳐오는 열기로 고통받고 있음을 보았다.

    "아아, 옛날 나의 군주 베오울프가 내게 주신 이 명예를 생각해 보면 이대로 있을 수는 없다. 내가 자란 곳의 부유한 장원과 저택은 모두 우리 주군이 내려주신 것이다. 나의 부친이 소유했다가 이제는 내가 상속한 그 모든 귀인의 권리도 모두가 주군의 배려 덕택이었다. 그것들을 상기하건대 은공을 잊지 않는 인간의 도리로서 이 광경을 보고 참을 수는 없다."

    그의 헝클어진 황토 빛 머리칼 아래로 짙푸른 두 눈이 빛났다. 굳은 결심으로 다문 입술은 그의 각진 턱 위에서 조용히 떨리고 있었다. 그는 노란 보리수나무 방패를 잡고 칼집에 있던 자신의 귀중한 고검을 뺐다. 그 검은 사람들 간에 오트헤레의 아들 에안문드의 유물로 알려져 왔다. 웨흐스탄은 전투에서 친구 없는 망명자 에안문드를 검으로 죽였다. 그리하여 그의 빛나는 투구와 고리로 만들어진 흉부갑옷 그리고 거인이 만든 고검을 피살자의 혈연자 오넬라에게 갖다 주었다. 오넬라는 자기의 혈연자 에안문드의 검과 전투복을 받지 않고 그대로 웨흐스탄에게 주었다. 비록 웨흐스탄이 자기 형의 아들을 죽였지만 오넬라는 그 싸움에 대하여 전연 언급하지 아니했다.

'나라의 우환을 없애줬다고 치하하는가? 혈연자를 죽임에 분노하는가?'

자신의 전공에 아무런 공과도 묻지 않는 군주의 태도에 웨흐스탄은 더 이상 스웨덴에 머물러 있기가 어려워졌다. 그는 예이츠 왕실의 친척인 아내를 따라 예이츠 땅으로 와서 살았다. 그리하여 웨흐스탄은 자기 아들이 자기, 즉 아버지처럼 영웅적인 업적을 성취할 수 있을 때까지, 장식된 군복과 검 그리고 쇠사슬 흉부갑옷을 오랫동안 간수했다. 그가 늙어서 이 세상을 하직하여 갈 길을 가게 되었을 때 그는 예이츠 인이 되어 있는 아들 위글라프에게 헤아릴 수 없이 많은 여러 종류의 전투복을 주었다.

용사 위글라프가 자기의 군주 베오울프와 함께 싸우게 된 것은 이번이 처음이었다. 그러나 그의 마음은 조금도 겁을 내지 않았으며 부친의 유물 또한 여전히 견고했음이 거대한 괴물과 싸우면서 확인되었다.

싸우러 나가면서 위글라프는 말했다.

"나는 우리들이 화려한 주연관에서 술을 마시던 때를 기억한다. 그 때 우리들은 우리에게 금고리를 나눠주시는 군주께 약속하길, 만약 군주에게 어려움이 닥치면 우리들은 그가 주신 무기와 투구 그리고 단단한 강철의 보검에 대한 보답을 하겠다고 했소.

바로 이런 이유 때문에 군주께서는 우리를 선발하셨던 것이오. 또 한 이제까지 나와 다른 사람들에게 많은 보물을 주셨으니 이는 전하께서 우리들을 용감한 투사로 여기셨기 때문이었소. 비록 백성의 수호자이신 그분이 가장 영광스러운 일이며 대담한 업적을 이전에도 이

뤘던 바가 있기에 이번에도 이 용맹스러운 업적을 혼자서 성취하려고 마음먹었다고 하셨지만 지금 우리는 그대로 있을 수가 없소. 우리들의 군주께서 용감한 전사들의 힘을 필요로 하시는 그날이 왔소. 저 뜨거운 열기, 끔찍한 용의 화염이 위협하는 이 싸움은 인간의 역사가 있던 이래 유례가 없는 힘든 싸움이오. 어서 속히 저리로 가서 우리의 늙은 전왕을 도웁시다."

그러나 듣는 자들은 모두 고개를 숙이거나 자기의 무구를 만지작거리고만 있었다. 그들은 벌떡 일어나 앞으로 나아가지도 못하고 그렇다고 뒷걸음질쳐서 몸을 돌려 도망하기도 어려운 난처한 입장에 처한 것이었다.

위글라프는 한층 목소리를 높였다.

"전능하신 하나님은 나에게 저 화염이 나의 군주를 에워싸는 것을 지켜보느니 차라리 함께 삼켜지기를 택하라고 명하시오. 우리들이 원수를 죽여 예이츠 군주의 생명을 구하지 못하고서 방패를 들고 다시금 집으로 돌아간다는 것은 올바른 일로 보이지 않소. 예이츠의 역전의 용사들 중에 그 혼자 부상의 고통 속에 격투에서 쓰러진다는 것은 그의 공적에 합당치 아니하오. 검과 투구, 쇠사슬 홍갑 그리고 전투복은 우리들이 함께 사용하라는 것이오."

이 말을 하는 그의 마음은 우울했다. 그는 동료에게 적절한 말을 했으나 그 말은 난처한 자들의 마음을 괴롭게 할 뿐이었다.

위글라프는 투구를 썼다. 그리고는 큰소리로 외쳤다.

"친애하는 베오울프여! 전하께서 옛날 젊으셨을 때 말씀하시기를 살아있는 한 명성이 떨어지지 않게 하겠다고 하시지 않았습니까. 그 뜻을 받들어 내가 나가겠나이다. 전하께서는 지금 닥치는 위기를 잘 막아내십시오. 싸움의 결의가 단호한 군주시여! 지금 온 힘을 다하여 전하의 생명을 보호하십시오. 내가 도와드리겠나이다."

맹렬한 기세로 피어오르는 연무(煙霧)를 향해 위글라프는 그의 군주를 돕기 위해 달려갔다. 이 말이 끝나자마자 용은 성난 불길을 일으키며 자기의 적인 미운 인간들을 다시 공격하러 다가왔다. 용은 젊은 용사와 정면으로 맞서자 그때 비로소 자기를 겁내지 않는 또 하나의 인간을 알게 되었다.

"크아아악!"

괴물은 입을 벌렸다. 시뻘겋고 사나운 불길은 획획 불어 닥쳤다. 위글라프가 몇 걸음을 옮겨 피해도 용은 살짝 고개를 돌려 다시 쏘아대고 그것은 그대로 공격을 피하는 용사에 적중했다. 위글라프의 방패는 용의 불길에 의해 방패 중심의 불쑥 나온 부분까지 타버렸다. 뜨겁게 달궈진 쇠사슬 갑옷도 그 젊은 용사에게 도움이 되지 못했다. 위글라프는 갑옷을 벗어 던졌다. 젊은 용사의 방어 무구는 화염에 타서 없어지고 그는 떨어져 있는 베오울프의 방패를 집어 들고 용을 공격할 기회를 노렸다.

그때 기력을 다해 공격의 자세를 가다듬은 예이츠의 전왕은 자신의 지나온 명성을 상기하고는, 다시 힘을 다해 달려들어 검으로 용을 내리쳤다. 이 순간 그에게는, 예이츠의 위대한 용사로서 길이 명예를 잃지 않으려면 반드시 이 포악한 파괴자를 여기서 죽여야 한다는 생각뿐이었다. 어떻게 해야 무사히 살아 돌아갈 수 있는가 하는 것은 없었다.

검은 드세게 그 용의 단단한 머리에 들이박혔다.

"크아악!"

용은 박힌 검을 떨어내려 발광하고 베오울프는 칼자루를 놓지 않으니

"우두둑!"

회색 빛깔의 고검은 부러지고 칼자루만이 남았다. 베오울프는 발광하는 용에게로부터 떨어져 다시 지상에서 그 괴물과 마주 싸워야 했다. 오각형의 희뿌연 강철로 눈부시게 번뜩이는 날 끝은 그날 역전의 용사를 격투에서 돕지 못하였다. 베오울프의 힘은 너무나 강해서 그가 전투에 가지고 간 어떤 놀랄 만큼 단단한 무기도 치고 나면 무리가 가서 부러지고 말아 아무 쓸모가 없었다고 한다.

"그릉…… 그릉……"

무시무시한 화룡은 심호흡을 들이쉬어 세 번째의 공격을 준비했다.

"화악!"

괴물은 불길을 내뿜으며 다시 용사 베오울프에게 달려들었다. 입에서 뜨거운 연기가 나는 그 끔찍하고 무시무시한 짐승은 창날과 같이 번뜩이는 날카로운 송곳니로 그악스럽게 인간 용사의 가슴을 물었다. 싸움에 나선 왕의 가슴에는 피가 줄줄 흘렀다. 용의 억센 이빨 앞에서는 철갑의 옷도 아무런 방어가 되지 못했다. 베오울프는 용의 이빨 자국에서 터져 나오는 생혈로 젖었다.

왕이 위급해지자 곁에 있던 귀인 위글라프는 그의 타고난 용기와 힘 그리고 대담성을 발휘했다. 그는 용의 머리를 치려고 하지 않았다. 용은 단단한 머리에 칼을 맞고도 죽지 않았기 때문이었다.

용의 목 하단은 용의 다른 어느 부위보다도 밝게 깜빡거렸다. 몸으로부터 솟아나오는 열기를 응집하여 불을 일으키는 곳이었다. 위글라프는 용의 목 하부 화점(火點)을 찌르려고 급히 그 무시무시한 괴물의 밑으로 들어갔다. 군주를 도우려다 손에 화상을 입었던 그는 검을 내밀어 악한 원수의 목젖을 찔렀다. 번쩍이는 판금으로 덮인 검이 용의 급소에 푹 들어갔다. 그러자 용이 내뿜던 화염은 깜빡깜빡 사그라지기 시작했다.

용은 힘을 잃어 물고 있던 필살의 적을 뱉어 놓았다. 땅에 떨어진 피투성이의 전사는 다시 일어났다. 왕은 정신을 차리고는 갑옷 위에 차고 있던 날카로운 전용 단검을 뺐다. 그리고 상처로 비틀거리는 용에게로 마지막 힘을 다하여 달려들었다.

"좌악!"

예이츠의 수호자는 용의 배를 갈랐다.

용은 치명상을 입고 옆으로 벌렁 나자빠졌다. 그 입에서는 간간히 잔 불꽃이 튀어나오면서 흰 연기가 뭉글뭉글 피어나왔다. 굵고 뾰족한 발톱의 네 발은 하늘을 향하여 한참을 부르르 떨다 멈췄다. 드디어 그들은 너무도 강했던 그 적을 넘어뜨렸다. 그들의 무용은 그 용의 악한 생명을 지상에서 몰아냈다.

두 고귀한 혈족은 인간의 성시를 파괴하던 용을 협력하여 죽였다. 그들은 고귀한 자로서 세상에서 받는 대우에 합당한 일을 하고야 만 것이었다. 그 일은 용감한 국왕과 그로부터 평소 받은 은혜를 잊지 않는 충성스런 신하의 합심으로 된 것이었다. 사람의 사회에서 신하 되는 자는 그의 주인이 위급한 지경에 처해 있을 때 이렇게 해야 하느니라!

그 격투는 그 용감한 군주의 마지막 승리였으며 이 세상에서 성취한 마지막 과업이었다.

25 노왕의 전사

　그때 베오울프의 상처가 화끈거리며 부어오르기 시작했다. 노왕은 독기가 자기 가슴속에 번져 심한 고통을 주며 들끓고 있음을 느꼈다. 동굴 속의 지룡이 큼직한 독이빨로 인간의 용사에게 입힌 상처는 깊었고 그 독은 매우 강했다.

　"전하, 진정하시고 누워 계시옵소서. 어서 사람을 데려와 모시겠사옵니다."

　위글라프는 베오울프가 고통스러워하는 것을 보고 말했다.

　"그럴 필요 없네. 내 할 이야기가 있으니 잘 들어두기나 하오."

　베오울프는 손을 들어 저었다.

　자신의 운명을 감지한 군주는 힘들여 일어나 굴의 바위벽에 자리 잡고 앉았다. 단단한 기둥으로 받쳐 있는 석조궁륭의 출입구 안에는 오래전의 거인들이 만든 갖가지 조각품들이 보였다. 그것들은 옛적 이후로 계승됨이 없이 날로 마모되어 가고만 있었다.

　입구의 한쪽에는 샘물이 고여 있었다. 위글라프는 자기의 투구를 벗어 그 물을 퍼담았다. 그리고 피투성이가 되고 싸움에 지친 군주의 몸에 물을 뿌려서 원기를 회복시키고 그의 투구를 벗겼다.

　베오울프는 치명적인 상처를 입었음에도 마지막 힘을 다하여 말했다. 그는 자기의 인생이 끝나고, 할 수 있는 지상의 기쁨을 이미 다 맛봤다는 것을 알고 있었다. 그의 살 수 있는 날은 지나가고 죽음이 다가왔다.

"내가 죽은 후에 나의 뒤를 이을 후계자를 세울 수 있도록 하늘이 허락해 주신다면 지금 이 나의 군복을 그에게 물려주겠소.

나는 오십 년 동안이나 이 나라를 다스려 왔소. 인접 국가 어느 백성의 왕도 감히 전사들을 이끌고 나를 습격하여 공포로 억압하지 못하였소. 나는 내 영토에서 나의 운명을 기다렸고 내 것을 잘 지켜왔고 반역적인 싸움을 하지 않았으며 또한 허위 선서를 하여 백성과의 약속을 어기지도 않았소.

나는 치명적인 상처로 말미암아 신음하고 있지만 내가 이 모든 결과에 대해서 만족하고 기뻐하는 것은, 내 생명이 내 몸을 떠날 때 사람들의 통치자인 신께서 나의 살해에 대해 나를 문책하실 일이 없기 때문이오.

사랑하는 위글라프여. 이제 용은 보물을 빼앗기고 심한 상처를 입은 나머지 죽어 누워 있으니 지금 속히 회색 바위 밑에 있는 보물을 보러 가시오. 지금 당장 떠나시오. 그러면 나는 옛 귀인들의 재산인 그 황금의 보물들과 빛나는 보석들을 우리의 백성들이 가지게 할 수 있소. 그러면 나는 생명을 바쳐 마지막으로 기부한 공로에 흡족해할 수 있을 것이오. 그리하여 오랫동안 다스렸던 나라를 보다 편안한 마음으로 떠날 것이오."

위글라프는 전투에서 상처를 입은 자신의 군주에게 속히 순종했다. 그의 쇠사슬 흉부갑옷은 이제는 뜨거운 열이 식어 있었다. 그는 다시 갑옷을 입고 그 석조문안의 무덤으로 들어갔다.

용감한 젊은 신하 위글라프는 거기서 많은 보물을 발견했다. 거기
에는 오래된 옥향목 의자가 있었다. 그 아래 바닥에는 수많은 귀중한
보석들이 반짝거리며 뒹굴었다. 벽에는 신기한 황금마스크가 걸려 있
었다. 야간의 비행자(飛行者) 용의 소굴에는 먼지를 뒤집어쓰고 장식품
이 떨어져 나간 고인(古人)의 그릇이 곳곳에 놓여 있었다. 거기에는 오
래된 녹슨 투구와 절묘하게 엮어서 만든 많은 금팔찌들이 있었다.

바닥에 있는 황금 보물들은 누구나 쉽게 집어 가질 수 있었다. 그
것들은 너무 많아 숨기려야 숨길 수 없는 것이었다. 또한 노련한 솜씨
로 짠 수예품 중에서 가장 신기한 것인 순금 자수의 군기가 보물들 위
에 높이 걸려 있었다. 신비스럽게도 그곳에서 방사되는 빛으로 말미암
아 그는 땅바닥을 볼 수 있었고 장식품들을 볼 수 있었다.

보물을 아무리 훔쳐도 보물의 간수자 용은 그곳에 다시 나타날 수
없었다. 이유는 검이 그 괴물을 죽여 버렸음이니라. 베오울프의 철제
검은 오랫동안 이 보물을 지켜 왔던 그 용을 베었다. 용은 보물을 지
키려고 무섭게 분출되는 뜨거운 불로 위협하다가 드디어 격살(擊殺)되
었다.

위글라프는 무덤의 보고를 마음껏 헤집고 다녔다. 거인들의 옛 공
예품들인 술잔과 접시를 가지고 싶은 대로 품속에 집어넣었다. 또한
군기 중에서도 가장 빛나는 군기를 손에 넣었다.

위글라프는 그가 획득한 보물을 군주에게 빨리 보이고 싶은 마음
에 조급해졌다. 용감한 그는 기진(氣盡)한 채 홀로 남겨진 예이츠의 군
주를 산 모습으로 다시 만날 수 있을지 안타까워했다. 위글라프는 보
물을 손에 들고 돌아왔다. 베오울프는 피투성이가 되어 죽어 가고 있
었다.

"전하, 보십시오."

위글라프는 베오울프에게 물을 뿌려 정신을 차리게 했다.

베오울프는 눈을 돌려, 가지고 온 많은 황금을 쳐다보고는 다시 말을 시작했다. 귀중한 이야기가 그의 가슴을 통해 나왔다.

노왕은 괴로워하면서 말했다.

"형제가 보다시피, 여기 이 모든 보물을 백성을 위해 얻을 수 있게 해 주신 만물의 주님께 감사를 드리나이다. 이제 나는 이 보물을 얻기 위해 내 늙은 목숨을 바쳤으니 이후로는 위글라프 그대가 백성들의 필요한 것을 보살펴 주시오. 나는 여기에 오래 머물러 있을 수 없소. 나의 화장(火葬)이 끝난 후 전투에서 이름난 자들로 하여금 바다의 갑에다 나의 무덤을 만들도록 하시오. 그것은 내 백성의 기념물이 될 것이오. 후세에 거무스름한 바다를 건너 먼 곳에서 배를 타고 오는 해인들이, 해안가의 갑 위에서 반짝이는 검은 봉우리들을 거느리고 우뚝 서 있는 그 기념물을 보고, 이것을 베오울프의 무덤이라고 부르게 될 것이오."

베오울프는 목에서 금목걸이를 벗어서 그 신하에게 주었다. 또한 그 젊은 용사에게 금으로 장식된 투구와 금고리 그리고 쇠사슬 갑옷도 주었다. 그리고는 그것들을 잘 사용하라고 분부했다.

"그대는 우리 용감한 귀인들 중의 마지막 생존자요. 운명은 용감한 귀인들을 모두 죽음으로 휩쓸어가 버렸소. 이제 나도 그들의 뒤를 따라가야만 하오."

이것은 그 노인이 죽어 화장의 불, 그 뜨거운 적의의 화염을 맛보기 전 마음에서 나온 마지막 말이었다. 베오울프는 눈을 감았다. 이윽고 그의 힘센 육체에 머물렀던 고귀한 영혼은 의로운 자의 영광을 받으러 그의 가슴에서 떠나갔다. 위글라프는 그 앞에 엎드려 흐느꼈다. 자기가 가장 사랑하는 사람이 생명의 종말을 맞아 땅 위에 누워 있음에 그 젊은이는 슬퍼했다.

그 옆에는 붉은 비늘로 덮인 용의 시체가 몸이 감긴 채 있었다. 용의 기다란 몸체의 머리와 가슴은 검게 타서 지금도 연기를 내뿜고 있었다. 군주의 살해자인 무서운 지룡은 자신이 저지른 악행의 업보에 눌려 쓰러져 있었다.

용은 더 이상 보물을 땅속에 묻어 간수할 수 없었다. 이제 이 귀중한 보물들이 인간을 위하여 새로이 쓰이는데 그 괴물은 아무런 방해를 할 수 없었다. 달군 쇠를 망치로 벼려 단단하기 이를 데 없고 싸움에 임해서는 한순간에 적의 몸을 찔러 가르는 날카로운 철검이 그 무서운 괴물을 죽였다. 넓은 피막(皮膜)의 거대한 날개를 퍼덕이며 높이 날아다니던 괴물은 자기의 보물집 근처 땅에 떨어졌다. 괴물은 다시는 밤중에 공중을 비행하면서 자기의 귀중한 보물을 자랑하며 다닐 수 없었으니 이는 용이 대장 베오울프의 무훈(武勳)에 의해 땅에 떨어졌음이니라.

그 누가 그토록 자욱한 연기와 같이 뿜어대는 입김을 향해 돌진할 수 있을 것인가. 인간에 대한 불같은 적개심을 지닌 채 동굴에 살고 있는 화룡을 보고서도 당당히 용의 보물 창고를 공격할 용기를 가진 자는 누구인가? 설사 이제껏 다른 일에 있어서는 대담했다 할지라도 지상의 힘센 사람들 중에 어느 누구도 그렇지 못했을 것이다.

베오울프는 헤아릴 수 없는 훌륭한 보물을 죽음으로 얻었다. 그 훌륭한 보물의 값은 베오울프의 죽음으로써 지불되었다. 신의 대리자와 악마의 대리자는 죽음에 이르는 혈투로써 지상에서의 덧없는 생을 마감했다.

싸움의 결말이 난 지 얼마 안 돼서 비겁한 자들, 그전에 그들의 군주가 심한 곤경에 처해 있을 때 대담하게 투창으로 싸우지 못한 열 명의 힘없는 반역자들이 숲 속에서 나왔다. 그들은 부끄러워하며 방패와 전의를 들고 어깨를 움츠리며 걸어와 자기들의 늙은 군주가 누워 있는 곳에 왔다. 그들은 곁눈질로 위글라프를 쳐다봤다.

도보병 위글라프는 지친 채 군주의 어깨 옆에 앉아서 투구에 퍼온 샘물을 그에게 뿌려서 깨우려고 했다. 그러나 이제는 아무 소용이 없었다. 비록 군주를 살리려는 그의 마음은 간절했지만 그는 이 세상에서 그 대장의 생명을 연장하거나 신의 정해진 섭리를 변경할 수 없었다. 지금도 그러시려니와 신의 심판은 모든 사람들의 일거일동을 주관하시나니라.

"전하 그들이 왔사옵니다."

위글라프는 목멘 소리로 깨어나지 않는 왕을 향하여 다시 불러 외쳤다. 그러나 한 번 영혼이 떠나간 자로부터는 아무런 대답이 없었다.

그리고는 젊은 사람, 웨흐스탄의 아들 위글라프는 용기를 잃었던 자들을 냉혹하게 책망했다. 비탄에 잠긴 그 사람은 원망스러운 그들을 향해 말했다.

"들을지어다. 자네들에게 보물, 즉 자네들이 입고 있는 무구를 주신 군주께서는 당신들에게 그가 원근 도처에서 구할 수 있었던 가장 훌륭한 투구와 쇠사슬 흉부갑옷을 종종 하사하셨소. 그러나 그분은 정작 격투가 벌어졌을 때에는 슬프게도 자기의 편이 없었소. 그 백성의 왕은 자기의 전우들을 자랑할 하등의 이유가 없었소.

그러나 세상에서 승리를 판정하시는 신은 그분이 용기가 필요할 때 혼자서 검으로 원수를 처단하도록 해 주셨소. 그 격투에서 내가 할 수 있는 일은 실로 없을 듯했소. 그러나 나의 지성(至誠)으로 나는 그의 승리를 위해 적으나마 조력할 수 있었소. 그리하여 나의 능력 이상으로 그 혈연자를 돕게 되었소.

내가 용을 검으로 쳤을 때 무서운 원수의 힘은 한층 약해졌으며 화염도 그의 머리에서 덜 솟아나왔소. 그러나 그토록 어려움이 닥쳤을 때 그를 도우러 온 사람들은 없었던 것이오.

군주는 만백성의 수호자이시나 그대들 귀인에게는 다른 백성보다 더 많은 것을 베푸시었소. 더 많은 혜택을 받은 자들은 응당 더 많은 용기와 신념으로 군주를 도와야 하는 것…… 허나 그대들은 군주에게로부터 받은 은혜의 보답을 전혀 하지 않았소.

이제부터 그대들의 족속에게는 보물의 수령(受領), 검의 하사(下賜) 그리고 훌륭한 집에서의 즐거운 낙이 없어지게 되리라. 그대들의 불명예스러운 소행이 알려지면 그대들 일가의 모든 토지 소유권은 박탈될 것이오. 어느 용사에게도 죽는 것이 면목없이 사는 것보다 나을 것이오!"

그리고는 멀리 있는 전령에게

"이 전투의 결과를 알리겠으니 그들을 이리로 부르시오."

했다. 절벽 너머에는 많은 예이츠인이 그들의 사랑하는 사람이 죽었는지 또는 살아서 돌아오는지를 알 수 없어 초조한 마음으로 앉아 있었다.

명령을 받은 자는 얼른 말을 달려 절벽 위로 갔다. 거기서 그는 기다리고 있던 자들에게 전했다.

"이제 그동안 예이츠의 군주로 계시면서 우리 예이츠 국민에게 많은 기쁨을 가져다주셨던 그분이 용의 소행으로 말미암아 죽음의 침상에서 움직이지 않고 누워 계시오. 그분의 곁에는 그의 불구대천의 적도 단검의 상처로 말미암아 힘없이 누워 있소. 그는 자기의 검으로 그 괴물을 단번에 처치할 수가 없었소. 우리의 군주와 우리의 무서운 적은 공격을 여러 차례 주고받으며 처절한 싸움을 계속했소. 결국 우리의 군주는 괴물을 죽였지만 당신 자신을 구하시지는 못하셨소. 그리하여 웨흐스탄의 아들 위글라프는 그들 옆에 앉아서 괴로운 마음으로 친구와 원수의 임종을 지켜보고 있었소."

모여든 자들은 괴물이 퇴치되었다는 기쁨을 누릴 겨를도 없이 오랫동안 정들고 사랑했던 군주가 이 세상을 떠났다는 소식에 저마다 고개를 숙이거나 주저앉아서 눈물을 흘렸다. 전령자의 말은 군중의 흐느낌 속에 계속되었다. 그는 히엘락이 프랑크와 프리지아에 원정 가서 전사했을 때의 전투를 상기시키면서 앞으로 닥쳐올 나라의 위험에 대하여 경각심을 가질 것을 모인 자들에게 촉구했다.

"왕의 죽음이 프랑크와 프리지아 사람들에게 알려지면 예이츠 백성에게는 전쟁이 일어날 것이 예상되오. 후가스인들과의 격전은 히엘락 왕이 해군을 이끌고 프리지아에 원정함으로써 시작되었소. 거기서 헤트와레인들은 우세한 군대를 이끌고 그를 전투에서 급습하여 히엘락은 자기의 군중(軍中)에서 쓰러져 전사했소. 용사들의 두목 히엘락은 전혀 자기 신하들에게 보물을 하사하지 못하였소. 그 후로 그곳의 메로윙기안 왕은 우리들에게 호의를 베풀지 않았소.

스웨덴인에게서 평화나 우호성을 전혀 기대할 수 없는 것은 예이츠인들이 자만심에서 스웨덴인을 먼저 공격하였기 때문이오. 잘 알려진 바와 같이 스웨덴 왕 온겐데오가 레이븐즈 숲 근처에서 흐레델의 아들 해드킨의 목숨을 빼앗았소. 늙고 무시무시한 온겐데오는 당장 반격을 가하여 해왕 해드킨을 죽이고, 자기의 처이며 오넬라와 오트헤레의 모친인 그 고령의 여인을 구출하고는 자기의 불구대천의 원수들을 추격했소. 영도자 없는 예이츠 인들은 레이븐즈 숲으로 간신히 달아났소. 온겐데오는 계속 대군을 이끌고 검의 상처로 쇠약해진 생존자들을 포위 공격했소. 그 가엾은 무리들을 밤새도록 공포에 떨게 하고 협박하면서 아침이 되면 너희들을 검으로 쳐죽이며 몇몇은 새들의 먹잇감으로 교수형에 처하겠다고 말했소. 나중에 동이 틈과 동시에 그들 비탄에 잠긴 자들에게 원군이 왔으니 그때 그들은 히엘락 왕의 나팔 소리를 들었소. 용감한 사람 히엘락은 백성과 신하 일대(一隊)와 함께 그들의 뒤를 따라왔소.

스웨덴인과 예이츠인 들의 피묻은 발자국은 그 참혹한 싸움의 실상을 알 수 있게 하였소. 사람들의 잔인한 급습 그리고 이들 백성 간에 어떤 싸움이 벌어졌는가는 널리 알려졌소. 그리고는 용감했던 나이 많은 왕은 비탄에 잠겨 자기의 군대에 퇴각을 명했소.

거기서 온겐데오는 더욱 멀리 떠났으니 이는 그가 히엘락의 뛰어난 무용을 들어서 알고 그 대단한 용사의 전투력을 들어서 알았음이오. 그는 저항하려고 생각지도 않았으니 이는 그가 그들을 싸워 물리쳐서 보물과 어린이들 그리고 여자들을 보호할 수 없었기 때문이오.

그 노인 온겐데오는 거기서 다시 방어용 둑 위로 물러갔소. 스웨덴인들은 계속 추격당하였소. 예이츠의 군사는 적군의 참호에 물밀 듯 쳐들어가서 마침내 히엘락의 군기를 그들의 피신처에서 휘둘렀소. 거기서 그들은 검을 들이대고 백발의 온겐데오를 궁지에 몰아넣었소.

이제 스웨덴인들의 민왕(民王)은 에오폴의 앞에 굴복하지 않으면 안 되었소.

원레드의 아들 울프는 성난 기세로 무기를 들어 스웨덴의 왕을 쳤소. 그리하여 온겐데오의 머리카락 밑에서 피가 흘러나왔소. 그렇지만 그 고령의 스웨덴인은 두려워하지 않고 오히려 더 심한 반격으로 그의 잔인한 타격에 보답했소. 그러나 원레드의 대담한 아들 울프는 온겐데오에게 반격을 가할 수 없었으니 이는 온겐데오가 먼저 검으로 울프의 머리를 덮은 투구를 쳐서 그것이 관통하여 피투성이가 되어 땅에 쓰러졌기 때문이오. 그러나 울프는 아직도 죽을 때가 되지 아니했으므로 비록 다쳐서 아파했지만 살아났소.

에오폴은 형제 울프가 쓰러지자 자기가 가지고 있는 그 훌륭한 검, 거인들이 만든 폭넓은 고검으로 적의 방패 벽을 쳐서 그 무서웠던 온겐데오의 투구를 부숴 버렸소. 그러자 그쪽 백성의 수호자 온겐데오는 치명상을 입고 쓰러졌소. 전쟁은 예이츠인들이 승세를 잡게 되었소. 예이츠 인들은 에오폴의 친족 울프를 붕대로 감아서 속히 일으켰소. 그때 한 용사는 다른 용사를 약탈하였는데 에오폴은 온겐데오의 쇠사슬 갑옷과 자루가 달린 견고한 검 그리고 그의 투구를 빼앗았소. 그는 백발노인의 무구를 히엘락에게 가지고 갔소.

히엘락은 귀국하여 많은 보물로써 에오폴과 울프의 격투에 보답했소. 그리고 그는 우정의 표시로 에오폴에게 집안의 보배인 외동딸을 아내로 주었소.

그 스웨덴인들이, 백성의 이익을 도모하고 영웅적인 업적을 성취한, 우리의 군주 베오울프가 죽었음을 알면 필시 우리를 침공할 것이오. 그들로부터 기대할 수 있는 것은 불화와 적의 그리고 인간 사이의 증오뿐이오.

지금 우리가 할 수 있는 최선의 일은 서둘러 우리들의 민왕께로 가서 경배한 다음, 우리에게 금고리를 주셨던 그분을 화장용 장작더미 위에 올려놓는 일이오.

　이제 우리 군대의 대장은 모든 웃음과 즐거움 그리고 환락을 버리셨소. 앞으로 우리의 용사들은 아침이면 찬이슬 맺힌 창을 치켜들고 던지며 싸움을 시작해야 할 것이오. 그리고 거기에는 시쳇더미 위에서 큰 까마귀가 독수리에게 시체를 약탈해 먹을 때의 재미가 어땠냐고 묻는 광경이 있을 뿐일 것이오."

　궂은일에 용감한 그는 불길한 앞날을 예언하는 데 있어 사실 그대로 말하고 거짓말을 하지 않았다.

　"자, 일어나 그곳으로 갑시다."

　그들은 모두 일어섰다. 모두들 슬퍼하여 눈물을 흘리면서 해안 절벽 밑으로 내려갔다.

26 군주의 장례식

사람들은 석벽 동굴의 입구 주위에 몰려왔다. 거기서 그들은 왕이 죽어서 모래로 된 침상에 누워 있음을 보았다. 이날은 용감한 예이츠의 전왕(戰王)이 지극히 특별한 죽음을 맞는 날이었다.

그곳에서 그들은 용이 베오울프의 맞은편에 누워 있는 것을 보았다. 붉으면서도 얼룩덜룩한 비늘로 덮인 화룡은 자신이 내뿜은 화염에 절반이 타 버렸다. 타서 검게 된 부위에서는 아직도 김이 모락모락 나고 있었다. 그 용은 누운 길이가 오십 척이나 되었다. 기다란 몸은 축 늘어져 땅에 엎어져 있었다.

용은 어제까지 밤마다 공중을 춤추며 날아다니다가 아침이 되면 내려와 자기 소굴에 돌아오곤 했다. 하지만 그날 용은 죽음의 운명에 사로잡혔다. 그날은 용이 동굴 속의 보물을 마지막으로 관리한 날이었다.

그 용 옆에는 위글라프가 이미 가지고 나온 보물들이 있었다. 술잔과 물주전자와 접시들이 있었으며 천 년 동안이나 땅속에 묻혀 있어서 녹이 슬어 부식된 훌륭한 검들이 있었다.

막대한 유산인 고인들의 황금은 주문으로 묶여 있었다. 인간의 보호자인 하나님이 적합하다고 점지한 자에게 보고를 열도록 허락하지 않으면 어느 누구도 그 보물의 더미에 손을 댈 수 없었다. 이를 어긴 자는 그곳에서 죽임을 당했다.

이들 예술품을 부당하게 동굴 벽 속에 감춰둔 용의 소행은 이롭지 못했음이 명백해졌다. 용은 그전에도 자기의 보고에 들어오려 했던 많은 사람을 죽였다. 그러나 그 용의 행위는 괴물이 마지막으로 죽인 자에 의해 복수 되었다.

이름 높은 용감한 귀인이 결국 어떻게 최후를 맞는지는 참으로 알 수 없는 일이었다. 그것은 아무도 모르는 것이었다. 정해진 운명을 인간은 알 수 없는 것이다. 베오울프도 또한 그러했으니 그가 무덤의 간수자에게 도전했을 때 이 세상과의 작별이 어떻게 이뤄질지 그 자신도 몰랐다.

보물의 창고 깊숙한 곳에는 오래된 해골들이 있었다. 보물을 그곳에 보관해 두었던 옛적의 군주들은 최후 심판의 날까지 그 보물에 엄중한 저주의 주문을 걸어 두었다. 그래서 전능자의 황금 증여의 자비가 있기 전까지는 그곳을 침범했던 자는 죄를 짓게 되어 이교도의 복마전(伏魔殿)에 갇히고 지옥의 차꼬에 묶여 쓰라린 고통을 당하며 죽었던 것이다.

웨흐스탄의 아들 위글라프는 말했다.

"오늘 우리는 단 한 사람에게 닥친 일로 인하여 온 백성이 슬픔을 겪어야만 하는 바로 그런 날을 맞이하게 되었소. 우리들은 사랑하는 군주이며 이 나라의 수호자인 분에게 용을 상대하지 말고 그냥 오래된 거처에서 세상 마지막 날까지 살게 내버려두라고 설득할 수 없었소. 그는 싸우기를 고집했소. 그는 자기의 위대한 운명 즉 천명을 지켰소. 그가 그토록 힘들여서 획득한 보물이 여기 있소. 우리의 왕을 이리로 유인했던 운명의 힘은 너무도 강했소.

그토록 가열찬 투쟁의 결과로 얻은 비장의 보고가 여기 열려 있소. 금단의 구역에 나는 신의 허락으로 들어갈 수 있었소. 나는 이 건물 안의 모든 귀중한 물건을 전부 보았소. 석굴로 들어가면서는 어떤 우호적인 영접도 받지 못했소. 나는 서둘러서 크고 무거운 보물의 짐을 들고 이곳 내 군주에게로 가지고 나왔소.

그때 전하께서는 아직도 살아 계셨으며 마음도 온전하시고 의식도 있었소. 그는 괴로운 중에도 여러 가지 일에 대해 말씀하셨으며 또한 그대들을 맞이하여 전하라 하시기를, 당신의 화장용 장작더미 바로 그 장소에 고총(高塚)을 쌓고 당신의 업적에 격합(格合)한 높고 크고 화려한 기념비를 세우라 하셨소. 이는 왕께서 이 넓은 지상의 사람들 중에서 가장 훌륭한 용사였음에 따른 것이오.

지금 서둘러서 그 벽 밑에 있는 신기한 것들, 옛사람들이 쌓아 놓은 귀중한 보석들을 다시 보러 갑시다. 나는 당신들이 그 고리와 넓적한 판금들을 바로 가까이 충분히 볼 수 있도록 인도하겠소. 그리고는 그곳에서 나와서 빨리 관가(棺架)를 마련합시다. 그리하여 우리들의 군주인 사랑하는 그분을 하나님의 보호 아래 오래 머물 수 있는 곳으로 옮기도록 합시다."

위글라프는 모여 있는 사람들에게 지시했다.

"이 나라에서 집을 소유하고 있는 사람들, 즉 재산을 많이 가진 백성의 지도자들에게 명하노니, 각자가 사는 곳에서 화장용 장작더미로 쓰일 목재를 운반해 오시오."

곧 각자의 집에서 이곳으로 목재가 운반되어 왔다. 목재가 높이 쌓인 그 위에서 위글라프는 장례식을 주관했다.

"이제는 화염이 붙어서 검붉은 불꽃은 점점 커지게 될 것이오. 그 불꽃은 용사들의 대장을 삼켜 버릴 것이오. 예전의 그 숱한 싸움터에서, 화살의 폭풍우가 방패를 넘어 날아가도, 공중에서 쏟아져 내려오는 화살의 소나기에도, 연거푸 죽지 않고 살아남았던 그분은 이제 한 줌 재로 돌아가게 되오.

거기에는 쌓아 놓은 보물…… 그가 아주 애써서 획득한 수많은 황금 그리고 최후에 자기 자신의 목숨을 주고 산 금고리들이 있게 될 것이오."

보물을 불태운다는 말을 하자 잠자코 듣고 있던 그들 중에 술렁이는 소리가 들렸다. 그러나 그의 기세에 눌려 말은 못하고 서로들 눈치만을 보다가, 모여 있는 많은 백성 중에 나이 많은 여자들이 나서서 말했다.

"아니, 전하께서 목숨을 바쳐서까지 얻은 전리품을 어찌 모두 불태워 없애버릴 수 있나요? 그것으로 이 나라를 부강하게 이어가는 데 쓰는 것이 전하의 뜻에도 맞지 않을까 하옵니다."

위글라프는 쓴웃음을 지으며 답했다.

"보물이 있으면 뭘 하오. 보물을 수호할 수 있는 자가 이 세상에 없는데. 이 보물들은 우리에게 적의를 가지고 있는 이웃 나라로 하여금 우리를 공격하게 하는 빌미가 될 뿐이오. 훌륭한 보물을 갖고 품위 있게 살고 싶다면 그만큼 그것을 지킬 능력도 있어야 하오. 그러니 우리는 우리의 분수에 넘는 보물을 가지고 즐기고자 하는 위험한 욕심은 갖지 말아야 하오."

하고는 다시 동굴의 입구 보물이 쌓여 있는 곳을 가리키며,

"불이 이것들을 삼키고 화염이 이것들을 둘러쌀 것이오. 우리의 군주가 이 세상의 환락을 저버렸으니 그분을 추억하기 위하여 모여든 어

느 귀인도 보물로 몸을 단장하지 않고 어여쁜 아가씨도 목에 장식고리를 감지 않으며 지내야 할 것이오. 그렇지 않으면 예이츠의 여인들은 오히려 가지고 있는 금을 빼앗긴 채로 외국 땅에 끌려가 방황하게 될 것이오."

그리고 내려와 사람들이 모여 있는 곳에 가까이 가서 말했다.

"이제 용의 소굴 안으로 들어갈 사람들이 필요합니다."

웨흐스탄의 아들은 왕의 신복 중 일곱 명을 불렀다. 이들과 함께 원수의 지붕 안으로 들어갔다. 용이 살았던 곳에는 아직도 거두지 않은 숱한 보물들이 널려 있었다. 앞장서서 간 한 사람은 손에 횃불을 들고 있었다. 그들은 내버려진 수없이 많은 보물을 보았다. 참으로 진귀한 것들이 많았다.

옥향로(玉香爐), 금주전자(金酒煎子), 자개장, 언월도(偃月刀), 청동반가사유상(靑銅半跏思惟像) 등이 있었다. 그들은 누가 먼저 보물에 손을 대느냐를 놓고 겁을 먹고 추첨하거나 하지 않았다. 모두가 조금도 주저하지 않고 귀중한 보물을 서둘러 밖으로 가지고 나왔다.

바닷가 절벽 위 동굴 앞에는 아직도 타다 남은 용의 시체가 늘어져 있었다.

"용을 바다에 수장시킵시다."

위글라프는 타고 남은 용의 머리 부분을 들었다. 이십여 명이 아직도 번들번들한 붉은 비늘이 덮여 있는 용의 몸체와 피막이 타버리고 기다란 뼈만 남아 있는 날개를 곳곳에서 붙잡고 절벽 앞까지 끌고 갔다. 사람들은 절벽의 반대편으로 돌아가서 그 거대한 박쥐와도 같고 도마뱀과도 같은 늙은 뱀의 몸뚱이를 절벽 아래로 밀었다.

"휘익."

떨어지던 용의 긴 몸은 바닷가 절벽 중간에 옆으로 나 있는 소나무에 잠시 걸쳐졌다. 소나무는 줄기가 부러질 듯이 꺾이다가 용의 몸이 미끄러져 떨어지니 다시 팽팽히 고개를 들고 곧게 섰다.

"풍덩."

큰 물보라를 일으키며 용의 몸은 가라앉았다가 다시 떠올랐다. 한동안 바다 위를 떠돌다가 뒤이어 몰아치는 파도가 보물의 간수자를 받아갔다.

헤아릴 수 없이 많은 각종의 황금 제품들이 짐차에 실렸다. 그들의 군주인 백발의 용사 베오울프는 흐로네즈네스 갑으로 옮겨졌다. 예이츠 백성은 베오울프가 시킨 대로 그를 위하여 화장용 장작더미를 마련하고 그 둘레에 그의 투구와 군용 방패 그리고 빛나는 쇠사슬 흉부 갑옷들을 걸어 두었다. 용사들은 애도하면서 그들의 훌륭한 군주이며 사랑하는 주인을 그 한복판에 뉘었다. 그리고는 용사들은 장작더미에 불을 붙였다. 연기는 불 위를 시커멓게 솟아올라 갔고 장작에 붙은 불꽃이 한꺼번에 타는 소리는 많은 사람의 울음소리와 뒤섞였다.

바람의 시끄러운 소리는 잔잔해졌다. 그리하여 마침내 불은, 가슴이 뜨거웠던 육신을, 뼈를 기둥 삼고 살을 벽으로 삼아 영혼이 일시 기거했던 집을 태워 버렸다. 슬픈 그들은 닥쳐오는 슬픔과 함께 그들 군주의 죽음을 애도했다.

노제가 거행되었다. 흰머리를 땋아 올린 예이츠의 노녀(老女)가 나타났다. 오랜 세월의 풍상이 어린 그녀는 흰 모포 자락 차림으로 나와 화장의 장작더미 앞에 섰다.

그녀는 가늘고 높은 콧날 아래 얇은 회분홍의 입술을 움직여 베오울프에 대한 애도의 슬픈 노래를 몇 번이나 부르면서 가만가만 춤을

췄다. 무대(舞臺)에 나서기 전까지는 몸을 가누기도 힘든 야위고 허약한 노파로만 보였던 그녀는 신들린 듯이 유연한 동작을 많은 사람들 앞에서 보였다.

우리의 용사 가셨으니
무서운 학살의 군대를 어찌 막으리오?
우리에겐 공포가 닥쳐오고
다가오는 굴욕이 앞에 있도다.
화장대(化粧臺) 앞에서 빼기는
여인의 아름다움도
지켜주고 즐겨줘야 할 자가 있어야 의미 있을진대
머지않아 사나운 적군의 공격 앞에
이 땅의 남자들은 이기지 못하고 주저앉을 것이요.
여자들은 그들의 장신구를 빼앗기고
옷을 벗기고 연달아 묶여
그들의 전리품 삼아 끌려갈 것이고
그곳서 그네들은
저네들의 당하는 수욕(受辱)을 호소할 곳도 없으리로다.
그네들은 그곳에서
노예로 살아갈 것이니
자기의 남자를 선택할 권리도 없을 것이다.
향긋한 입술 분홍의 뺨이
무슨 자랑거리가 될 수 있을까
그것은 그네들의 유희감이 될 터인즉,

소유자에게는 아무런 자부심을 줄 수가 없으리로다.

풍성한 젖가슴과 하늘한 허리가 무슨 소용이 될 것인가

여인은 탐애자(貪愛者)에게 아무 주장도 못 할 것이며

여인의 자존심을 밟히는 마당이 될 뿐이리라.

대지와 같은 흡수력으로 생명을 받아들이는 그곳도

더 이상 여인의 꿈을 키우는 곳이 아니라

참을 수 없는 수치(羞恥)의 접수구(接受口)가 될 것이다.

여인 육체의 곳곳에 뭉친 살덩이는

적군의 희롱 앞에 노출된 부끄러움으로 뭉치게 될 것이다.

더 이상 여인들은 자신의 아름다움을 두고 도도할 권리를 누릴 수
없으리라.

그네들의 몸은 더 이상 그네들의 것이 아님은

그네들의 것을 지켜줄 이가 이 나라에 없음이라.

그녀는 앞으로의 나라와 민족의 운명에 대해 사뭇 비장한 예언을 하
는 노래를 불렀다. 바로 그녀는, 오래전 베오울프를 사모하였으나 언니
에밀라에게 양보하고 실의에 차서 수녀가 되었던 점성술사 안나였다.

군중 중에 그녀의 사연을 아는 자들은, 한 남자를 사랑했던 두 여
자 중에 누가 더 행복하고 누가 더 불행했던 가에 대하여 저마다의 주
관을 가지고 수군수군 논쟁을 하였다.

"그래도 옛날 돌아가신 에밀라 왕비께서 행복하신 것이지. 잠시 동
안의 사랑이라도 받아 봤으니 말야."

"그렇게만 볼 수도 없네. 점성술사 안나는 평생 전하에 대해 사모하
는 정을 키우면서 살아왔으니 생을 통한 사랑의 목적을 어느 정도 이

뤘다고 볼 수 있지. 하지만 저승에 가면 더 이상 어느 한 사람에게 사랑을 줄 권리는 없게 되지 않은가. 에밀라 왕비께서는 당신의 뜻과 달리 유명을 달리했으니 이 어찌 안타까운 일이 아닌가."

그다음 그녀는 결국 이 땅에서 추구하고 집착했던 것이 얼마나 허무하고 부질없는 것인가를 의미하는 노래[1]를 불렀다.

주님의 기쁨은
이 땅에서 사망할 덧없는 인생보다
내게는 더 뜨겁다.
이 세상의 재물은 전혀 영속하지 않는다.
사람은 최후의 날이 다가오기 전에
언제나 세 가지 중의 하나는 확실하니
병,
고령,
그렇지 않으면 적의 검이
죽을 운명의 인간에게서 생명을 거둬간다.
그러므로 모든 귀인에게는
살아남은 자들이 후에 바치는 칭송만이
사후에 얻을 최상의 영예이니라.
그것은 죽기 전에
적의 악행에 대항하여 옳은 일을 하고
악마의 사주에 맞서 용감한 업적을 이뤄
후세의 사람들이 칭송하고

---

1) 같은 시대의 시 〈바다 나그네〉 일부

영생의 기쁨이 되며
천국의 천사들과 함께
영원한 즐거움을 누릴 것이다.

이 세상 왕국의 모든 영화의 시대는 지나갔다.
옛날에 있었던 제왕들,
금을 하사하던 자들은
그때는 서로가 빛나는 업적을 세우며 훌륭한 영화를 누렸으나
지금은 살고 있지 않다.
이들 고귀한 용사들은 죽었으며
그들의 기쁨은 사라져 버렸다.

그리하여 지금은
그들보다 저열한 자들이 살아남아
유산을 유지하기도 힘에 부쳐 하고 있다.
이 땅의 사람들이 모두 그러하듯
수확하는 과실은 갈수록 보잘것없으며
땅의 지력은 갈수록 약해진다.

고령이 닥쳐온 창백한 얼굴의 백발노인은 슬퍼한다.
귀인의 아들인 그의 소중한 옛 친구들
그들은 죽어 땅속에 묻혔다.
생명이 가고 나면
맛있는 것을 즐기지 못하며

아픔도 모르고 손을 움직이지도 않고
또한 마음으로 생각하지도 않는다.

한 형제가 다른 형제의 무덤에 금분을 뿌리고
각종의 보물을 묻어
함께 저 세상으로 보내고자 하나
죄 많은 영혼에게 황금은
비록 그가 세상에 있을 때는 숨겨둘 수 있겠으나
하나님의 진노 앞에서는 아무 도움도 못 되느니라.

창조주의 진노를 사는 것은
온 땅이 뒤흔들릴 만큼 큰 재앙이니
그는 굳건한 대지와
그 위에 덮인 흙
그리고 하늘을 창조하셨다.
하나님을 두려워하지 않는 자는 어리석도다.

죽음은 예기치 않을 때 닥쳐오느니라.
겸손히 사는 자는 복이 있나니
하늘의 은혜가 그의 것이니라.
창조주의 권능은 믿는 자의
영혼이 굳세도록 해주신다.

사람은 격렬한 감정을

제어하고 간수해야 하며
행위에 일관성이 있어야 하며
행실이 깨끗해야 하느니라.

사랑하는 친구가 불 속에 타고
그 원수가 부당한 상급을 얻음을 보더라도
아끼는 자에 대한 사랑과 미운 자에 대한 증오를
절도 있게 나타내야 하느니라.
여느 사람이 생각하기보다
운명은 강력하며
그 운명의 설계자는 더욱 막강 하시느니라.

우리의 안식처가 어디 있고
어떻게 그곳에 갈 것인가를 생각하자.
영원한 축복의 땅에
우리 함께 갈 수 있도록 힘쓰자.
그곳은 하나님의 사랑 안에
영원한 삶이 있는 곳이니
거기서 천국의 환희를 누릴 것이다.

영광의 아버지,
영원한 주님께서
우리를 항시 높이 들어 올리심에
거룩하신 하나님께 감사를 드릴지어다.

그녀의 검고 반짝이는 눈빛에서는 진한 눈물이 쏟아져 내려오고 있었다. 겉으로는 파계의 생활을 보내고 있던 그녀였지만 결국 그녀의 마음은 세상을 지배하는 절대자에게 귀의(歸依)해 있었다.

그녀는 앞으로 닥쳐올 자기 나라의 애통의 날을 염려했다. 그녀는 노래를 통해 모두에게 싸움에서의 학살, 적의 군대의 공포, 적에게 패하여 굴욕을 받고 포로가 되는 것을 심히 두려워한다고 말했다.

예이츠의 백성은 그곳 갑에 베오울프의 무덤을 세웠다. 그것은 높고 넓었으며 멀리 항해인들에게도 보였다. 그들은 싸움에 용감한 그 사람의 기념 건조물을 열흘 만에 완공했다.

그리하여 그들은 매우 슬기로운 자들이 가장 훌륭하게 고안한 대로 그들의 군주 베오울프의 장례와 그가 획득한 헤아릴 수 없이 많은 보물들의 처리를 결정했다. 그들은 불에 타고 남은 그의 유해를 담으로 둘러쌌다. 그들은 무덤 속에 금고리들, 장신구들 그리고 그 전에 경솔한 사람들이 용의 보고에서 훔쳐온 모든 장식물들을 넣었다. 그들은 땅으로 하여금 귀인들의 보물과 황금을 품어 보관하게 했다. 이들 보물은 옛날과 같이 지금도 사람들에게 쓰이지 않고 그곳에 그대로 있다.

싸움에 용감한 귀인들의 열두 아들이 무덤으로 왔다. 그들은 말을 타고 무덤을 돌면서 그들의 슬픔을 비탄해 하고 왕을 애도하며 노래[1]를 불렀다.

---

1) 같은 시대의 시 〈방랑자〉 일부

진실로 사람이 자기 마음의 울타리를 굳게 잠그고
마음의 보고를 간직하고 뜻을 펼치려 하는 것은
인간의 고귀한 미덕이다.
낙담하는 자는 운명을 저항하지 못한다.
거친 생각은 아무 소용이 없다.
영광의 명성을 갈망하는 자는
가끔 침울한 생각을 마음속에 묶어 둬야 하느니라.

오래전 나에게 금을 주시던 벗을 땅의 어둠 속에 묻은 후로는
나는 나의 고국을 잃고 나의 고귀한 혈연자들로부터 멀리 떨어지게
되어
나의 마음을 차꼬로 묶어야만 했다.
나의 마음은 비참하고 겨울같이 슬펐으며
그 회관이 그리워 파도가 사슬같이 이어 있는 바다를 건너
보물을 주시는 자를 찾으러 갔다.
나는 원근 도처에서 나의 백성을 알고
친구 없는 나를 위로해주며
친절하게 영접해줄 사람을 주연관에서 찾았다.

겪어본 자는 알리라.
보호자가 없는 자에게 슬픔이란 얼마나 무정한 것인가를
함께 하는 것은 방랑자의 길일 뿐
결코 엮어서 만든 금제품이 아니다.
그것은 차디찬 것이며

결코 지상의 영광이 아니다.
나는 옛 회관의 함께 했던 가신들을 생각하고
보물을 받을 때의 즐거움을 생각한다.
젊은 시절 황금을 주시는 친구가 항시 베풀던 성찬을 생각한다.
그 기쁨은 다 사라져 버렸다.

오랫동안 사랑하는 군주의 조언 없이 지내는 사람
슬픔과 잠이 함께 가련하고 외로운 자기를 구속할 때
그 옛날을 생각하느니라.
지난날 왕의 선물 하사식에 함께 했을 때
나의 군주를 껴안고 입 맞추며
나의 양손과 머리를 그의 무릎에 얹었던 것을 생각한다.
지금 친구 없는 이 사람은
다시금 깨어나 자기 앞의 거무스름한 파도를 보며
바닷새들이 날개를 펴고 날아다니고
서리와 눈이 우박에 섞여서 떨어지는 것을 본다.

마음의 상처는
사랑하는 자의 그리움으로 더 심해진다.
그 혈연자들의 추억이 떠오르자
슬픔은 되돌아온다.
전우의 환영(幻影)들을 즐거운 노래로 반기고
그들을 열심히 쳐다본다.
그들은 다시 사라져 버린다.

떠도는 영혼은 귀에 익은 말소리를
좀처럼 들려주지 않는다.
울적한 마음을 파도치는 바다로 내보내야 하는 자
그에게는 근심이 되살아난다.
용감한 젊은 신하들이 갑자기 그 회관의 마루를 떠나버린 것
참으로 내가 이 모든 사람들의 생애를 생각할 때
왜 내 마음은 우울할 수밖에 없는가.

이리하여 이 세상은
매일같이 허물어지고 내려앉는다.
그러므로 사람은 이 세상에서 오래 살아
그의 연령의 몫을 치러야만 슬기로워지느니라.
슬기로운 사람은 참을성이 있어야 하며
결코 성급해서는 안 되고
말이 너무 앞서서도 안 되며
싸움에 너무 약해서도 안 되고
너무 경솔하거나 너무 무서워하거나 또는 너무 의기양양해도 안 되고
너무 재물을 탐내거나
또는 알려지지 않았을 때 너무 자랑하려고 해도 안 되느니라.
용감한 사람은 서약할 때
자기 마음이 어디로 쏠리는가를
분명히 알 때까지 기다려야 하느니라.

지금 이 세상 도처에

벽이 바람에 부딪치고
하얀 서리에 덮여 있으며
집들이 폭풍우로 허물어지고 있듯이
이 세상의 모든 재물이 황폐하게 되면
총명한 사람은 그것이 얼마나 끔찍한가를 깨달아야 하느니라.
주연관은 허물어지고
통치자들은 기쁨을 잃고 죽어 있으며
용감했던 모든 용사들은 벽에 기대 쓰러져 있다.
전쟁은 이들을 죽여서 딴 데로 데리고 가버렸다.
시체 중의 하나는 맹금이 잡아채서
바다 높이 날아갔다.
또 하나는 회색 여우가 죽음과 나누어 먹었고
또 하나는 슬픈 얼굴을 한 사람이 무덤에 숨겨 묻었다.

이와 같이 인류의 조물주께서는 이 거처를 황폐케 하셨다.
그리하여 거인들이 옛날에 만든 건물은
거주자의 떠드는 소리 없이 텅 비어 있다.
그때 방랑자는 이 황폐된 벽을 쳐다보고 곰곰이 생각하며
어두운 인생을 돌아보게 된다.
마음이 착한 자는 지난날의 무서운 전투를 떠올리고는
이 말을 할 것이리라.
군마는 어디 가고 없으며
용사는 어디 가고 없느냐.
보물을 주시는 자는 어디 가고 없으며

주연석은 어디 가고 없느냐.

회관의 주연자(酒宴者)들은 다 어디 가고 없느냐.
빛나는 술잔
쇠사슬 갑옷을 입은 용사
군주의 영광
시간은 마치 그런 일이 일어나지 않았듯이 지나
밤의 어둠을 타고서 사라져 버렸다.

이제 그곳에는 사랑했던 전우들의 무리는 간 곳 없고
꿈틀거리는 뱀의 무늬로 장식된
높디높은 벽만이 남아
황량한 폐허의 벌판을 지키고 있다.

운명은 거역할 수 없느니라.
폭풍우는 통곡하고 원망하듯
석벽을 적시고 두드린다.
찬 서리는 대지를 무정하게 얼어 붙인다.
밤의 어둠이 닥치면 겨울의 사나움은 더해지며
북쪽 하늘로부터의 거센 우박이 사람을 괴롭힌다.
지상의 모든 왕국은 피폐해 있다.
천운은 세상을 바꿔 놓는다.
이승의 모든 복락은 허무한 것이다.
여기서는 결의를 맹세하여 마음 깊이 사귀던

친구들도
남자들도
여자들도
모두 한갓 뜬구름과 같아서
세상에 이룩한 모든 것은
이윽고 무로 돌아가게 된다.

마음이 슬기로운 자는 이와 같이 말하고는 홀로 묵상한다.
자기의 맹세를 이행하는 자는 훌륭한 사람이니라.
사람은 자기의 아픈 감정을 그 대책을 세우기 전에는
너무 조급히 알려서는 안 되느니라.
우리를 위해서 모든 것이 안전하게 예비된 곳
하늘에 계시는 아버지에게 은혜와 위안을 구하는 자에게는 모든 일
이 형통하리라.

그리고 그들은 베오울프의 영웅적 업적과 용맹스러운 일들을 높이
찬양했다.
이와 같이 사람들은 자기들의 군주가 세상의 육신을 떠나게 될 때
헌사로써 찬양하며 진심으로 사랑하여야 하느니라.
그리하여 예이츠 백성들과 왕의 가신들은 저들 주인의 죽음을 애도
하면서 말하기를 이렇게 했다.

우리의 사랑하는 국왕께서는
이 세상의 왕 중에서 가장 선량한 분이었습니다.

그는 전쟁에 나가 싸우려 할 때

언제나 보병 용사의 맨 앞에서 용감히 싸우고

전리품으로 얻은 금고리를

신하일 때는 국왕께 진상하여 영광을 바쳤으며

국왕일 때는 신하들에게 골고루 나누어주시었습니다.

그는 이 세상의 왕 중에서 가장 사려 깊고 신중한 분이었습니다.

선왕의 갑작스런 서거에도 나라를 위기에서 구출하시었고

나라 안에 다툼이 생겼을 때는 현명한 판결로써 분쟁을 막아주셨
습니다.

왕께서는 또한 백성에게 가장 친절했습니다.

그는 백성이 나라의 근본이라시며

백성 하나하나의 사정도 결코 가볍게 넘기지 아니하셨습니다.

다른 사람들은 이 세상에서

지나친 재물을 바라기도 하고

분수 넘는 권력을 바라기도 하고

속세의 명성을 구하기도 하고

부적절한 친교를 구하기도 하였습니다.

이 모든 부질없는 속세의 것을 하찮게 여기던 그분

그리하여 그분은

이 세상의 무엇보다도

영원한 명예를 갈망했던 분이었습니다.

後 記

싸움은 원하는 자들만의 것이 아니다.

어릴 적 보았던 만화 중에 한 소년이 어머니에게 이렇게 물었다.
"싸움은 좋은 것이에요? 나쁜 것이에요?"
나는 그때 '싸움은 나쁜 것인데 왜 묻는가?' 하고 의아해했다. 그리고 만화에 나오는 어머니의 대답도 "싸움은 나쁜 것이니 싸움하지 말아라."는 것이길 기대했다.
그런데 만화의 그 어머니는 얼른 대답을 않고 한참을 망설이더니,
"음…… 그건.
좋은 싸움도 있고,
나쁜 싸움도 있겠지."
하며 옳지 못한 싸움은 피해야 하겠지만 불의를 보고 참는 것은 나쁜 짓이라고 하였다.
나는 그래도 '싸움은 대개가 나쁜 것.'이라는 말을 해주지 않는 그 만화의 내용이 끝내 불만스러웠다.
훗날 자라서 나는 현대 韓國詩史의 중요한 위치를 차지하고 있는 詩人의 작품을 보는 중에 나의 바람과 꼭 맞는 구절을 발견했다.

"싸우고 싶은 자 저희끼리 싸우게 하고……"

그 시인의 시에 당시의 나는 심취했으며 그러한 세상의 도래를 나 또한 그 시인과 마찬가지로 바랐다. 또한 그러한 바람으로 글쓰기의 생활을 시작했다.

그러나 나는, 그 시인이 젊은 나이에 작고했던 나이를 넘어선 지금에 이르러 싸움을 다시 알게 되었다. 인간은 살아가는 한 무언가와 싸워야 하며 그것은 전혀 그 자신의 뜻과는 상관없다는 것. 그것이 바로 인간의 운명임을 體感하게 되었다.

싸움은 결코 그것을 기꺼이 받아들이며 그 용기를 자부할 만한 자들만의 전유물이 아니다. 그것은 소심하고 여리고 소극적이고 섬세하고…… 싸움과 거리가 먼 온갖 형용사를 받아들일 만한 그런 자들에게도 운명이 그리하라고 정해주면 찾아오는 것이다. 그리고 그것은 자신의 영혼이 絶對神과 가까이하려는 인간으로서 유지되고자 한다면 받아들여야 하는 것이다.